Boy's love Café

Manon Lilaas

Boy's love Café

Éditeur : BoD-Books on Demand
12-14 rond-point des Champs-Élysées, 75008 Paris
Impression : Books on Demand, Norderstedt, Allemagne

ISBN : 978-2-3223-7532-5
Dépot légal : Février 2022

À ma famille, mes amis, mes abonnés,
qui demeureront mes plus indéfectibles soutiens.
Merci pour toute l'attention apportée à ce livre sur les réseaux,
l'écrire fut une aventure formidable à vos côtés.
À ceux que j'admire,
et grâce à qui ce roman n'aurait jamais existé.

AVANT-PROPOS

Boy's love Café est un roman originellement constitué d'un unique tome. Beaucoup trop long pour être édité en un seul livre, cependant, il m'a fallu le couper en cinq alors même qu'il n'avait pas vocation à l'être. Je m'excuse pour ce désagrément et espère que ça ne hachera pas de manière trop gênante votre lecture. Ma sœur et moi faisons tout pour éditer au plus vite et au mieux les tomes suivants.

En effet, il s'agit d'autoédition. De fait, si nous demeurons toutes deux très attentives aux erreurs qui ont pu se glisser dans ce texte, nous ne sommes pas infaillibles pour autant. Je suis désolée, je fais sincèrement de mon mieux pour sortir ces romans avec un nombre de coquilles au plus bas.

À noter également : ce livre contient plusieurs scènes explicites. N'hésitez pas à passer au chapitre suivant si cela vous dérange. Je me suis contentée de corriger et publier le texte tel que je l'avais posté sur Wattpad, je ne souhaitais pas censurer ces passages appréciés par mon lectorat. J'ai donc choisi de les conserver en dépit de leur caractère sexuel. De même, cette histoire se définit par la douceur de ses protagonistes, son côté « soft ». Ça ne plaira pas à tous, mais à moi, ça me plaît. J'aime les romans débordants de tendresse et de bonnes intentions. :3

Bref ! Je vous souhaite une bonne lecture et vous remercie encore de vous être procuré ce livre. J'espère sincèrement qu'il vous satisfera !

PROLOGUE

« Tu t'es mis du chocolat, là, juste… au coin des lèvres. »

Jungyu sentit son visage s'empourprer et son cœur cogner contre ses côtes tandis que Yeonu observait fixement ses lèvres, comme sous l'emprise d'un charme dont il ne pouvait pas s'extirper. Le jeune homme ne pouvait plus détacher les yeux de ces deux appétissants morceaux de chair ; dans ses prunelles, un désir brûlant brillait de mille feux.

Jungyu passa lentement la langue sur le pourtour de sa bouche avant de lancer un regard interrogateur à son aîné, lui demandant silencieusement s'il l'avait enlevé. Ce dernier secoua la tête de gauche à droite. Ils étaient tournés de sorte à se faire face, assis l'un à côté de l'autre sur une banquette du petit café que possédait Yeonu.

« Attends, susurra ce dernier d'une voix étrangement basse et grave, je vais te l'enlever. »

Son interlocuteur opina, l'air peu sûr de lui. Qu'est-ce qu'il faisait ? Pourquoi tout semblait-il si… étouffant ? Il se sentait rougir, il voulait fuir en même temps qu'il voulait se jeter à corps perdu sur les lèvres de son supérieur. C'était si contradictoire : il le connaissait à peine alors même que déjà un désir brûlant embrasait ses sens. Yeonu dégageait quelque chose sur quoi il ne pouvait pas mettre le doigt : un charme mystérieux, probablement celui de l'inconnu.

Il était beau, vraiment beau : Yeonu en effet, malgré son âge de deux ans plus élevé que celui de Jungyu, avait toujours ces joues adorables qui lui donnaient l'air plus jeune. Le peu de maquillage qu'il portait suffisait à adoucir plus encore ses traits qui n'avaient pas besoin de l'être, ses yeux étaient colorés d'un marron sombre profond dans lequel Jungyu pourrait s'oublier, son petit nez légèrement aplati était à croquer et son visage possédait cette envoûtante harmonie qui ne permettait plus à Jungyu de réfléchir lorsqu'il le voyait. Il demeurait pourtant plus grand de taille, alors pourquoi se sentait-il si minuscule quand Yeonu était si proche ?

Ce dernier était un jeune homme magnifique, et sans doute Jungyu était-il quant à lui un garçon pris au piège de cette fascination qu'il avait développée pour lui depuis plusieurs semaines déjà.

« H-Hyung[1], balbutia-t-il tandis que Yeonu se penchait vers lui, un mouchoir entre les mains.

— Je peux ? » s'enquit l'autre en plongeant son regard dans le sien.

Jungyu déglutit et acquiesça, déstabilisé par ces deux prunelles ardentes. Son supérieur alors lui adressa un sourire caressant et appuya avec une douceur étonnante le petit morceau de papier contre le coin de sa bouche. Leurs deux visages étaient si... si proches. Jungyu s'interdit de se mordiller les lèvres, soudain désireux de connaître le goût de celles de son aîné qu'il observait avec peu de discrétion. Elles étaient charnues, et leur couleur rose pâle était rehaussée par un baume qui leur donnait un aspect brillant.

La tache de chocolat enlevée, Yeonu s'apprêtait à s'écarter quand la main avec laquelle il se soutenait glissa malencontreusement de la banquette. Il retint son souffle

---

[1] *Terme utilisé en Corée du Sud par un garçon pour désigner de façon affectueuse un garçon plus âgé (un grand frère, un ami très proche, etc.).*

alors qu'il perdait l'équilibre et s'écroulait sur Jungyu, qui laissa échapper un petit cri de surprise. Aussitôt, Yeonu se redressa sur les coudes.

« J-Je suis désolé, s'excusa-t-il, j'ai pas… »

Il se stoppa quand il se rendit compte de leur position : Jungyu, sur le dos, à moitié allongé sur la banquette, et lui juste au-dessus de son corps juvénile. Leurs lèvres n'étaient plus séparées que par une si courte distance…

« C'est rien, hyung, susurra Jungyu comme s'il ne voulait pas briser ce moment en parlant trop fort.

— Junie, t'es vraiment… »

Il ne sut pas comment finir sa phrase. Jungyu ne pouvait pas décrocher les yeux de ses traits magnifiques ; lorsque Yeonu leva une main pour attarder les doigts sur ses pommettes, le jeune garçon crut que son cœur allait exploser. Il battait vite, si vite. Le pauvre se sentit s'empourprer et ne fut plus en mesure de soutenir le regard de son aîné, détournant le visage avec un air gêné.

Yeonu l'obligea à centrer de nouveau son attention sur lui en lui attrapant délicatement le menton entre les doigts. Or, son cadet demeurait bien trop embarrassé. De plus belle, il baissa les yeux.

Alors tout cessa. Yeonu s'assit correctement et porta son verre de soda à ses lèvres en souriant :

« Ok on arrête ici. C'est pas mal, Jun, tu t'améliores vachement. J'aurais presque pu y croire ! Le début était bien, par contre faut vraiment que tu travailles ton regard : les clients sont pas là pour te voir rougir de timidité jusqu'au bout, faudra bien que tu prennes au moins une initiative ou deux lors des scènes que tu joueras. Rappelle-toi que t'es rien d'autre qu'un performeur, t'arrives pas encore assez à rentrer dans ton personnage. Et oublie pas non plus que tu peux te détendre : jamais aucune de ces petites scènes n'impliquera de contacts plus poussés qu'un baiser sur le front, la joue ou dans le cou. T'es timide mais c'est normal, ça viendra avec le temps. Minwoo-hyung était pareil au début.

— A-Ah bon ? balbutia Jungyu en se redressant à son tour.

— Oui, mais crois-moi je sais déceler le potentiel chez les gens, et je suis convaincu que tu finiras par faire une recrue parfaite pour le Boy's love Café. »

Jungyu hocha doucement la tête, ignorant quoi répondre. Dans quoi s'était-il encore embarqué ? Comment en était-il arrivé là… ?

CHAPITRE 1

Quelques semaines auparavant...

Hwang Jungyu[2] grimaça lorsque la tasse de porcelaine se fracassa en plusieurs éclats sur le sol, provoquant un bruit que personne n'avait pu manquer dans le café. Plusieurs clients levèrent les yeux et cessèrent leur conversation pour observer le maladroit qui venait de briser quelque chose, quant au jeune serveur il vira au cramoisi, honteux de se trouver dans une telle situation – encore une fois.

Rapidement, il se baissa et ramassa comme il le put les morceaux en veillant à ne pas se blesser. Les discussions autour de lui avaient repris, tout avait déjà été oublié... du moins par les clients.

« T'es pas possible, Hwang, souffla Eunhyeok en s'agenouillant face à lui pour l'aider. Faudra te le répéter combien de milliers de fois de faire attention ? »

Sa voix n'exprimait rien de mauvais, au contraire il parlait avec toute la douceur qui le caractérisait. Jungyu fronça les sourcils dans une moue peinée.

« J-Je suis désolé, j'ai vraiment pas fait exprès, murmura-t-il presque tant il parlait bas.

— T'inquiète : si le patron demande, tu pourras dire que c'était ma faute, » sourit son collègue tandis qu'il se redressait.

---

[2] *En Corée, le nom (ici Hwang) est toujours donné avant le prénom (Jungyu).*

Les derniers éclats de porcelaine en main, Jungyu l'imita et hocha négativement la tête sans oser lever les yeux : il risquerait de croiser ceux de son interlocuteur.

« C'est mon erreur, hyung, expliqua-t-il, t'as pas à me couvrir. Je dois assumer. »

Son aîné souffla et acquiesça : Jungyu était quelqu'un d'entêté parfois, surtout quand il estimait qu'il se trouvait face à une injustice. Impossible de le faire changer d'avis – et ce n'était pas faute d'avoir essayé.

Ils allèrent tous deux en cuisine jeter discrètement les morceaux de la vaisselle brisée. Avec un peu de chance, ils pourraient ne parler de cette affaire à leur supérieur que d'ici une dizaine de jours.

« Je suis certain que t'as battu un nouveau record, soupira Eunhyeok en s'adossant à un comptoir inutilisé. Deux tasses, trois assiettes et un verre en une semaine, c'est du jamais vu. »

Les bras croisés contre son torse, le jeune homme dégageait quelque chose d'intimidant et de réconfortant à la fois. Ses cheveux sombres retombaient en une frange droite sur son front, il avait un visage fin et des traits si doux qu'ils en étaient presque efféminés, à l'exemple de ses yeux de biche pétillants de malice dont il savait jouer sans mal pour amadouer leur patron. C'était un garçon magnifique, mince, à peine plus petit que Jungyu, mais qui avait cette autorité et cette confiance qui lui donnaient l'air incontestablement plus mature.

Jungyu, quant à lui, malgré sa taille plus haute, semblait bien plus petit et fragile. Il se cachait derrière une frange un peu trop longue, son regard fuyait et ses lèvres avaient pour habitude de s'avancer légèrement pour former sur son visage encore enfantin une moue gênée. Rien à première vue ne le distinguait, pourtant ses grands yeux curieux, son nez joliment ciselé et son sourire adorable en faisaient un jeune homme au physique avantageux. D'apparence frêle, il était svelte et paraissait garder la tête rentrée dans les épaules, comme s'il culpabilisait pour une faute qu'il n'avait pas commise.

Il était simplement timide, maladivement timide. Regarder quelqu'un dans les yeux plus de quelques secondes s'apparentait à un calvaire, éviter de rougir tenait de l'impossible et parler à un inconnu sans bégayer tout bas dès sa première phrase constituerait un véritable exploit.

« Mon salaire va finir en morceaux, lui aussi, » songea-t-il.

Chaque chose qu'il cassait, son patron la lui saisissait sur sa paie. Ce n'était pourtant pas faute de faire attention à ses gestes, mais tout se compliquait en ce moment.

« Eh, Hwang, sourit amicalement Eunhyeok en percevant toute la détresse que dissimulait mal sa voix, t'inquiète pas, ça nous arrive à tous une mauvaise semaine. Y a quelque chose qui va pas ? Tu veux en parler ?

— N-Non, c'est vraiment rien, balbutia Jungyu en jetant un œil aux cuisiniers qui s'activaient plus loin et ne pouvaient donc pas les entendre. Je suis juste un peu fatigué. Je me reposerai demain, t'en fais pas.

— Mais… t'es pas de service demain, aussi ? »

Jungyu ne sut même pas répondre : entre ses cours, ses devoirs, son petit job et ses propres loisirs, il n'était plus en mesure de gérer quoi que ce soit. Il s'épuisait et enchaînait les gaffes non seulement au travail mais aussi partout ailleurs.

« J'ai jamais été de service le samedi, balbutia-t-il avant d'aller vérifier ses horaires sur son téléphone. J'avais spécifié que je voulais au moins une journée de repos dans la semaine.

— T'as pas ton dimanche ?

— Non on m'a mis de neuf heures à quinze heures.

— Sérieux ? Et t'es encore considéré comme employé à temps partiel ?

— D'après mon contrat, oui.

— Hwang, t'as bossé combien d'heures cette semaine ? »

Jungyu, que le fait de rester à moitié assis sur le petit comptoir de faux marbre face à Eunhyeok avait rendu somnolent, se contenta de hausser les épaules dans un soupir :

« Bien plus que d'habitude, mais pas tellement plus que les deux dernières semaines. »

Il se frotta paresseusement les yeux et se redressa de peur de s'endormir réellement s'il ne bougeait pas. Eunhyeok posa une main sur son épaule pour attirer son attention. Son ton sérieux n'échappa pas à son cadet.

« Eh, dis-le si t'as besoin de repos, t'es pas obligé d'accepter chaque fois qu'on te demande de faire un service de plus.

— J'ai besoin de ce fric, je préfère économiser en cas de coup dur.

— Il est en ce moment, le coup dur, Hwang. Fais gaffe à toi. »

Eunhyeok soupira avant de s'excuser et de s'en retourner à la salle : mieux valait qu'ils ne fassent pas trop attendre les clients. Jungyu baissa la tête et en fit de même. Dans ce petit café restaurant près de l'université dans laquelle il étudiait, le jeune homme avait cru trouver le travail idéal : un patron agréable, des collègues qui l'étaient tout autant, et un emploi du temps qui s'adaptait parfaitement au sien. Or les serveurs ici n'étaient pas très nombreux, juste assez pour assurer les services s'ils agissaient vite et bien. Ça allait à Jungyu qui avait rapidement pris ses marques. Néanmoins, trois semaines plus tôt, une employée était partie en congé maternité. Personne n'avait encore été recruté pour la remplacer, autrement dit il avait fallu quelqu'un pour se charger de ses heures. Les serveurs se les étaient réparties, mais c'était Jungyu qui avait récupéré le plus de temps de travail supplémentaire. C'était lui qui les avait réclamées, ces heures. Il avait cru qu'ainsi sa vie deviendrait plus confortable que celle d'un étudiant qui gagnait tout juste de quoi s'offrir un ou deux petits plaisirs par mois seulement.

Il s'était vite rendu compte qu'il avait eu tort. À trop en vouloir, il était en train de tout perdre. Les heures s'accumulaient, et si on y ajoutait ses cours, ses trajets de bus, ses révisions et ses devoirs, on atteignait sans aucun doute facilement les quatre-vingts heures par semaine – si ce n'était plus. Il avait en effet beau être à l'université, il avait conservé le rythme qu'il s'imposait durant ses années de lycée : des nuits réduites, du travail en plus pour s'assurer de garder toujours de l'avance, et très peu de repos pour lui. À ses yeux, il s'avérait vital qu'il réussisse ses études. S'il voulait un bon avenir, il devait compter parmi les meilleurs.

Il était en troisième année de littérature à l'université de Séoul, école prestigieuse qu'il avait pu obtenir grâce à ses notes brillantes qui lui avaient permis de toucher une bourse. Hors de question donc de gâcher cette chance : chaque cours, il le connaissait par cœur, chaque livre à analyser, il l'avait lu au moins trois fois, chaque citation intéressante, il l'ajoutait à un carnet qu'il avait constamment avec lui et qu'il relisait régulièrement pour s'en imprégner. Sa prose était délicate, il aimait plus que tout les romans et se passionnait pour ses études. C'était un garçon acharné qui ne laissait jamais tomber.

Enfin... tout ce qu'il laissait tomber, c'était les différentes pièces de vaisselle du restaurant dans lequel il travaillait pour obtenir un salaire en complément de sa bourse. C'était un café tranquille près de l'université. Il n'avait rien de bien particulier, c'était un petit établissement chaleureux au personnel avenant. La décoration demeurait sobre, les tables de bois faisaient face à des chaises et des banquettes couvertes d'un cuir brun élégant, et les lampes étaient éteintes puisque deux grandes baies vitrées se chargeaient d'apporter toute la lumière nécessaire. Derrière le comptoir se tenait un bar pour les clients qui désiraient simplement boire quelque chose rapidement, et la salle était remplie d'étudiants qui discutaient entre eux de leurs projets pour le weekend.

Pour Jungyu, en revanche, pas le choix : il allait travailler et réviser. Peut-être aussi prendrait-il le temps d'écrire un peu, lui qui aimait tant se perdre dans des mondes qui n'appartenaient qu'à lui.

Une fois la journée achevée, le jeune garçon se changea mollement aux vestiaires des employés. Eunhyeok s'y trouvait déjà, avec plusieurs autres serveurs et un des cuisiniers. Ils étaient en train de discuter d'une fête à laquelle ils comptaient aller ce soir même. Eunhyeok se tourna vers le nouvel arrivant et s'apprêtait à intervenir quand Jungyu hocha la tête négativement.

Son cadet en effet le connaissait bien : il allait lui demander de venir. Depuis deux ans que Jungyu travaillait ici, Eunhyeok lui proposait toujours de se joindre à eux pour aller se détendre avant le weekend. En deux ans, Jungyu n'avait jamais accepté une seule fois, expliquant qu'il n'avait pas le temps. Si tous les autres avaient compris, Eunhyeok quant à lui continuait d'essayer.

C'était gentil de sa part, bien sûr, mais ces soirées, ce n'était pas pour Jungyu : d'une part, il avait mille choses plus intéressantes à faire que rencontrer des inconnus, et surtout... avec sa timidité maladive, quelle idée d'aller à une fête. À coup sûr il finirait par se cacher dans un coin dans l'espoir de devenir invisible.

C'était finalement ce qu'il était : invisible. Une fois sa tenue de travail retirée, un simple polo blanc avec le nom du café ainsi qu'un pantalon de toile noir, il enfila un sweat à capuche sombre et un jean bleu nuit. C'était ses vêtements favoris pour se fondre dans la masse et n'attirer aucun regard. Il devenait parfaitement invisible.

Il ferma son casier après y avoir attrapé son sac et en sortit une boisson énergisante qu'il vida d'un trait. Loin d'aimer le café, il carburait aux breuvages de ce genre quand la fatigue commençait à prendre le dessus. Ce n'était absolument pas une bonne idée, mais il s'agissait du seul moyen qu'il avait trouvé pour tenir.

Une fois son sac balancé à la va-vite sur une épaule, il salua ses collègues et quitta le café. Il se rendit d'un pas traînant à son arrêt de bus, appréciant le chaud soleil de la fin de l'hiver. Ça, au moins, ça le réconfortait, ça le poussait à songer que peut-être tout irait mieux d'ici peu, une fois qu'il aurait retrouvé un parfait équilibre.

Oui, tout n'était qu'une question d'équilibre.

Lorsque son bus arriva, il prit place au fond, là où on le laisserait en paix. Les écouteurs vissés à ses oreilles, il s'isolait dans son petit monde de musique, profitant en boucle de ses chansons favorites. Il but une nouvelle gorgée de sa bouteille en se sentant piquer du nez et sortit son portable de sa poche pour en désactiver le mode avion qu'il mettait chaque fois qu'il allait travailler. Plusieurs notifications s'affichèrent les unes à la suite des autres, tirant un sourire sincère au jeune garçon qui regardait leur nombre augmenter peu à peu.

Puis ce fut au tour d'un message.

Sangchan – Salut mon Junie ! Comment tu vas ?

Jungyu s'amusa de ces mots qui signifiaient surtout : « salut mon Junie ! Ça fait trois jours qu'on n'a pas mangé ensemble et que tu te balades avec des cernes plus gros que mes sacs de courses, t'es sûr que ça va ? ». Sangchan était sans doute l'unique ami de Jungyu ; ils s'étaient rencontrés par hasard au lycée, lors d'une journée sportive qui avait réuni tous les élèves. Sans autre motif que sa gentillesse exceptionnelle et sa modestie, Sangchan était venu féliciter Jungyu après que son cadet l'avait battu à la course. Jungyu avait rougi furieusement et, finalement, Sangchan ne l'avait plus lâché de l'après-midi... puis de l'année. Et aujourd'hui, ils étaient de très grands amis.

Deux années les séparaient, Sangchan étudiait en cinquième année d'histoire à l'université dans laquelle Jungyu était inscrit lui aussi. Conscient que Jungyu travaillait d'arrache-pied, il ne lui proposait que rarement de se voir après les cours. Ils avaient plutôt l'habitude de manger ensemble, les repas constituant les seuls instants de répit du plus jeune.

Du moins, depuis que Sangchan les prenait avec lui, c'était ce qu'il prétendait. Avant en effet, Jungyu révisait ou s'avançait pendant chaque pause, même celle du midi. Néanmoins, il avait laissé tomber cette habitude pour la remplacer par une autre bien plus appréciable : passer du temps avec celui qui faisait battre son cœur depuis leur rencontre. Car si Jungyu s'avérait extrêmement timide, il peinait beaucoup moins à s'ouvrir à Sangchan, de qui avait toujours émané une aura apaisante. Dès le premier jour, il avait su qu'il pouvait se fier à lui. Ça ne s'expliquait pas, c'était ainsi, et il ne l'avait jamais regretté.

Sangchan l'avait, en quelque sorte, pris sous son aile, lui, le lycéen timide qui ne réussissait qu'à balbutier un charabia incompréhensible. Au fil des semaines, ils avaient fini par pouvoir discuter l'un avec l'autre, appréciant les moments qu'ils passaient ensemble. Jungyu avait découvert l'amitié et… l'amour également. Plus intéressé par les hommes que par les femmes, il s'était très vite attaché à Sangchan sans jamais oser lui avouer ce qu'il éprouvait pour lui. Il savait bien que ses sentiments n'étaient pas réciproques, ça se ressentait dans le comportement de son aîné, qui agissait plus avec lui comme s'il était son petit frère, et non un ami duquel il se révèlerait lui aussi secrètement amoureux. Et puis, mentir au sujet de ses émotions, ce n'était pas le genre de Sangchan qui se confiait facilement à son cadet et ne lui cachait rien.

Alors Jungyu non plus ne lui cachait rien, rien à part son affection pour lui.

Le jeune garçon sourit en tapant rapidement une réponse qui se voulait rassurante :

Jungyu – Salut, hyung ! Je viens de sortir du boulot, ça va bien, je suis juste un peu fatigué (la semaine a été longue…). Et toi, comment tu vas ?

Puis il replaça son portable dans sa poche avant de se concentrer sur les rues qui défilaient à mesure que le bus le ramenait enfin chez lui. Dans un soupir, il posa le front contre la vitre et ferma les paupières.

CHAPITRE 2

Les prunelles rivées sur ses doigts qui s'entremêlaient, Jungyu avait la tête basse et une moue coupable sur le visage.

« Hwang, soupira son supérieur, vous comprenez que ce n'est plus possible de continuer ainsi ?

— Q-Qu'est-ce que vous voulez dire ? » s'inquiéta le jeune garçon qui eut pour la première fois depuis le début de l'entretien le courage de regarder son patron dans les yeux.

Il était terrifié de la réponse qui allait lui être apportée, mais quelle qu'elle soit, il accepterait la sentence : cette fois, il n'avait pas simplement cassé un verre ou une tasse, il avait renversé un plat sur un client après avoir subi un bref moment d'absence – dû à la fatigue, encore. Son supérieur, qui se trouvait en caisse à ce moment, avait accouru au cri de surprise du client. Il s'était excusé pour Jungyu et avait assuré qu'il pouvait aller se laver aux toilettes : la commande lui serait offerte pour la peine et il pourrait choisir un dessert gratuit en plus.

Le client ne s'était pas plaint, plus étonné que foncièrement énervé par la maladresse du jeune serveur. Ce dernier, si pâle que c'en était inquiétant, avait été attiré par son patron à son bureau. L'homme lui avait donné un verre d'eau et l'avait fait asseoir, vérifiant qu'il se portait bien avant de passer aux choses sérieuses.

Et ils y étaient arrivés désormais, aux choses sérieuses.

« Vous êtes un employé sage, Hwang, quelqu'un sur qui on peut compter. Malheureusement, ces dernières semaines, vous collectionnez les étourderies. Est-ce que tout va bien pour vous ? Est-ce que vous souhaitez réellement continuer à travailler parmi nous ?

— Oui, plus que tout, » affirma Jungyu avec une détermination dont il se surprit lui-même.

Son patron, un trentenaire qui faisait plus jeune que son âge avec ses grands yeux bruns et sa peau parfaitement lisse, se pinça la lèvre inférieure entre les dents.

« J'ai besoin de savoir une chose, dans ce cas, poursuivit-il. Est-ce que, si vous continuez à travailler, je peux espérer que votre comportement change ?

— I-Il faudrait juste que... que je puisse me reposer, balbutia Jungyu gêné d'admettre son épuisement. Je travaille beaucoup plus qu'il y a un mois, vous savez...

— Pourtant, vous avez moins d'heures que les autres.

— Oui, m-mais eux ils sont plus avancés dans leurs études, ils ont moins d'heures de cours.

— Eunhyeok prépare une thèse, que je sache. »

Exact. Jungyu ne put que baisser la tête.

« Hwang, reprit l'homme dans un soupir, j'ai eu ce matin une candidature pour un jeune garçon tout juste sorti d'un diplôme dans les métiers de la restauration. Il cherche un emploi de serveur à plein temps. »

Jungyu se mordit la langue, se contentant d'acquiescer. Il savait parfaitement ce que ça voulait dire.

« Avec chaque serveur qui a accepté de prendre un peu plus d'heures sans en être dérangé ainsi que ce candidat à qui je compte proposer un CDI et qui sera en mesure de faire efficacement plus d'heures, vous comprendrez qu'on peut désormais se passer de vous. »

Le jeune employé hocha doucement la tête tandis qu'une boule se formait dans sa gorge en même temps qu'elle la poussait à se serrer douloureusement. Il avait la sensation qu'il était sur le point de pleurer : toute cette pression qu'il se mettait pour venir correctement à bout de tout ce qu'il avait à effectuer... et ça s'était avéré inefficace. Il avait perdu son travail, le seul qui lui permettait de ne pas se noyer sous les prêts étudiants.

« Je suis désolé, soupira son interlocuteur.

— Non, répliqua doucement Jungyu, c'est moi qui le suis. Je n'ai pas su gérer tout ça et j'ai trahi la confiance que vous aviez placée en moi, j'en suis désolé.

— C'était juste trop pour vous, ne vous en faites pas. Je sais que vous êtes quelqu'un de bien. Si vous trouvez un temps partiel dans un autre établissement, n'hésitez pas à me le demander et je vous ferai une lettre de recommandation avec plaisir. J'ai bien vu que vous n'étiez pas dans votre assiette, ces derniers temps. Ça ne pouvait malheureusement plus durer.

— Merci, je vous tiendrai au courant de tout ça. »

Son patron acquiesça et les deux se redressèrent puis s'inclinèrent poliment. L'homme lui expliqua ce qu'impliquait son renvoi, et Jungyu put s'en aller après avoir récupéré ses affaires et rendu sa tenue de travail ainsi que les clés de son casier.

Il ne trouva pas le courage de saluer ses collègues.

À peine fut-il dehors que déjà il avait sorti son portable.

Jungyu – Salut, Chan, t'es dispo ? On peut se voir ?

Il était bientôt sept heures du soir. Sachant que Sangchan n'avait pas cours le vendredi, c'était évident qu'il répondrait rapidement.

Jungyu inspira un souffle tremblant et sentit son nez le brûler et ses yeux s'humidifier contre sa volonté. Son attention fut cependant attirée par son portable lorsque celui-ci vibra à deux reprises, indiquant un nouveau message.

Sangchan – Ouais, je suis chez moi, tu vas bien ? Tu veux passer à l'appartement ?

Jungyu – Oui, je veux bien.

Sangchan – D'acc, je t'attends. Tu m'expliqueras tout, d'accord ?

Jungyu – Promis.

Le jeune garçon rangea son téléphone dans sa poche et fila en direction de l'université. En effet, si lui possédait un studio qu'il payait une bouchée de pain parce qu'il était particulièrement mal situé, Sangchan quant à lui avait pu obtenir une place en résidence universitaire, dans une petite chambre confortable d'une vingtaine de mètres carrés – ça pouvait sembler peu, mais pour une personne, c'était largement suffisant.

Jungyu se rendait parfois chez lui entre deux cours pour travailler loin de la foule qui s'entassait à la bibliothèque. Il se sentait plus à l'aise quand il se trouvait seulement avec son aîné. Puisque ce dernier était en cinquième année, il bénéficiait d'un emploi du temps beaucoup plus léger, autrement dit il passait presque ses journées sur son bureau, à enchaîner les recherches, le nez plongé dans les bouquins qu'il ramenait par dizaines de la bibliothèque.

Parvenu au pied d'un haut immeuble récemment rénové, Jungyu sonna à l'interphone. Sangchan ne demanda même pas si c'était bien lui, il lui ouvrit directement. Le jeune homme monta les marches deux à deux et arriva à l'étage où vivait son ami. Il entendit le bruit de clés qui tournaient dans une serrure, et Sangchan sortit sa bouille d'ange de chez lui.

Avec ses jolis yeux noirs en amande, sa mâchoire marquée, ses pommettes saillantes, ses traits fins et son sourire avenant, c'était sans doute un des garçons les plus beaux qu'il ait été donné de voir à Jungyu. Il avait des cheveux qu'il s'amusait à teindre – cette fois en revanche, il avait décidé d'une permanente brune que Jungyu trouvait absolument magnifique.

« Hey, Junie, lança Sangchan en lui adressant un signe, viens vite, j'ai fait du chocolat chaud et des fondants au chocolat ! Idéal pour quand ça va pas fort. »

L'âme d'avance réchauffée, Jungyu accéléra le pas et salua son aîné en le prenant dans ses bras. Sangchan lui rendit son étreinte, comprenant aussitôt que quelque chose ne tournait pas rond : il ne le serrait pas si puissamment d'habitude. Alors il s'écarta doucement, lui sourit et passa une main amicale dans ses cheveux bruns, geste qui eut le don de faire naître quelques rougeurs sur les joues de Jungyu.

« Allez, je sens qu'on a des choses à se dire. »

L'étudiant acquiesça doucement et se déchaussa pendant que Sangchan refermait la porte. Ils prirent place sur les deux chaises de bois de la pièce et un sourire naquit sur les lèvres du plus jeune lorsqu'il posa le regard sur la table : deux tasses fumantes de chocolat chaud s'y trouvaient avec une assiette pleine de petits fondants au chocolat qui semblaient tout juste sortis du four.

« Sers-toi, offrit Sangchan, rien ne presse, autant manger tant que c'est chaud.

— C'est toi qui les as faits ? s'enquit Jungyu d'une voix mal assurée en attrapant un gâteau.

— Non, j'avais un paquet dans mon placard, ils disaient qu'on pouvait les passer quelques secondes au micro-ondes pour les rendre encore plus fondants à l'intérieur. Et moi, j'adore les fondants. »

Jungyu se contenta de sourire, amusé du ton rêveur qu'avait pris Sangchan pour parler de simples pâtisseries. Il en porta une à sa bouche et croqua dedans, détournant avec un air embarrassé le regard de celui de son ami qui attendait visiblement son avis quant à ces petites douceurs. Son attention alors se concentra sur le bureau de Sangchan : des livres y étaient entassés, des feuilles gribouillées traînaient un peu partout et son ordinateur était enseveli sous un bazar monstre.

« J-Je dérange ? s'enquit Jungyu après avoir avalé un premier morceau.

— Bah non, répondit son aîné avec une mine étonnée, sinon j'aurais pas fait du chocolat et des gâteaux.

— Mais, ton bureau, t-tu...

— Je bosse depuis ce matin, j'en devenais dingue, ça me fait du bien une pause de temps en temps. Tu devrais en faire de même.

— T'en fais pas pour ça, je m'en octroierai beaucoup plus à l'avenir, souffla Jungyu dont la voix s'affaiblissait, j'ai le temps, maintenant...

— Comment ça ? s'inquiéta Sangchan.

— J'ai été viré, murmura presque son cadet. Mon patron m'a viré. »

Les yeux de son aîné s'arrondirent tandis qu'il avait la sensation de sentir sa mâchoire tomber : Jungyu, viré ? D'une part, c'était impossible que quiconque soit assez fou pour virer quelqu'un d'aussi travailleur que lui, et d'autre part… bordel, mais c'était sa seule vraie source de revenus, ses bourses ne lui permettaient même pas de payer l'intégralité de son loyer !

« Mais… pourquoi ? lâcha-t-il.

— J'étais tellement fatigué ces derniers temps, je faisais n'importe quoi. Ils ont trouvé quelqu'un de plus compétent, alors j'ai été remercié. »

Ces fichus picotements dans son nez revinrent, ainsi que la boule désagréable dans sa gorge. Il laissa le gâteau et attrapa l'anse de sa tasse ; il croyait que boire empêcherait ses larmes de couler, mais déjà la première lui échappait en même temps qu'un sanglot qu'il ne fut pas en mesure de taire.

Il reposa son chocolat chaud et garda les yeux au sol avec l'espoir stupide que Sangchan ne se rendrait pas compte de son état. Ce dernier néanmoins s'était levé et, après avoir rapidement contourné la petite table, il s'accroupit devant son ami puis appuya les mains sur ses genoux pour se stabiliser et lui montrer son soutien.

« Eh, c'est rien, Junie, d'accord ? Tu vas retrouver un job, j'en suis sûr.

— Hyung, tu comprends pas, pleura Jungyu qui laissa libre cours à ses larmes, si à la fin du mois j'ai pas retrouvé un nouveau job, je sais pas comment je m'en sortirai ! »

Un emploi à temps partiel était loin d'être particulièrement bien payé : si dans deux semaines il n'avait pas trouvé de quoi gagner sa vie, le mois prochain, il risquait fort de devoir piocher dans ses maigres économies. C'était en se privant jour après jour qu'il les avait faites, certain qu'il s'agissait là d'argent qu'il mettait de côté pour son avenir : un appartement mieux situé, son permis, une voiture pourquoi pas. C'était ce qu'il avait cru pouvoir s'offrir avec ça. Et même s'il avait assez pour un mois, il ne tiendrait pas longtemps avec si peu de revenus.

« Chut, calme-toi, t'en fais pas, je t'aiderai à chercher un job. »

Sangchan se redressa et, sans hésiter, il s'assit à califourchon sur les jambes de son cadet pour le serrer contre lui, les bras autour de sa nuque, une main caressant délicatement ses cheveux. Jungyu enfouit aussitôt la tête dans le creux de son cou pour s'y réfugier en même temps qu'il lui enlaçait la taille. Il laissa sa fatigue, son angoisse et sa peine le submerger, pleurant à chaudes larmes.

Étrangement et même si ça l'embarrassait, ça lui faisait du bien de s'abandonner de la sorte sans avoir à s'inquiéter du regard de Sangchan. Toujours très tactile, son aîné le considérait comme sa peluche et n'éprouvait aucun complexe quant au fait de l'étreindre pour n'importe quelle raison. Il avait fallu du temps à Jungyu, trop réservé pour se sentir à l'aise avec le moindre contact physique, pour s'habituer à ces gestes.

Mais aujourd'hui plus que jamais, il avait besoin de cette affection débordante que Sangchan ne rechignait jamais à lui offrir.

« Comment je v-vais réussir à trouver un job e-en deux semaines a-alors que certains mettent des mois à en trouver un ? bégaya-t-il entre deux sanglots.

— On sera deux sur le coup, ça marche ? lui sourit Sangchan. Je sais où passer des petites annonces et j'ai un pote qui tient un café, je lui téléphonerai pour savoir s'il cherche du personnel. »

Trop ému pour répondre clairement, Jungyu acquiesça contre la peau veloutée et à l'odeur boisée de la clavicule de son aîné qu'il avait trempée de ses larmes. Honteux, il y posa un pan de sa manche pour l'essuyer, geste qui tira un rire attendri au jeune garçon.

« T'inquiète, Junie, c'est rien. »

Il recula légèrement le visage pour planter son regard dans celui de son cadet. Ce dernier détourna les yeux rapidement pour les poser à la place sur le petit fondant qu'il n'avait pas fini et dont le cœur coulait doucement, prêt à s'échouer sur la table. Sangchan le remarqua et attrapa le bout de gâteau d'un geste lent avant de faire de nouveau face à Jungyu, toujours assis sur ses cuisses.

« Tiens, mange. »

Sa voix grave et caressante poussa son cadet à trouver le courage de croiser son regard. Aussitôt, ses joues s'empourprèrent un peu plus et il tendit la main pour prendre la sucrerie. Sangchan néanmoins hocha la tête de gauche à droite.

« Ouvre la bouche, » ordonna-t-il suavement.

Jungyu observa un instant d'hésitation pendant lequel il se passa la langue sur le contour des lèvres. Finalement, il obéit, et celui dont il était amoureux lui glissa le morceau de gâteau dans la bouche. Jungyu sentait son visage brûler, à coup sûr il avait viré au cramoisi. Sangchan, lui qui faisait battre son cœur, se tenait assis sur ses genoux et venait de lui donner à manger comme à un enfant.

En vérité, ce n'était pas si étonnant de sa part.

Une moue attendrie illumina les traits de Sangchan. Ses yeux en amande et son sourire rectangulaire refirent surface :

« Oups, y a un peu de chocolat qui a coulé, juste là, au coin de... »

Il se stoppa, les prunelles rivées sur la bouche de son ami, avant qu'une étincelle de malice ne se mette à briller dans son regard et qu'un rictus ne se dessine sur son visage. Et s'il y avait bien une chose que Jungyu savait, c'était que ça signifiait que Sangchan venait d'avoir une idée de génie.

« Faudra vraiment que je pense à téléphoner à mon pote, je suis sûr que ton profil l'intéresserait particulièrement... »

CHAPITRE 3

Jungyu pencha la tête sur le côté en s'essuyant le coin des lèvres. Effectivement, il y avait un peu de chocolat.

« J'ai tout enlevé ? s'enquit-il sous le regard distrait de Sangchan.

— Ouaip, affirma ce dernier, t'es tout beau. Tu vas mieux ?

— Oui, merci beaucoup.

— C'est normal. Maintenant, on mange, puis soirée films ! » s'exclama l'aîné avec enthousiasme en retournant à sa place.

Jungyu acquiesça vivement et amena sa tasse de chocolat chaud à ses lèvres alors qu'il attrapait un fondant de plus. Sangchan, face à lui, tira son portable de sa poche et écrivit un message avant de l'y ranger de nouveau. Son cadet faisait le plein de bonnes choses – du moins elles l'étaient pour son palais, moins pour sa ligne, mais ça ne revêtait pas une grande importance. Tant d'attentions de la part de Sangchan, ça lui procurait un bien fou, et après avoir essuyé la dernière larme qui échappait à son contrôle, il fut en mesure d'adresser à son aîné un sourire sincère pour le remercier une fois de plus de sa compassion.

« D'ailleurs, continua Sangchan, est-ce que t'as songé à reprendre un jour le théâtre ?

— Euh… non, pourquoi ? répondit Jungyu déstabilisé par le changement de sujet.

« — Comme ça, juste pour savoir. T'as pas peur que ta timidité soit un handicap pour te trouver un nouveau job ? »

Son cadet soupira : si, bien sûr qu'il craignait que ces rougeurs et ces bégaiements le trahissent. Son premier employeur l'avait engagé parce qu'il était désespéré, et il avait fallu trois bonnes semaines au jeune homme pour ne plus balbutier de façon ridicule en prenant les commandes des clients. Un véritable carnage ; heureusement qu'Eunhyeok l'avait soutenu, sinon il aurait été renvoyé bien plus tôt…

Or, il n'envisageait pas de recommencer le théâtre : il n'avait ni le temps ni l'argent pour s'offrir des cours ou participer à des ateliers. Bien sûr, quand il avait déménagé de Busan pour arriver ici à Séoul, il avait fini par choisir d'en suivre… mais c'était une option que lui proposait son lycée. Il avait d'ailleurs abandonné en terminale pour se consacrer à ses études. Sangchan avait pu constater qu'il s'était considérablement renfermé alors. Il n'avait pas été difficile pour le jeune garçon de comprendre que ces cours lui permettaient de se sentir plus à l'aise avec les autres – même si à première vue, ça pouvait sembler peu flagrant.

« Dans tous les cas, il faudra bien que tu viennes à bout de cette timidité excessive, soupira Sangchan. Je veux dire… que tu sois timide, c'est pas le souci, ça te rend horriblement chou. Mais l'être à ce niveau-là, c'est trop.

— Je sais…

— Eh, Junie, c'est pas un reproche, sourit gentiment son ami face à la moue dépitée de Jungyu. C'est un conseil pour t'aider. Si tu rougis et bégaies en plein milieu de ton entretien d'embauche, t'es dans la merde.

— Ça aussi je le sais. Mais… c'est tellement impressionnant d'être là, seul face à un inconnu qui a mon avenir entre les mains. Et si je fais mauvaise impression ? Et s'il décide avant même le début de l'entretien que de toute façon, il veut pas de moi ?

— S'il fait ça, alors il n'est qu'un pur connard, et c'est mieux que tu travailles pas avec lui...

— Je m'en fous qu'il soit un connard, j'ai juste besoin qu'il paie bien.

— Non, ça par contre non, répliqua aussitôt Sangchan en fronçant les sourcils. Je sais que t'es un gars timide, mais laisse pas pour autant les gens te marcher sur les pieds. T'as eu de la chance, ton dernier patron était cool et tes collègues aussi, mais si un jour tu bosses quelque part où on te traite comme une merde, tu vas le payer cher. Te connaissant, t'oseras rien dire et t'encaisseras en silence, mais tu dois pas faire ça, tu souffrirais encore plus. Alors si ton employeur potentiel est un sale con, mieux vaut que t'ailles chercher ailleurs.

— C'est juste un petit boulot, pas le travail que je ferai toute ma vie. Et puis on sait tous les deux que je peux pas faire le difficile. Je suis un étudiant fauché qui cherche un temps partiel, c'est pas le genre de situation qui offre le luxe de choisir. »

Sangchan allait répliquer mais se contenta finalement de soupirer : sur ce point, Jungyu n'avait pas tort. Il jeta un regard rapide sur son portable, l'air anxieux. Jungyu était quelqu'un d'immensément gentil, assez naïf et qui n'osait jamais riposter.

« Bon, écoute, tu sais ce qu'on va faire ? proposa-t-il donc. On va te chercher du boulot dès demain, comme on se l'est promis, mais si mon pote t'offre un entretien, t'y vas direct sans poser de questions. Je vais lui dire que c'est urgent. Je préfère que tu bosses avec lui, c'est quelqu'un de confiance. En plus, un étudiant à temps partiel, s'il cherche des employés, c'est exactement ce qu'il veut.

— Ah bon ?

— Ouais. Je vais parfois le voir et je sais un peu comment ils bossent là-bas, alors je ne m'inquiète pas. Il a déjà une petite équipe à temps plein, mais je ne pense pas qu'il cracherait sur un serveur de plus.

— Me donne pas de faux espoirs, ronchonna Jungyu, je risque d'être déçu après…

— T'inquiète pas, je vais faire ce que je peux. Je vais lui faire croire qu'il me doit un service. »

Jungyu lâcha un ricanement et, prenant un gâteau supplémentaire, il observa son aîné attraper une fois de plus son téléphone et y taper un message.

« Et ce café que ton ami tient… il est pas trop loin de la fac ? s'enquit Jungyu.

— Un petit quart d'heure de marche : c'est plus loin que ton ancien boulot, mais ça reste correct. En plus, c'est moins loin de ton arrêt de bus, tu seras plus vite chez toi après les services.

— Oh, cool. C'est un endroit que je connais ?

— Je pense pas, répondit Sangchan avec un sourire énigmatique. C'est pas un quartier dans lequel on passe beaucoup, c'est essentiellement un lieu résidentiel, y a juste une boulangerie, une pharmacie et une petite épicerie dans le coin, c'est pas une rue commerçante.

— Ah je vois. Alors c'est un endroit tranquille, résuma Jungyu.

— Exactement. Les clients sont généralement des habitués et l'équipe est très soudée, j'ai jamais retrouvé ça ailleurs.

— T'es en train de me vanter un endroit dans lequel je bosserai peut-être jamais, c'est pas cool.

— Et moi je te dis que je te décrocherai un entretien, j'en suis convaincu.

— Mais qui te dit que je vais avoir le job à l'issue de cet entretien ? soupira-t-il. Si ça se trouve, je vais me ridiculiser.

— Fais-moi confiance, Yeonu est pas comme ça, il saura te mettre à l'aise.

— Yeonu ? répéta Jungyu. Comme l'ami d'enfance dont tu me parles parfois ?

— Oui, acquiesça Sangchan, ce Yeonu. Il a ouvert son café restaurant il y a deux ans, et depuis, ça fonctionne bien. Il a même pu agrandir ses locaux. Je suis sûr qu'il t'adorera : avec ton petit côté timide, t'es à tomber. Il suffira que t'essaies de pas trop bégayer et ça passera crème.

— On parle d'un entretien d'embauche, là, pas d'un rencard, marmonna Jungyu en rougissant tandis qu'il apportait sa tasse à ses lèvres.

— T'es chiant, Junie, fais-moi juste confiance. »

À cette remarque, le jeune garçon leva les yeux au ciel et décida de le laisser faire : après tout, si ça pouvait se révéler aussi simple, ça valait le coup de tenter, n'est-ce pas ? Il en rêvait, de cette place dans un petit café qui lui offrirait un travail avec juste assez d'heures pour qu'il puisse gagner un salaire correct sans empiéter sur ses cours.

Si Sangchan pouvait lui obtenir un entretien, pour sûr il l'aimerait encore plus qu'il ne l'aimait déjà.

À cette idée, Jungyu sentit ses joues rosir de nouveau. Sangchan était un ami extrêmement dévoué et quelqu'un d'adorable. Il en était dingue, aucun doute possible, mais… est-ce qu'il aurait un jour le cran de le lui avouer ? Sans doute que non. Et quand bien même il trouverait finalement ce courage au fond de lui… que se passerait-il ensuite ? Jungyu n'avait pas le temps pour une relation, et il n'était pas convaincu que ça lui plaise d'être en couple.

Aimer était une chose, que ça se concrétise en était une autre, une bien différente qu'il craignait un peu, malheureusement. Probablement parce qu'il avait peur de la moindre situation capable de l'éloigner de son quotidien chronométré à la seconde…

« Il faudra sérieusement que je pense à m'acheter ces trucs plus souvent, c'est un putain de régal, songea Sangchan en apportant un bout de fondant à ses lèvres. C'est fou comme j'aime le chocolat bien noir, c'est une tuerie, ces trucs-là.

— Hyung, tu vas finir avec une indigestion, répliqua Jungyu avec une mine espiègle en reposant sa tasse désormais vide.

— Mon estomac, c'est un warrior, il est habitué au chocolat : je peux en manger une tablette entière et en vouloir encore.

— Je sais pas si je dois être impressionné ou désespéré…

— Sans doute les deux.

— Possible.

— Allez, au lieu de te moquer de moi, va t'installer sur le lit. Je vais mettre ça à la vaisselle et ensuite : Netflix ! »

Jungyu acquiesça avec gaité et s'assura quand même de déposer lui-même sa tasse dans l'évier en passant. Sangchan y abandonna sa propre tasse et l'assiette qui ne contenait désormais plus que des miettes. Il attrapa son ordinateur qu'il libéra de la montagne de papiers qui le recouvraient.

Il s'assit auprès de Jungyu qui se trouvait allongé sur son matelas moelleux, sur le ventre, appuyé sur ses avant-bras pour surélever son buste. Il observa Sangchan le rejoindre et lui adressa un sourire jovial. Pour une fois qu'ils pouvaient profiter d'une soirée ensemble, Jungyu n'allait pas cracher dessus. Et puis... il n'avait pas le cœur à rester seul chez lui et ruminer son renvoi. Il avait besoin de s'aérer l'esprit, de se détendre. C'était vendredi, il était en weekend, et une bonne nuit de sommeil lui permettrait à coup sûr de se montrer plus efficace le lendemain : il était décidé à apprécier ce film en compagnie de son meilleur ami.

« Dernier train pour Busan ? s'enquit simplement Sangchan en observant la liste qui s'affichait sous ses yeux.

— Ouais, ça fait longtemps que je l'ai pas vu.

— Alors c'est parti ! »

Il sélectionna son choix et quitta un instant le matelas pour éteindre la lumière avant de revenir. Plongés dans le noir, ils profitèrent de ce moment paisible à deux.

Du moins, c'était ce que Jungyu aurait aimé pouvoir affirmer, car à peine dix minutes après la première scène, il s'endormait déjà sur le lit de Sangchan qui, trop pris par l'action, ne le remarqua pas. Ce ne fut qu'au milieu du film que, les articulations gênées par sa position, il bougea et se rendit en même temps compte que son cadet s'était assoupi. Un sourire attendri prit place sur ses lèvres, il glissa le plus doucement possible une couette sur lui. Jungyu soupira dans son sommeil mais ne se réveilla pas : il était bien trop épuisé pour qu'une couverture suffise à le tirer de sa torpeur.

Une fois le film terminé, Sangchan éteignit son ordinateur, le rangea et s'allongea de nouveau. Ce n'était pas la première fois que Jungyu dormait ici, partager un même lit ne les embêtait pas.

Au matin du lendemain, lorsque Jungyu ouvrit les paupières, la première chose qui lui revint en mémoire fut la soirée tranquille passée avec Sangchan, puis son cerveau creusa un peu plus et le souvenir de son renvoi refit surface. Son cœur se serra et il esquissa une moue peinée en se recroquevillant doucement.

Les yeux toujours clos, il n'avait pas vu où se trouvait son aîné et ne s'en aperçut que lorsque son dos toucha ce qui était sans doute la main de Sangchan. Aussitôt, Jungyu stoppa son mouvement de crainte de l'avoir réveillé. Il s'apprêtait à se tourner pour vérifier que son ami somnolait encore quand un bras s'enroula autour de sa taille et le tira délicatement en arrière. Jungyu s'immobilisa, le torse finement dessiné de Sangchan épousa à merveille la courbe de son dos et son souffle s'échoua dans sa nuque comme une brume chaude.

À chaque fois qu'ils dormaient ensemble, ça se passait de cette manière : Sangchan était incapable de ne pas le prendre dans ses bras. À croire que même endormi, il demeurait un garçon qui cherchait sans cesse le contact. C'était loin de déranger véritablement Jungyu, mais disons que dans ces cas-là, il finissait toujours avec les joues cramoisies.

Est-ce qu'un jour Sangchan le tiendrait de cette façon et lui embrasserait amoureusement le cou en lui demandant d'une manière adorable d'ouvrir les yeux ? Était-ce stupide d'aspirer à quelque chose de si doux ? Était-il naïf d'espérer être aimé autant qu'il aimait ? Sans doute…

Tandis qu'il refermait les paupières pour profiter au maximum de cette étreinte, Jungyu se sentait de nouveau partir dans un sommeil tranquille. Ce fut pour cette raison que lorsque le portable de Sangchan vibra, il sursauta. Son aîné fut réveillé – à la fois par son téléphone et par son cadet qui avait bougé –, il tendit paresseusement la main pour attraper son smartphone sur la table de chevet. Jungyu se retourna, lui faisant alors face. Ses pommettes avaient perdu leur rougeur, il lança à son ami un regard interrogateur.

Sangchan se frotta les yeux lentement avant de bâiller, il vérifia qui avait bien pu lui envoyer un message à cette heure un samedi matin. Jungyu fut surpris de voir un large sourire rehausser peu à peu le coin de ses lèvres.

« Une bonne nouvelle ? s'enquit-il avec curiosité.

— Ouaip, pour toi en plus : Yeonu cherche justement du personnel, il a du mal à recruter. Il est d'accord pour te recevoir lundi soir en entretien mais a d'abord besoin de précisions à ton sujet.

— J'imagine qu'il veut mon CV.

— Il sait que c'est urgent, alors ton CV tu lui montreras plutôt à l'entretien. Il veut ton nom, ton prénom, ton âge, et une photo. Je lui ai dit que t'étais bosseur et que t'avais travaillé deux ans dans un café-restaurant pas loin de la fac.

— Il est vraiment cool. »

Un sourire sur le visage, Jungyu se réjouissait d'avance à l'idée d'avoir obtenu si rapidement une offre d'emploi, néanmoins ses sourcils se froncèrent quand il vit Sangchan en train de taper un message.

« Il veut pas que ce soit moi qui réponde ? lui demanda-t-il.

— Que ce soit toi ou moi, ça changera rien à ton nom, répliqua Sangchan.

— Mais t'as pas mes photos d'identité sur ton tél, rétorqua Jungyu en s'asseyant en tailleur.

— Bah et alors ? En général, on est tous moches dessus. Je vais lui en envoyer une plus belle.

— Eh, non, pas celles que t'as dans ton portable ! paniqua Jungyu en lui arrachant le téléphone des mains pour l'en empêcher.

— Oups, trop tard, » minauda son aîné.

Le jeune garçon observa le message de Sangchan :

Sangchan – Il s'appelle Hwang Jungyu, il a vingt ans.

En voyant la photo jointe, il pâlit : l'image datait de l'été dernier, il était vêtu d'une chemise à manches courtes ouverte sur un t-shirt qui dévoilait une partie de ses clavicules. Ses cheveux étaient légèrement décoiffés et il arborait un large sourire. Elle avait été capturée un soir dans une fête foraine où ils étaient allés ensemble et, s'il faisait nuit, ça ne rendait le cliché que plus fascinant encore : les lumières multicolores des manèges éclairaient Jungyu et apportaient au portrait un côté pétillant. Alors bien sûr, il était magnifique – comme tous ceux que prenait Sangchan, il avait un véritable don pour ça –, néanmoins…

« Mais pourquoi t'as envoyé ça ? balbutia-t-il dépité en baissant la tête. C'est pas une photo qu'on envoie quand on veut décrocher un job…

— Mais t'es beau dessus, se justifia Sangchan.

— Et alors ? C'est pas avec ça que je vais servir efficacement les clients. »

Sangchan allait répliquer quand Jungyu sentit son portable vibrer entre ses mains. Il lui suffit d'y jeter un regard pour lire le message qui vint contredire ce qu'il avait à l'instant affirmé.

Yeonu – Ok ça marche, je peux le voir lundi soir à 18h.

Chapitre 4

« Putain il a dit oui, souffla Jungyu.

— Sérieux ? Quand je te disais que c'était la photo parfaite ! se réjouit Sangchan en lui reprenant son portable. Ah la chance, en plus il peut te recevoir dans deux jours ! Mon Junie, t'as plus de soucis à te faire concernant ton boulot, c'est sûr que tu vas le décrocher !

— On sait jamais, j'irai quand même déposer mon CV dans d'autres établissements. Suffit que je sois un peu trop timide et…

— Mais non, le coupa Sangchan, il t'adorera. Envoie ton CV ailleurs si tu veux, mais ne pars pas défaitiste, sinon tu risques réellement de paniquer une fois que tu seras devant lui. Je te jure que t'auras rien à craindre : Yeonu est peut-être quelqu'un de sérieux au premier abord, mais c'est un ange de douceur, il fera tout pour te mettre à l'aise. Et puis de toute façon, je viendrai avec toi, comme ça je prendrai un truc à boire en t'attendant.

— Oh merci, hyung, c'est gentil de m'accompagner !

— T'en fais pas, c'est normal. J'en profiterai pour saluer tout le monde, j'ai tellement de boulot ces temps-ci que je me dis toujours que j'irai les voir plus tard.

— Tu t'en sors avec tout ce que t'as à faire ? s'inquiéta Jungyu sans pouvoir empêcher son regard d'aller se balader sur le bureau de son aîné.

— Oui, acquiesça Sangchan, c'est simplement que parfois j'ai vraiment du mal à m'y mettre alors je reste des heures devant mes fiches sans avancer vraiment.

— Je vois, ça m'arrive aussi parfois, surtout quand je travaille avec mon téléphone à proximité… »

Jungyu fit la moue inconsciemment, sa petite bouille fit sourire Sangchan.

« T'es beaucoup trop mignon, Junie, sourit-il en prenant son visage en coupe, faudra vraiment que tu me racontes en détail ton entretien dès qu'il prendra fin ! »

Son cadet acquiesça, ses joues virant soudainement au rouge. Sangchan sourit, amusé de constater que des années après il était toujours le gamin timide qu'il avait rencontré au lycée. Yeonu allait l'adorer.

« Bon, reprit-il en le relâchant, maintenant on passe au petit déjeuner, ensuite t'iras chercher du boulot. T'as besoin d'aide pour imprimer tes CV ?

— N-Non, merci, ça ira, balbutia Jungyu avec un rictus gêné, t'en as déjà beaucoup fait, je veux pas te déranger plus longtemps.

— Y a pas de souci, c'est comme tu veux, mais ça me dérange pas. Si t'as besoin de quoi que ce soit, tu sais que tu peux téléphoner, je serai toujours au bout du fil !

— Merci. »

Son ton sincère, presque ému, poussa Sangchan à lui caresser gentiment le dos quelques instants avant de se relever. Le jeune homme se rendit au coin cuisine et prépara deux bols de céréales – car il n'avait rien d'autre. Il les posa sur la table et alla chercher avec ça du jus de fruits tandis que Jungyu prenait place sur une chaise. L'étudiant rougirait presque de se faire servir par son ami, néanmoins par chance ses joues ne chauffèrent pas et il se contenta de récupérer son téléphone dans son sac pour l'allumer et regarder ses notifications.

Un soupir lui échappa quand il constata qu'il en avait reçu une bonne centaine.

« Toujours aussi populaire ? s'enquit Sangchan d'un ton malicieux.

— Je suis pas populaire, grommela l'autre d'une voix faible, je suis encore loin de l'être.

— Combien ?

— Cent trente-cinq notifs.

— J'appelle ça être populaire. »

Jungyu leva les yeux au ciel tandis qu'il revenait s'asseoir auprès de Sangchan qui avait déjà commencé à manger.

« C'est quand que tu me laisseras lire ce que t'écris ? »

Cette fois-ci, pas moyen de le dissimuler : le visage du pauvre Jungyu avait viré au rouge vif en un temps record. Par chance, il était simplement occupé à se servir à boire, sinon il se serait étouffé.

« Non, hyung, c-ce serait b-beaucoup trop gênant, j-je...

— Du calme, ricana Sangchan, je plaisantais. Je sais bien que c'est mort, que t'oseras jamais me faire lire tes histoires.

— Je suis désolé...

— C'est rien, je peux comprendre. C'est quelque chose de très personnel, un livre, et te connaissant j'imagine bien que ça doit être atrocement difficile d'imaginer partager ça avec des gens que tu connais bien. »

Jungyu baissa les yeux sur son bol en acquiesçant doucement : partager ses écrits avec les internautes lui importait peu, jamais quiconque ne devinerait qui il était.

Mais… avec son meilleur ami ? Certes, il avait déjà avoué à Sangchan qu'il aimait les hommes, que les filles ne l'intéressaient pas, mais jamais il ne lui avait révélé la nature des romans qu'il écrivait et postait sur internet à la vue de tous. Ses romances homosexuelles lui valaient les commentaires encourageants de bon nombre de parfaits inconnus, il possédait une plume délicate qui témoignait de sa sensibilité. Pour autant, oser partager ces livres aux passages parfois explicites avec Sangchan, ça c'était hors de question.

Il le jugerait, il le mépriserait – ou du moins il se moquerait ouvertement de son imagination ridicule et bien trop naïve. Aussi surprenant que ça puisse paraître, Jungyu n'avait pas peur de l'opinion de ceux dont il ne connaissait que le pseudo. Il ne s'inquiétait pas des critiques – et de toute manière il en recevait si peu qu'il les oubliait trop vite pour qu'elles aient un quelconque impact sur lui. Tout ce qui comptait pour lui c'était de voir jour après jour des gens lire avec bonheur ce qu'il écrivait, c'était d'allumer chaque matin son téléphone et découvrir avec joie des commentaires et des messages bienveillants.

À travers son écran, Jungyu n'avait pas peur, il n'était ni timide ni réservé. Il était quelqu'un d'autre, quelqu'un de confiant qui prenait plaisir chaque semaine à partager un nouveau chapitre de l'histoire de ses protagonistes qui tentaient d'échapper à leur destin pour se construire un futur à deux, ignorant les préjugés d'une société qui, par chance, commençait doucement à changer.

Il aimait se perdre dans l'écriture, s'imaginer à la place de son personnage principal et… imaginer Sangchan à ses côtés. Sans doute était-ce naïf de vivre ainsi par procuration à travers ce qui n'était que des mots, mais du moins il avait la sensation que ça lui soulageait le cœur.

Occupé à répondre à ses notifications pendant que Sangchan en faisait de même (car ses photos étaient particulièrement populaires sur Instagram), Jungyu mangea lentement, songeant en même temps à la façon dont il passerait son weekend qui venait de se libérer. Il aurait dû travailler une dizaine d'heures au minimum au café, autant dire que ça lui laissait le temps de mettre à jour ses CV, les imprimer puis aller les distribuer un peu partout autour de chez lui et de l'université. Il connaissait quelques restaurants et cafés qu'il comptait démarcher.

Tout ce qu'il espérait, c'était qu'il y aurait des places de serveur… et que sa timidité ne lui causerait aucun tort.

Deux heures plus tard, Jungyu sortait de sa salle de bains : après le petit déjeuner, il avait remercié une fois de plus Sangchan, était rentré chez lui, avait modifié puis tiré en plusieurs exemplaires son CV, et il venait de se laver et se préparer pour aller poser sa candidature en personne.

Sa détermination avait malheureusement vite volé en éclats : dès le premier café dans lequel il était entré, il avait senti son anxiété reprendre le dessus, et il avait demandé si bas à la caissière d'apporter son CV à son supérieur qu'il était convaincu qu'il pouvait oublier ce poste. Le serveur du restaurant dans lequel il s'était ensuite rendu lui avait expliqué que son patron ne cherchait pas de nouvel employé en ce moment, et pour conclure c'était pratiquement toute sa matinée qui s'était déroulée de cette manière. Soit il n'y avait pas de travail disponible soit il se mettait à bégayer bêtement pour proposer qu'on étudie son CV.

Son après-midi, il l'avait passé sur internet à envoyer sa candidature à d'autres établissements dont la situation géographique lui convenait. Enfin, il avait décidé de prendre sa soirée pour réviser paisiblement, regonflé à bloc par sa longue nuit en compagnie de Sangchan.

Ce fut lui d'ailleurs qu'il retrouva lundi après les cours, pour le déjeuner. Puisque Jungyu n'avait rien prévu, il comptait aller à la bibliothèque avant de rejoindre Sangchan chez lui pour qu'il l'amène jusqu'au café tenu par Yeonu. Les deux amis étaient donc présentement installés confortablement, assis dans un couloir de l'université, là où il y avait peu de passage à la pause méridienne. Les fenêtres permettaient au soleil de baigner l'endroit de sa lumière apaisante et le plancher, bien que loin d'être très propre, leur convenait parfaitement. Leur sac à côté d'eux, ils étaient venus avec des sandwichs dont ils se régalaient.

« Pas trop stressé pour ce soir ? s'enquit Sangchan après de longues minutes silencieuses tandis qu'il mordait dans son déjeuner à pleines dents.

— Si, admit Jungyu, mais ça tu dois t'en douter…

— Faut pas t'en faire. Je suis sûr que Yeonu, il va t'adorer. T'es exactement le genre de personne qu'il recherche en ce moment. On a un peu discuté après ton départ et il m'a dit qu'il avait vraiment hâte de te rencontrer.

— C'est vrai ? »

La moue à la fois étonnée et curieuse de Jungyu tira un large sourire rectangulaire à son ami – ce genre de sourire particulier mais irrésistible qui faisait tout simplement fondre Jungyu.

« Bien sûr. Avec tout ce que j'ai dit d'élogieux à ton sujet, il est déjà convaincu que t'es le candidat parfait. T'as plus qu'à y aller et lui montrer que c'est le cas. »

Jungyu voulut répliquer mais Sangchan le coupa :

« Et tu sais quoi ? T'auras même pas à essayer de te forcer pour le lui prouver, parce que même sans te forcer, t'es déjà parfait, mon Junie. Tu vas lui en mettre plein la vue, j'en suis convaincu. Yeonu, c'est mon meilleur ami depuis toujours, et toi t'es comme mon petit frère : c'est obligé que vous vous entendiez bien ! »

Son enthousiasme fit sourire Jungyu qui acquiesça en avalant son sandwich, rassuré par les paroles réconfortantes de son aîné. Ce dernier ne cessa pas, de tout le déjeuner, de l'encourager et de lui promettre que tout allait bien se passer.

Contrairement à ce qu'il avait cru, Jungyu se sentit plus serein grâce à ça, il occupa son après-midi à réviser sans cette anxiété qu'il avait éprouvée tout le weekend. Il attendait les réponses aux candidatures qu'il avait envoyées, mais c'était avec bien peu d'espoirs qu'il vérifiait régulièrement ses mails. Il en était convaincu : il y avait trop peu de chances pour qu'on l'accepte, il fallait que Yeonu l'embauche.

Ainsi, aux alentours de cinq heures, il rejoignit Sangchan chez lui. Celui-ci était en train de se préparer et ils discutèrent paisiblement le temps qu'il termine. Jungyu avait beau sembler détendu, son ami était bien conscient qu'il essayait simplement de dissimuler son angoisse – angoisse qui referait sans aucun doute surface dès l'instant où ils arriveraient devant l'établissement. Jungyu demeurait beaucoup trop transparent, ses réactions étaient prévisibles, surtout dans ce genre de situations où la seule solution impliquait un stress intense et une timidité qui empourprait ses petites joues.

Heureusement qu'il s'agissait exactement de ce que recherchait Yeonu, il allait l'adorer…

Lorsque Sangchan fut prêt, il était environ dix-sept heures trente. Sachant que le café se trouvait à une vingtaine de minutes de marche, ils décidèrent de partir immédiatement, de sorte que Sangchan puisse s'installer en salle avec Jungyu et prendre quelque chose à boire avant que ce dernier ne le quitte pour aller rencontrer Yeonu.

Le soleil n'empêchait pas la fraîcheur du début du mois de mars de faire frissonner Jungyu : lorsqu'ils sortirent il se sentit frémir. Ou bien était-ce effectivement son anxiété qui revenait à l'assaut tout à coup – il n'en avait aucune idée, à vrai dire… Sangchan passa un bras amical autour de ses épaules et tourna la tête vers lui pour lui sourire tandis qu'ils avançaient d'un pas tranquille.

« Tu vas tout déchirer, je te le promets. Arrête de flipper.

— Tu l'as déjà dit à midi, répliqua Jungyu d'un ton boudeur.

— Mais visiblement c'est pas rentré, alors je le répèterai encore et encore. T'as toutes les cartes en main, c'est gagné d'avance.

— Merci, hyung.

— Pas besoin de me remercier, t'auras tout le temps de le faire quand t'auras décroché ce job, d'accord ? »

Jungyu acquiesça vivement, un sourire adorable aux lèvres. Sangchan le lui rendit, songeant que si son cadet réussissait à se montrer aussi naturel et attachant devant Yeonu, c'était certain qu'il serait embauché. C'était quelqu'un de travailleur qui se donnait systématiquement à fond, impossible que Yeonu n'ait pas été convaincu par le portrait élogieux que Sangchan avait brossé de lui.

Ils arrivèrent dans un petit quartier paisible où se promenaient quelques passants. Sangchan se stoppa, Jungyu l'imita, un regard interrogateur sur le visage.

« Oh, on sera en avance de quelques minutes, comme prévu ! se réjouit l'aîné. On n'est plus très loin, allez ! T'es prêt ?

— Euh...

— Mais bien sûr quelle question. T'es prêt. Let's go ! »

Sangchan reprit sa marche sous l'œil étonné de Jungyu qui néanmoins haussa les épaules et le suivit. Les craintes du jeune garçon lui revinrent de plein fouet à l'idée qu'il allait bientôt passer un entretien d'embauche : il s'était vêtu d'une chemise blanche par-dessus laquelle il avait enfilé une veste un peu plus décontractée – le tout sous son manteau chaud, évidemment. Quant à son pantalon, il avait choisi un jean sobre, conseillé par Sangchan qui lui avait dit que Yeonu n'attendait pas qu'il vienne tiré à quatre épingles, mais qu'un style élégant et simple à la fois conviendrait.

Pourvu qu'il ait raison.

« C'est ici, on y est ! »

Sangchan le sortit de ses pensées lorsqu'il se posta face à ce qui ressemblait à une maison, à ce détail près que l'escalier de pierres blanches bordé de deux rambardes de fer forgé noir devant eux menait directement à une terrasse située au premier étage. Le rez-de-chaussée était visiblement habité par de simples résidents, et non par le café. On ne voyait rien à travers les baies vitrées puisque le petit établissement était aménagé en hauteur. Le bâtiment, cette grande maison coupée en deux, arborait un élégant toit de tuiles sombres qui contrastaient avec le ton ivoire éclatant des murs. Les tables que Jungyu discernait d'ici sur la terrasse inoccupée (car il faisait sans doute beaucoup trop froid) étaient peintes d'un blanc propre et encadrées par des chaises de la même couleur. Des parasols protégeaient du soleil déclinant, et au centre une large porte de verre à double battant permettait d'accéder à l'intérieur. Au-dessus de cette entrée se trouvait une enseigne avec les mots « Café-restaurant » inscrits en grosses lettres et accompagnés d'un dessin d'une petite tasse de café fumant.

C'était réellement un bel endroit, pouvoir y travailler chaque semaine serait un plaisir pour Jungyu qui avait déjà des étoiles dans les yeux.

« Tu viens ? s'enquit Sangchan avec son éternel sourire. Si t'aimes l'extérieur, tu vas encore plus aimer l'intérieur, crois-moi. Yeonu est un maître dans la décoration. »

Jungyu esquissa quelques pas pour arriver devant les escaliers. Une pancarte s'y trouvait sur laquelle figurait le menu proposé. Aussitôt, sa mâchoire lui parut se décrocher, il sentit son cœur en pleine chute libre sous l'effet de la surprise.

Ce n'était pas tant la liste des plats et boissons qui expliquait son état, ni même les photos de ces repas appétissants, non. C'était le nom du café, fièrement indiqué en grosses lettres au-dessus du menu.

Le Boy's love Café.

CHAPITRE 5

« C-Chan, j-je… »

Sangchan se retourna, l'air inquiet, alors même qu'il montait l'escalier menant au café. Son regard se posa sur Jungyu qu'il interrogea silencieusement. Ce dernier, les lèvres entrouvertes, peinait à trouver ses mots : est-ce que Sangchan l'avait conduit ici pour se moquer de lui ? Non, ça ne lui ressemblait pas, il ne ferait jamais ça.

« C'est une blague ? balbutia-t-il en relisant pour la énième fois le nom de l'établissement sur la pancarte. Pourquoi… pourquoi tu m'as amené là ? »

Sa voix basse fit immédiatement comprendre à son ami qu'il n'aurait pas dû lui dissimuler cet important détail, mais Jungyu n'aurait même pas accepté d'entendre parler de cette offre d'emploi s'il lui avait révélé ça. Par conséquent, il avait préféré le mettre au pied du mur, quitte à ce que Jungyu refuse ensuite… mais qu'au moins il voie cet établissement avant de le juger.

Sangchan donc, parce que Jungyu ne tarderait pas à faire demi-tour, rouge de honte, descendit en vitesse les marches pour revenir auprès de son cadet. Il prit son visage en coupe et, sans réfléchir, lui embrassa le front.

Le pourpre des pommettes de Jungyu ne fit que s'accentuer tandis qu'il éprouvait la sensation que tout son sang se concentrait pour lui donner cette jolie couleur écarlate. Son aîné lui avait déjà confié un jour qu'il trouvait ça drôle, la façon qu'avaient ses joues de se réchauffer contre ses paumes. Sans doute était-ce pour ça qu'il continuait d'aimer les tenir de cette manière.

Le cerveau du jeune garçon avait cessé de fonctionner, chaque petit contact avec Sangchan créait en lui ce qui ressemblait à un court-circuit.

« Entre avec moi, lui proposa-t-il, je vais te présenter un peu le café, tu vas rencontrer mes amis, et ensuite t'iras à l'entretien avec Yeonu. Si le concept te plaît pas, tu laisses tomber et on cherche autre chose, mais essaie au moins, d'accord ? »

S'il y avait bien une chose dont Sangchan était conscient, c'était que son Junie s'avérait particulièrement vulnérable à sa voix profonde. Alors, quand il voulait lui demander quelque chose, il le faisait souvent de cette voix grave et suave qui parvenait à persuader son cadet. Et puis... ce n'était pas comme s'il tentait de lui faire accepter n'importe quoi, il le poussait juste à aller à cet entretien, il agissait dans son intérêt.

Jungyu acquiesça doucement, la mine néanmoins toujours inquiète.

« Hyung, tu me promets que tu sais ce que tu fais ?

— Je te le promets, rassure-toi. Je sais comment fonctionne cet établissement, t'as strictement rien à craindre, c'est un endroit très bien. Tu vas voir, tu vas être agréablement surpris, je t'assure.

— Tu jures ?

— Avec le petit doigt, affirma Sangchan en lui tendant son auriculaire.

— Avec le petit doigt, approuva Jungyu d'une voix plus sereine en le liant doucement au sien.

— Allez, viens, j'ai hâte de te présenter à tous mes amis. Tu vas voir : tu vas autant les adorer qu'eux vont t'adorer, j'en suis convaincu !

— T-Tu crois ?

— Moui, avec ta bouille à croquer et ta timidité trop mignonne, tu vas les faire craquer ! »

Jungyu grimaça : est-ce que c'était une bonne chose qu'il fasse craquer ses potentiels futurs collègues du Boy's love Café ? Probablement pas. Mais… Sangchan semblait si joyeux, si sûr de lui. Il les connaissait visiblement depuis bien longtemps, et s'il les aimait tant, sans doute Jungyu devait-il leur laisser leur chance. Après tout, son aîné le connaissait bien, lui aussi : il ne lui présenterait pas n'importe qui. C'était des personnes en qui il avait totalement confiance.

Sangchan ne lui laissa pas l'occasion de réfléchir que déjà il lui attrapait le poignet pour l'attirer avec lui dans les escaliers. Jungyu soupira et s'abandonna, le cœur serré sous l'effet de l'anxiété qui le frappait de plein fouet comme une vague s'échouant dans un cri sonore contre une falaise.

Après quelques marches, Jungyu put apercevoir l'intérieur du restaurant à travers les baies vitrées : de hautes banquettes formaient de petits box autour de chaque table. Ça avait l'air agréable, manger là revêtait un côté intime et paisible.

Jungyu fronça les sourcils en se demandant si ce qu'il venait d'entrevoir pouvait être lié au thème du café. Ses questions s'estompèrent cependant rapidement quand ils atteignirent la terrasse de l'établissement, bordée des mêmes rambardes en fer forgé que les escaliers. Ils n'eurent qu'à la traverser pour arriver devant la porte à double battant que Sangchan poussa, le poignet de Jungyu toujours fermement serré entre ses longs doigts fins.

« Courage, mon Junie, j'ai confiance en toi, » lui susurra-t-il tandis qu'il entrait.

Jungyu déglutit et acquiesça doucement. Ils s'immobilisèrent et le plus jeune sentit son regard s'illuminer : la salle était décorée sobrement dans un style apaisant – probablement grâce aux quelques plantes sans doute fausses installées ici et là. Les larges baies vitrées de la façade principale offraient une grande quantité de soleil, et sur le côté de la pièce se trouvait un bar où travaillait un garçon qui semblait à peine majeur.

Au fond, ce n'étaient plus des tables entourées de hautes banquettes, mais un espace constitué de sofas, de poufs et de tables basses sur lesquelles étaient posés les menus pour les boissons et les petites gourmandises uniquement. Et pour cause : cet espace était destiné à la lecture. Des étagères s'y succédaient, remplies de mangas et de figurines. Ils étaient parfaitement rangés, évitant alors l'aspect de surcharge qu'une bibliothèque pouvait avoir. Ici, c'était simplement élégant, ça donnait envie d'aller s'asseoir et se détendre en lisant un peu avec une boisson et un gâteau.

Un air paisible passait en guise de fond sonore, les petites enceintes se trouvaient accrochées à la baie vitrée, vers l'avant du restaurant donc, de sorte que la musique, déjà faible, ne dérange pas ceux qui lisaient plus loin. C'était... vraiment agréable.

« Alors ? s'enquit Sangchan qui lui avait lâché le poignet. T'en dis quoi ?

— C'est beau, souffla doucement Jungyu, c'est super beau.

— C'est moi qui ai aidé à la décoration du coin manga au fond, affirma-t-il fièrement, depuis deux ans que c'est là ils n'ont rien changé, ça me touche.

— T'as fait du bon boulot, hyung, sourit Jungyu avec amusement.

— Allez, viens, on va se poser. On a encore dix minutes devant nous. »

Plusieurs clients étaient déjà attablés ou bien se trouvaient au fond de la salle, confortablement installés. Quelques serveurs, à peine plus vieux que le barman, passaient avec les plats. En bref, tout semblait... normal.

Ils s'assirent à une table, Sangchan attrapa aussitôt le menu.

« Les cuisiniers essaient régulièrement de varier, se réjouit-il, en général quelques modifications sont apportées aux menus tous les deux mois. J'adore ! Je vais sûrement dîner après ton rendez-vous avec hyung, tu voudras manger ici aussi ?

— Euh, j-je sais pas trop...

— Allez, c'est moi qui invite. Tu choisiras ce que tu veux. En attendant, prends un truc à boire, ça te fera du bien.

— Oh... merci beaucoup. »

Sangchan lui sourit en réponse et concentra son attention sur la carte. Jungyu l'imita. Les photos lui donnaient faim, tout semblait absolument exquis. Entrées, plats, desserts, boissons et...

« C'est quoi les « menus spéciaux » ? » s'enquit Jungyu avec une moue dubitative.

Les intitulés ne risquaient pas de l'éclairer : « douceur chocolatée », « fruits de la passion », « caramel sucré », « craquant intense » et « fondant onctueux ».

« C'est pas des desserts ? ajouta-t-il en haussant un sourcil.

— T'inquiète, ricana Sangchan, je vais demander à Minwoo-hyung de te faire la présentation du café. Il doit être dans le coin, je sais qu'il bosse le lundi après-midi. »

Minwoo... Jungyu pencha légèrement la tête de côté, convaincu que Sangchan avait déjà évoqué son nom en sa présence. Alors c'était réellement ses amis ? Sans doute.

Il releva les yeux de la carte quand un adolescent se posta devant eux en adressant un large sourire à l'aîné :

« Sangchan-hyung ! se réjouit-il. Comment tu vas ? »

C'était un garçon à l'apparence juvénile, peut-être était-il un peu plus jeune que Jungyu. Ses cheveux azur étaient décoiffés et son visage, particulièrement doux, était mis en valeur par quelques touches de maquillage – surtout autour des yeux. Ses lèvres étaient joliment dessinées et son corps harmonieux. Il portait un élégant polo bleu clair qui arborait le logo du café et un pantalon noir qui lui seyait à merveille. Ses oreilles étaient percées et un collier ornait discrètement son cou. Il possédait plusieurs bracelets argentés qui ajoutaient à sa tenue un grain de fantaisie sobre.

« Hey, Euijin ! lança Sangchan en se levant pour l'enlacer. Je vais bien et toi ? Tu saurais où est Minwoo-hyung ?

— Ça va bien aussi, depuis que je suis à la fac je respire. Hyung... Je crois qu'il est allé prendre sa pause tout à l'heure, il doit être en train de traîner derrière. Je vais te le chercher.

— Merci. »

L'autre lui sourit brièvement et fila à la recherche de son collègue.

« I-Il est jeune, non ? s'étonna Jungyu.

— Beaucoup ont moins de vingt ans ici, oui, acquiesça Sangchan. Serveurs, cuisiniers… à part mes amis, les garçons qui travaillent ici sont presque des gamins. »

Cette phrase, il la termina dans un soupir. Jungyu ne sut pas s'il devait demander plus de précisions ; déjà Euijin revenait accompagné d'un second serveur. Un sourire orna les traits de Sangchan tandis que Jungyu fronçait les sourcils : le polo que portait celui qu'il imaginait être Minwoo était bleu foncé, différent donc de celui de son cadet.

« Minwoo-hyung ! » appela Sangchan en se jetant dans les bras de l'autre qui le laissa faire sans sembler étonné de son comportement.

Minwoo… c'était bel et bien lui : un garçon aux oreilles percées en de multiples endroits, à la peau de lys et au visage dont les traits étaient si parfaitement dessinés et si doux qu'on pourrait les trouver légèrement féminins. Un maquillage discret encadrait son regard sombre mais profond pour le mettre en valeur, ainsi que ses lèvres fines mais appétissantes. Il arborait des cheveux châtain foncé et un collier lâche autour du cou, et un bracelet au poignet droit. Il était doué d'une beauté froide, délicate, qui pourtant réchauffa Jungyu sans qu'il sache pourquoi.

« Junie, je te présente Minwoo ! reprit Sangchan après être revenu s'installer à sa place tandis que l'autre jeune homme se tenait debout devant leur table, l'air impassible.

— Junie ? répéta Minwoo d'une voix traînante mais étrangement agréable. Oh, alors c'est toi le candidat pour le poste de serveur ?

— O-Oui, balbutia Jungyu sans réussir à croiser le regard de son aîné.

« — Chan, t'es sûr de toi ? demanda-t-il sans même prendre en compte la présence du benjamin.

— Mais bien sûr ! répliqua Sangchan. Regarde-le et ose me dire que Yeonu va pas en être dingue ! »

Aussitôt, les pommettes de Jungyu s'enflammèrent. Il avait beau fixer la table, il sentait l'attention de Minwoo sur lui.

« Possible. Il a son p'tit charme, ouais. Reste à voir comment il se débrouille devant les clients.

— J'aurais voulu que tu lui expliques un peu comment le café fonctionnait, mais vu l'heure, Yeonu doit s'attendre à ce qu'il arrive d'une seconde à l'autre dans son bureau. Tu peux l'y conduire ?

— Attends... comment ça « que je lui explique le fonctionnement du café » ?

— Bah... disons que... c'est un timide, mon Junie, et il se peut que j'aie omis de préciser que le café était pas des plus banals...

— Sérieux, mais qu'est-ce que je vais faire de toi...

— Allez, amène-le à Yeonu, il lui expliquera tout. Bon courage, tu vas tout déchirer ! »

Minwoo n'eut même pas le temps de répliquer que déjà Sangchan lui balançait pratiquement Jungyu dans les bras. Les pauvres, déstabilisés, faillirent basculer. Jungyu se recula dès l'instant qu'il eut retrouvé son équilibre, s'excusant mille fois.

« C'est rien, c'est la faute de l'autre énergumène, grommela Minwoo en lui faisant signe de le suivre. Allez, Yeonu t'attend. »

Jungyu acquiesça et obéit docilement. Ils passèrent près du bar et l'étudiant adressa un rapide sourire poli quoique timide au garçon qui s'y trouvait. Une porte les isola du café, ils entrèrent dans un couloir large dans lequel Minwoo avança d'un pas sûr.

« Alors comme ça, tu t'appelles Jungyu ? s'enquit-il de manière bien plus douce qu'avant.

— O-Oui.

— T'as pas à t'en faire, Chan a raison : Yeonu va sans doute beaucoup t'apprécier. »

Il se retourna pour lui accorder un signe encourageant qui souleva le cœur de Jungyu tant ça le réconforta – il était perdu dans un tel état d'anxiété... Minwoo s'arrêta devant une porte et y frappa. Une voix mélodieuse, presque surnaturelle tant elle était de velours, s'éleva, simplement pour les inviter à entrer. Minwoo ouvrit sans attendre, s'inclina doucement et sourit.

« Salut Yeonu, j'ai trouvé un petit lapereau égaré, je suis sûr que tu vas l'adorer.

— Hyung, qu'est-ce que tu racontes ?

— Vois par toi-même. »

Minwoo fit signe à Jungyu qui, toujours planté dans le couloir, demeura complètement pétrifié. Un lapereau égaré ? Sérieusement ? C'était fini, Minwoo l'avait ridiculisé devant ce qui aurait pu être son futur patron, jamais il ne décrocherait ce job, il allait passer pour un gamin incapable d'aligner deux mots.

Or le jeune serveur ne lui laissa pas le choix : il lui attrapa le bras, le tira jusque devant la porte ouverte puis le lâcha uniquement pour pouvoir plaquer une main sur sa chute de rein et le pousser à l'intérieur avec un « bonne chance, Junie » qu'il avait prononcé dans un éclat de rire bienveillant.

Jungyu n'osa même pas relever la tête du plancher, il était mort de honte.

« Oh… je vois, déclara la voix douce de Yeonu. Tu dois être Jungyu, n'est-ce pas ?

— O-Oui, c'est moi.

— Minwoo n'avait pas tort, t'as l'air d'un adorable petit lapin qui aurait perdu son chemin. Est-ce que tu veux bien lever les yeux ? Je sais que mon parquet est particulièrement propre, mais il n'est pas si exceptionnel que ça. »

L'amusement perceptible dans cette voix envoûtante finit de persuader Jungyu. Timidement, il leva son regard foncé. L'endroit était paisible, il s'agissait d'un bureau banal mais bien agencé. Sur les étagères et dans des tiroirs s'amoncelaient divers documents et fournitures. De grandes fenêtres apportaient une bonne quantité de lumière naturelle et au centre de la pièce trônait un bureau de bois et de verre fonctionnel au design irréprochable. Des papiers s'y trouvaient, parfaitement organisés, ainsi qu'un ordinateur.

Enfin… ça c'était ce que Jungyu aurait remarqué si son regard n'avait pas été aimanté au jeune garçon à la beauté à couper le souffle qui se tenait sur une chaise de cuir derrière le bureau.

Alors c'était lui, Yeonu ?

CHAPITRE 6

Si Jungyu pouvait décrire son état actuel, il dirait qu'il éprouvait la sensation que sa mâchoire s'était cassé la gueule. Du moins, il s'agissait là de son impression, car en vérité il n'avait pas bougé d'un millimètre, l'air timide et le regard envoûté. Des piercings aux oreilles, des tatouages visibles depuis les doigts jusqu'au haut de ses bras, un maquillage sombre autour des yeux malgré un visage qui semblait crier à l'angélique innocence... Yeonu n'avait rien d'un patron conventionnel.

Il était tout simplement magnifique.

Yeonu pencha légèrement la tête sur le côté et lui offrit un sourire avenant.

« Assieds-toi, je t'en prie. Tu dois être l'ami de Sangchan, n'est-ce pas ?

— O-Oui, balbutia Jungyu en s'avançant timidement jusqu'à la chaise qui se trouvait face à celle de Yeonu. J'ai amené mon CV. »

Il avait tenté de s'exprimer avec un peu plus d'aplomb, mais en plus du peu d'assurance qui transparaissait de son ton, sa voix basse le trahissait encore : il était envahi de stress. Assis à moins d'un mètre de son potentiel futur employeur, il posa son sac sur ses genoux et l'ouvrit maladroitement pour en sortir son papier. Yeonu l'arrêta d'un hochement de tête de droite à gauche.

« Non, je veux d'abord discuter, ensuite on verra pour le CV et les autres formalités. Sangchan m'a dit qu'il n'avait pas osé te parler de la façon dont fonctionnait ce café. C'est vrai ?

— E-Effectivement, je… j'ai été assez surpris du nom qu'il avait, admit Jungyu en baissant les yeux pour fixer le bureau.

— J'imagine, répondit Yeonu dans un rire. C'est pas un endroit banal ici. Mais mes employés s'y plaisent, alors j'aime à croire que c'est un lieu bien. »

Jungyu se contenta de hocher la tête. Il débordait de questions, mais… son cerveau était légèrement défaillant sous la pression, il s'avérait incapable de réfléchir correctement. Il laissa donc Yeonu poursuivre.

« C'est un endroit que j'ai créé il y a seulement deux ans, mais on a pu se développer assez rapidement et fidéliser la clientèle. Tu vas comprendre. »

Il se leva, marcha lentement jusqu'à la fenêtre qui montrait le soleil couchant à l'horizon en dépit des immeubles qui se dressaient au loin. Yeonu s'installa dos à la vitre, s'y appuya doucement, et croisa les bras, cherchant visiblement ses mots : Sangchan lui avait révélé que Jungyu était quelqu'un d'extrêmement timide, mieux valait ne pas trop le brusquer.

Jungyu, justement, avait enfin trouvé le courage de relever un regard curieux vers son aîné en le voyant se déplacer. Ce dernier perdit dans un geste inconscient une main dans ses cheveux châtains tandis qu'il se passait la langue sur la lèvre, geste qui aurait pu faire défaillir le pauvre Jungyu : quand est-ce qu'il allait parler ? C'était tellement stressant…

« En fait, expliqua Yeonu, le Boy's love Café est, comme tu dois l'imaginer, centré sur la thématique du yaoi, l'amour entre les garçons dans les œuvres de fiction – et ici on se concentre en particulier sur les mangas et les animés. Tous les livres de la bibliothèque au fond de la salle, ce sont des mangas qui contiennent des romances de ce style. On en ajoute régulièrement de nouveaux pour que nos habitués aient toujours de quoi s'occuper. Pour coller au thème, tous nos serveurs sont de beaux jeunes hommes, et... certains sont aussi des acteurs. Des performeurs, pour être plus exact.

— Des performeurs ? » répéta Jungyu si bas qu'il crut que Yeonu ne l'avait pas entendu.

Or le gérant acquiesça avec un léger sourire, content de constater que dans les prunelles de Jungyu, ce n'était pas du stress ou de l'inquiétude qui brillaient, mais de la curiosité et... une touche d'envie, peut-être ?

« Oui, confirma Yeonu, les acteurs jouent un rôle, ont un texte, un costume. Les performeurs, eux, ils improvisent, ils restent dans leur personnage tout le long de leur temps de travail.

— Je suis pas sûr de comprendre... »

Tiens, il ne bégayait plus.

« En fait, continua Yeonu, notre carte propose cinq menus spéciaux. Prenons le premier, « douceur chocolatée ». Il offre un chocolat chaud, un gâteau au chocolat, et une performance de trois à cinq minutes par deux de nos serveurs au choix. Ces performances sont de petites scènes typiques des yaois, des trucs clichés mais qui plaisent. Généralement, avec le menu « douceur chocolatée », on joue pas mal sur le cliché du « t'as un peu de chocolat au bord des lèvres, je vais te l'enlever ». Tu vois le genre ?

— Alors... vos serveurs sont aussi des acteurs ?

— Pas tous. Ceux qui ont un polo bleu clair sont de simples serveurs, ceux qui en ont un bleu foncé sont performeurs. Ils restent dans leur rôle toute la journée et doivent avoir des interactions les uns avec les autres dès qu'ils en ont la possibilité pour divertir la clientèle. J'ai toujours au moins deux performeurs en salle, alors les menus spéciaux peuvent être commandés n'importe quand, mais maintenant qu'on commence à se développer, j'aimerais bien un serveur de plus avec cette compétence.

— Mais c'est… e-enfin c'est gênant…

— Les scènes que mes performeurs jouent sont très chastes. De même, quand ils ne sont pas en pleine performance, je demande simplement à ce qu'ils aient de légers contacts devant la clientèle pour faire rougir les clientes, tu saisis ? Je me rappelle un jour où Wonseok avait bondi sans prévenir sur le dos de Minwoo pour lui embrasser la joue. Les clients avaient adoré, Wonseok aussi, Minwoo un peu moins. »

À l'évocation de ce souvenir, Yeonu eut un éclat de rire tendre qui tira un rictus à Jungyu. Le jeune homme d'affaires ne manqua pas ce magnifique spectacle et sentit son sourire s'élargir :

« Minwoo a raison, t'as des airs de lapin, c'est adorable. T'es exactement le type de garçon que je recherche.

— Vraiment ? s'étonna Jungyu plus sérieusement.

— Oui. La diversité des caractères fait notre charme. Être performeur, c'est pas oublier qui on est pour devenir quelqu'un d'autre, c'est mettre en valeur ce qui fait de nous quelqu'un d'attachant, ce qui nous donne l'image de garçons tout droit sortis d'un yaoi. Minwoo est un ange, mais il a toujours été assez réservé. Quand il est en salle, il joue le badboy ténébreux qui se révèle avoir un cœur tendre. Wonseok est quelqu'un de particulièrement jovial, alors il est le garçon drôle, toujours de bonne humeur et qui est là pour consoler les autres. Doyeong quant à lui, il a toujours eu un côté intello sympathique qui prend soin des autres. Pour finir, moi j'aime bien jouer le mec cool et charmeur, plutôt avenant.

« C'est pour ça que quand Chan m'a parlé de toi, j'ai tout de suite voulu te rencontrer : je n'ai toujours personne pour le rôle du petit maknae timide et adorable. Vu ton visage d'ange, tu serais tout simplement parfait. Bien sûr, il te faudrait maîtriser ta timidité, en faire une force qui te rendrait désirable plutôt qu'une faiblesse qui te pousserait à rester aussi immobile qu'une statue. Chan m'a dit que t'avais pris des cours de théâtre, c'est vrai ?

— Oui, hésita Jungyu en se frottant la nuque, mais c'était pas parce que je voulais devenir acteur, c'était pour essayer de combattre ma timidité…

— Peut-être qu'ici t'y arriverais, peut-être que tu pourrais t'épanouir. Je suis presque jamais en salle en tant que performeur, je n'en ai plus le temps, mais je suis certain que t'y trouverais vite ta place. Les autres sont extrêmement gentils, tu peux leur faire confiance.

— Mais… les scènes… enfin, je veux dire, balbutia Jungyu qui n'avait pas oublié un détail qui le faisait rougir. Est-ce que…

— Est-ce que vous allez vous embrasser ou avoir des gestes du genre ? C'est ça que tu veux savoir ? »

Jungyu acquiesça, les pommettes écarlates à l'idée de le demander.

« Rassure-toi, je veille de très près au confort de mes performeurs : les baisers ne sont autorisés que sur la joue, le front et dans le cou. De même, un performeur n'a pas le droit de poser les mains en dessous des hanches d'un autre, du moins pas sans son consentement explicite – et ça doit rester soft. Vous êtes là pour jouer des scènes de romance tirées des clichés des yaois, pas pour aller plus loin.

« Pour garantir la protection à mes employés, j'ai aussi retiré toutes les boissons alcoolisées de la carte. Les clients n'ont pas le droit de vous toucher ni de vous prendre en photo ou de vous filmer, et ils n'ont pas le droit de vous demander vos coordonnées personnelles ou de vous draguer. Un performeur n'est jamais seul en salle, alors il n'y a aucune crainte à avoir : il y aura toujours quelqu'un pour intervenir si un client se montre insistant. On fait dans l'ultra soft, n'importe qui peut venir manger ici. On est un café-restaurant, pas un club gay. »

La voix de Yeonu était devenue ferme, Jungyu se sentit presque idiot d'avoir posé la question.

« Enfin bref, se radoucit le jeune employeur, tout ça pour dire que si t'intègres l'équipe, t'auras rien à craindre. De plus, il est rare qu'on ait à performer : si la journée est particulièrement bonne, on aura peut-être quatre ou cinq commandes pour des menus spéciaux, pas plus. L'essentiel de votre travail, c'est d'être en salle et d'avoir de petits gestes affectueux les uns pour les autres, rien de plus. »

Yeonu prit une mine pensive avant de sourire :

« Je crois que j'ai tout dit au sujet du fonctionnement de ce café. Est-ce que t'as d'autres questions sur ce sujet ? T'es partant pour qu'on regarde ton CV ou bien tu préfères arrêter là ? Ça serait dommage, mais je comprendrais que tu ne veuilles pas rejoindre l'équipe. »

Jungyu tenta de récapituler ce qu'il venait d'apprendre : certains des serveurs du Boy's love Café avaient pour tâche de reproduire sur demande des clients des scènes dignes d'un yaoi. Même entre ces scènes, il lui fallait jouer le jeu et intéragir avec les performeurs présents en salle pour divertir les gens. Serveur et acteur…

Certes, sa sécurité était assurée, et le rôle du garçon timide lui permettrait de ne pas être contraint à prendre les devants mais de simplement se laisser diriger par son partenaire, en revanche…

« Je suis désolé, souffla-t-il, j'oserai jamais. Et si un de mes camarades découvrait mon travail ? Il me jugerait et… il penserait que j'aime les hommes, alors je…

— Eh, Jungyu, le coupa Yeonu en entendant la peur dans sa voix dont le débit s'était accéléré. T'as pas à laisser le jugement des autres décider pour toi de ce que tu veux faire de ta vie. Je t'ai pas demandé si tes camarades de classe voulaient que tu travailles dans mon établissement, je t'ai demandé si toi tu voulais y travailler. Ton job et ta sexualité ne regardent que toi, si tes camarades sont trop idiots pour le comprendre, alors ça fait une raison de plus de ne pas tenir compte de ce qu'ils disent.

— M-Mais je suis pas comme vous, moi, soupira Jungyu, je… je suis désolé.

— Je comprends ton choix, acquiesça Yeonu en revenant s'asseoir, je suis simplement triste que tu refuses de travailler ici non pas parce que t'en as pas envie, mais parce que tu crains l'opinion des autres. Est-ce qu'on peut au moins discuter de l'offre d'emploi, ensuite je te laisserai quelques jours pour te décider et voir si tu veux vraiment refuser le job. Je pense qu'il faut que t'y réfléchisses à tête reposée.

— Je vois, opina Jungyu à son tour. On peut faire ça, d'accord. »

Yeonu l'avait saisi à son regard : Jungyu devait être rassuré. Ce travail l'intéressait, mais sa timidité et sa crainte excessive du jugement des autres le torturaient. Sans doute avait-il besoin d'un peu de temps, toutefois une chose néanmoins demeurait certaine : il n'était pas totalement opposé à l'idée de rejoindre cette petite équipe bien particulière au charme indéniable. Ils étaient tous très soudés, Yeonu était convaincu que ça pouvait se révéler bénéfique pour Jungyu d'en faire partie.

Jungyu tendit son CV et Yeonu l'étudia rapidement. Sangchan lui avait déjà indiqué bon nombre d'éléments inscrits, si bien qu'il le survola avant d'acquiescer, l'air pensif.

« Tu serais prêt à faire combien d'heures par semaine ? demanda-t-il.

— Une quinzaine ce serait parfait, vingt si besoin, mais... vraiment pas plus.

— Je vois. Et quels jours colleraient avec ton emploi du temps ?

— Euh... je suis libre tout le weekend, les lundis après-midi, et une bonne partie du mercredi et du jeudi.

— Bien, bien... Pour ce qui est du salaire, c'est le salaire standard, en plus de quoi tu reçois une petite prime chaque mois en tant que performeur. Plus t'es choisi, plus la prime est importante, raison pour laquelle il faudra jouer de tes charmes, » sourit Yeonu d'un air malicieux.

Jungyu hocha la tête en sentant ses joues se réchauffer très légèrement, trop pour qu'elles se colorent, par chance. L'entretien se poursuivit encore pendant de longues minutes. Le jeune garçon se détendait peu à peu, répondant aux questions de Yeonu qui lui demanda des précisions sur ses études, ses ambitions, ce qu'il voulait faire plus tard et sa situation actuelle.

Yeonu avait le don de le mettre à l'aise plus facilement que d'autres : il lui parlait comme à un ami, comme s'il semblait oublier qu'il discutait avec son potentiel futur employé. Il arborait un regard encourageant, des expressions attendries quand il le voyait rougir, et parfois il se laissait aller à rire franchement lorsque Jungyu virait au pourpre.

C'était comme si son statut de proche de Sangchan lui avait permis d'être aux yeux de Yeonu quelqu'un avec qui il pouvait s'autoriser une telle légèreté et une telle familiarité. Pourtant, pour le jeune patron, c'était naturel : ses performeurs s'avéraient tous plus vieux que lui, il ne les percevait pas comme des salariés, mais avant tout comme des amis. Quant aux autres garçons à son service, ils étaient pareils à des petits frères dont il prenait infiniment soin. Il choisissait ses employés non pas selon leurs compétences – car n'importe qui avec un peu de volonté pouvait être formé et apprendre – mais selon leur personnalité. Yeonu n'embauchait que ceux qui pouvaient s'épanouir ici.

C'était tout ce qu'il avait rêvé de construire : un lieu aux airs de grande fratrie, un endroit où chacun pouvait venir travailler sans s'inquiéter de quoi que ce soit. Un refuge, en somme. Il pouvait lire dans le regard de Jungyu quelque chose de pénible, d'indéchiffrable, quelque chose qu'il cachait au plus profond de son cœur mais dont il ne pouvait pas se défaire.

Il éprouvait le sentiment que Jungyu leur ressemblait, que c'était quelqu'un qui n'avait pas toujours souri, quelqu'un qui, comme quiconque, avait connu son lot de difficultés. Oui, ce regard... il avait dans le regard ce quelque chose de mystérieux qui ne laissait aucun doute : il avait besoin d'un refuge.

CHAPITRE 7

« Alors, mon Junie, comment ça s'est passé ? »

Un sourire timide au visage, ledit Junie regagna sa place face à Sangchan qui sirotait tranquillement sa boisson. L'entretien avait duré un certain temps et il devait bien avouer que tout ce stress lui avait donné faim. Il s'installa et se passa la main dans les cheveux avant d'oser poser la question qui lui trottait dans la tête.

« Hyung, pourquoi m'avoir proposé ce poste ? Pourquoi t'as cru que je ferais un bon candidat ? Enfin... je suis tellement...

— Aussi étrange que ça puisse paraître, admit Sangchan en reposant son verre, je suis intimement convaincu que tu peux t'épanouir encore plus que tu l'imagines, ici. Te mesurer si frontalement à ta timidité pourrait t'être réellement bénéfique. Tu seras mieux payé que dans ton ancien établissement et les horaires sont très souples, tu peux adapter ton emploi du temps : à moins que ça pose un réel problème ou que tu préviennes le jour même, y aurait pas de raison pour que Yeonu refuse de te laisser ta journée. C'est quelqu'un d'extrêmement compréhensif, derrière ses airs de patron parfois un peu distant, c'est quelqu'un qui prend toujours soin de ses employés.

— Mais j'oserais jamais accepter de travailler dans un endroit pareil...

— Le jugement, hein ?

— Imagine si un de mes amis apprend que je travaille ici, acquiesça Jungyu en baissant les yeux. Je veux pas qu'ils se moquent de moi.

— Si ce sont tes amis, alors t'as pas à avoir peur.

— Disons que ce sont plutôt mes camarades de classe…

— Dans ce cas, t'as pas à t'inquiéter de leur jugement.

— Mais être devant les clients, ça serait tellement gênant, riposta encore Jungyu en prenant le menu entre les mains pour se cacher derrière.

— Eh, Junie… »

Le jeune garçon, curieux de ce ton malicieux employé par son aîné, releva les yeux de la carte.

« Je te connais : quand tu me fais une liste de points négatifs, ça ne veut dire qu'une chose : t'as envie de le faire, mais tu flippes et t'espères que je te rassure. Sauf que tu m'écoutes jamais et tu restes toujours bloqué sur tes peurs. Alors on va faire autrement. »

Jungyu était sur le point de l'interroger à propos de ce dont il parlait lorsque Sangchan leva la main, le regard espiègle, pour faire signe à Euijin. Ce dernier arriva à leur hauteur et s'enquit de leur commande. Jungyu hésita un instant avant d'opter pour un hamburger maison avec un soda, quant à Sangchan, il choisit de l'eau gazeuse, un bibimbap et…

« Et en dessert, je prendrai le menu fruits de la passion, » termina-t-il.

Jungyu se mordit la lèvre à ces mots et Euijin se contenta de relever la tête, un air nonchalant au visage, puis demanda :

« Menu simple ou duo ?

— Junie, s'enquit alors Sangchan, tu veux une tarte aux fruits et un smoothie en dessert ?

— Euh… j-je veux bien.

— Menu duo, merci, affirma donc Sangchan de nouveau tourné vers l'employé.

— C'est noté, approuva ce dernier. Pour ce qui est des performeurs, ce soir Minwoo et Wonseok sont dispos. Ça te va ?

— Nickel, c'était eux que j'espérais.

— On va d'abord vous apporter les plats et le dessert viendra ensuite, indiqua le jeune serveur. Est-ce que ce sera tout ?

— Oui, merci beaucoup. »

Euijin s'inclina et retourna en cuisine. Jungyu le suivit des yeux avant de fixer son regard sur Sangchan.

« Ça va être gênant, marmonna-t-il.

— Détends-toi, Junie, rigola Sangchan, ça va être drôle, au contraire. Et puis comme ça, t'auras un aperçu de ce qu'on attend de toi.

— Oui, mais ils vont être là et…

— Du calme, arrête de paniquer. Tu vas adorer, t'en fais pas. Mais avant ça, on va se régaler comme on le mérite ! »

L'enthousiasme contagieux de Sangchan finit par tirer un sourire à Jungyu qui opina. Les plats ne tardèrent pas à arriver et, confortablement installés sur les banquettes de leur box, les deux garçons discutèrent en observant le restaurant se remplir doucement à mesure que la soirée avançait. En plus d'Euijin et Minwoo, Jungyu avait repéré deux autres serveurs : un jeune homme au polo bleu clair et un quatrième dont la tenue indiquait qu'il était performeur.

Le service était rapide, efficace et les clients semblaient ravis. Sangchan aimait cette ambiance chaleureuse, il venait parfois passer une demi-journée ici pendant ses vacances, histoire de voir ses amis et de profiter d'un peu de temps avec eux en toute tranquillité.

Euijin revint une fois les assiettes terminées. Il apportait sur son plateau deux charmantes tartes aux fruits accompagnées d'appétissants smoothies qu'il déposa devant les deux garçons.

« Minwoo et Wonseok vont bientôt arriver, indiqua-t-il en s'inclinant.

— Merci Euijin.

— Je vous souhaite un bon appétit. »

Le serveur, un sourire aux lèvres, s'en alla. Jungyu attrapa sa cuillère et la plongea sans hésiter plus longtemps dans la tartelette qui semblait l'appeler. Tout se révélait délectable. Ça avait le goût du fait maison, c'était divin. Chaque ingrédient explosait en bouche tant leurs saveurs étaient sublimées les unes par les autres.

Deux performeurs au polo bleu foncé se présentèrent à la table avant de s'incliner. Jungyu reconnut Minwoo aussitôt, quant au second, il présuma que ce devait être Wonseok : plus grand que son collègue, c'était un garçon dont les cheveux de jais étaient coiffés de sorte à dégager son front. Il était doué d'un visage fin aux traits marqués et au sourire contagieux. Ses prunelles pétillaient et quelque chose dans sa façon de se tenir lui donnait l'air affable et décontracté.

« Salut, Chanie ! lança-t-il. Qu'est-ce que tu viens faire ici ?

— Il est venu accompagner son pote qui passait l'entretien avec Yeonu, répliqua Minwoo d'un ton presque ennuyé. Il est pas là pour tes beaux yeux.

— Laisse-moi y croire, j'ai le droit d'espérer qu'un beau garçon me remarque, non ? rétorqua Wonseok en s'accrochant au bras de Minwoo pour lui faire les yeux doux. Mais dis-moi, tu les trouves beaux, mes yeux ?

— Mais ouais, bien sûr, magnifiques. »

Le ton ironique du jeune homme tira une grimace à Wonseok qui lui donna une tape sur le bras avant de tourner son regard vers Jungyu.

« Alors c'est toi, le candidat ? Oh je suis sûr que Yeonu a dû t'adorer, t'es exactement le style qu'on recherche ! Moi c'est Han Wonseok, enchanté, et le petit bonhomme tout pâle et tout grincheux, c'est Kang Minwoo.

— E-Enchanté, balbutia Jungyu avant de s'éclaircir la voix dans l'espoir que possiblement ça empêcherait à ses rougeurs d'être remarquées.

— C'est pour te faire une démonstration qu'on est là ? s'enquit Minwoo.

— Ouaip, approuva Sangchan avec un large sourire, je veux qu'il voie à quoi ressemble votre boulot.

— On peut s'asseoir ? Histoire de discuter un peu. Y a pas grand monde, les gosses se débrouilleront sans nous. »

Sangchan acquiesça et s'installa à côté de Jungyu tandis que les deux serveurs prenaient place en face d'eux. Minwoo tira de sa poche une sucette qu'il déballa et coinça entre ses dents pendant que Wonseok expliquait.

« On a déjà montré l'essentiel de notre travail : on sert les clients et, comme on l'a fait il y a quelques instants, on essaie en même temps d'avoir de petites interactions entre nous. Les clients qui commandent les menus spéciaux ne sont pas extrêmement fréquents, certains jours y en a même pas. Notre rôle, c'est essentiellement de contribuer à donner une ambiance digne d'un yaoi à cet endroit. Souvent on surjoue un peu, mais paradoxalement ça fait plus réaliste pour les fans de mangas. »

Jungyu acquiesça et Sangchan enroula un bras autour de ses épaules :

« Alors, mon Junie, ça te fait pas envie un boulot comme ça ? Ça pourrait être amusant, hein ? Allez, poursuivit-il sans attendre la réponse de son cadet, montrez-nous vos talents ! »

Une lueur de moquerie brilla dans les yeux de Minwoo qui se tourna vers son collègue.

« Ah, parce que t'as du talent, Wonseok ? Sangchan vient de m'apprendre quelque chose.

— C'est moi qui t'ai formé, rétorqua-t-il avec une mine renfrognée. Et je suis ton supérieur, je te rappelle.

— T'as à ce point envie de diriger ? »

Sa sucette toujours dans la bouche, Minwoo posa la main sur la joue de Wonseok, attardant le pouce sur sa pommette. L'autre, soutenant son regard, appuya une main par-dessus la sienne pour s'y blottir doucement.

« Hyung, murmura-t-il d'un souffle avec un sourire attendri sur le visage.

— Tu t'avoues vaincu ? J'avais raison ? »

Le regard espiègle de Minwoo devint interrogateur lorsque Wonseok lui adressa un rictus empli de malice. Le cadet tendit à son tour la main vers son collègue et attrapa le bâtonnet blanc qui dépassait de ses lèvres. Minwoo entrouvrit la bouche, son ami s'empara de la sucrerie et, avec un air provocateur, il passa lentement le bout de sa langue dessus.

« Fruits de la passion, constata-t-il. T'as bon goût, hyung.

« — Ma langue a le même goût, tu sais, répliqua Minwoo avec désinvolture en lui reprenant sa sucette.

— Dans ce cas, je devrais peut-être y goûter aussi, c'est ça que t'attends ?

— C'est en tout cas ce que j'ai insinué. »

Wonseok rigola à cette remarque avant d'enrouler les bras autour de la nuque de son aîné et de lui adresser son sourire le plus éclatant. Minwoo posa une main sur sa hanche, l'autre sur la banquette.

« Hyung, reprit son cadet, est-ce que ça veut dire que tu veux que je t'embrasse ?

— Je sais que t'en as envie.

— Quelle prétention…

— Ton regard te trahit, Seok, on se connaît depuis trop longtemps pour que je ne sois pas capable d'y lire tout ton désir.

— C'est pas toi qui me fais envie, c'est elle, rétorqua Wonseok en baissant les yeux sur la sucette qui avait retrouvé sa place entre les lèvres de Minwoo.

— Tu la voudrais ?

— J'aime ce qui est sucré et fruité.

— T'aimes pas ce qui est un peu plus acidulé ? demanda l'aîné d'une voix presque sensuelle.

— Je préfère quand c'est doux.

— Je peux être doux, si c'est ce que tu veux…

— Pff, t'en as d'autres, des répliques à deux balles ? »

Minwoo, sans répondre, prit sa sucette et se pencha vers son collègue qui le fixait, les yeux emplis d'affection. Ses paupières se fermèrent lorsque Minwoo posa les lèvres dans le creux de son cou, abandonnant sur sa peau une ligne de petits baisers qui tirèrent un soupir à son cadet. Ce dernier passa les doigts dans ses cheveux pour l'encourager à rester contre lui et laissa traîner sa main libre dans son dos, le caressant tendrement en imitant le geste que Minwoo effectuait avec douceur sur sa hanche par-dessus son polo.

Finalement, l'aîné releva les yeux vers Wonseok lorsque son collègue recula.

« Tu prétends diriger, mais c'est toi le plus dépendant, sourit le plus jeune des deux.

— Sans doute parce que je préfère le goût de ta peau à celui d'une simple friandise.

— Est-ce que… ça voudrait dire que tu m'aimes bien ?

— Te méprends pas, je suis pas du genre à tomber amoureux.

— Pas même de mes beaux yeux ?

— Eh non, tragique destinée, n'est-ce pas ?

— Et si moi je te disais que je t'aimais ? » demanda Wonseok innocemment.

Minwoo plongea un regard indescriptible dans le sien, quelque chose y brillait, quelque chose de fort… quelque chose qui poussa Jungyu à froncer les sourcils de manière à peine perceptible.

Wonseok passa une main sur la joue de Minwoo comme ce dernier l'avait fait un peu plus tôt.

« Alors, hyung, susurra-t-il juste assez fort pour que Jungyu et Sangchan aussi l'entendent, qu'est-ce que tu dirais ?

— Je sais pas ce qu'est l'amour, j'ai jamais aimé quiconque.

— Dans ce cas, je pourrais t'apprendre, qu'est-ce que t'en dis ? »

Et sur ces mots, il déposa un baiser délicat sur la tempe de Minwoo qui, le visage fermé, détourna les yeux.

« Je suis pas quelqu'un de bien, rétorqua-t-il d'un ton froid, tu ferais mieux de pas m'approcher.

— Pourquoi ?

— Ça vaut mieux pour toi.

— Je continuerai. Je continuerai d'essayer d'être proche de toi, Minwoo-hyung, même si tu me l'interdis. Tu pourras pas m'en empêcher.

— Tu finiras par te lasser.

— J'attendrai autant qu'il le faudra pour que tu te rendes compte de ce que tu vaux… et de ce que je ressens.

— J'en vaux pas la peine.

— Je te prouverai le contraire. »

Wonseok posa le bout de son nez contre celui de son aîné et lui adressa un énième sourire.

« Ton haleine sent le fruit, fit-il remarquer. J'aime bien. »

Finalement il s'écarta de lui après avoir laissé traîner la main sur sa joue et il s'assit correctement face à ses deux clients. Jungyu semblait complètement absorbé par la scène qui venait de se dérouler devant lui, quant à Sangchan il regardait ses deux amis avec des yeux brillants.

« C'était cool ! Minwoo, tu t'améliores vachement ! se réjouit le jeune garçon.

— C'est parce qu'il avait un très bon prof, répliqua Wonseok avec un air fier.

— Tss, prétentieux, souffla l'aîné en dirigeant ensuite son attention vers Jungyu pour reprendre d'un ton curieux. Alors, t'en as pensé quoi, toi ?

— C'était… extrêmement gênant, mais… plutôt cool, admit Jungyu malgré son embarras. J'avais vraiment l'impression d'y être pendant un instant, d'être plongé dans une romance un peu bateau mais qui rend accro.

— Et tu te verrais faire ça ?

— Oh… j-je pense pas, je sais pas…

— T'es plutôt mignon avec tes joues rouges, je suis sûr que nos deux personnages feraient fureur ensemble, ajouta Minwoo en haussant les épaules. Le badboy et le timide, ça marcherait du tonnerre.

— Sans doute.

— Penses-y, et laisse pas ta timidité l'emporter. Ça se voit que tu doutes, que ça te tente de bosser là. Crois-moi, t'as ta place parmi nous. Viens, Wonseok, le boulot nous attend.

— Bonne chance, les gars, » sourit Sangchan en observant ses deux amis se relever pour retourner à leur occupation principale.

Jungyu les regarda partir, songeur. C'était… très particulier. Son attention avait été focalisée sur les deux jeunes acteurs, il émanait d'eux ce charme magnétique qui faisait leur force et empêchait qu'on détourne les yeux. La scène jouée avait beau être des plus clichées, leur visage restait si expressif, leurs gestes si purs… impossible de l'expliquer. Jungyu avait trouvé ça sublime, ils avaient semblé si proches. Il aurait presque juré voir de l'amour briller dans leurs prunelles.

Était-il pour autant partant pour accepter le même travail ? Le cadre s'avérait agréable, les garçons gentils et encourageants, quant à Yeonu il se montrait très à l'écoute et n'était décrit qu'en des termes élogieux par ceux qui le connaissaient.

Mais vaincre sa timidité demeurait beaucoup trop difficile pour lui et, lorsque Sangchan lui demanda son avis sur la performance, il se contenta de baisser les yeux, penaud, sur son smoothie.

CHAPITRE 8

Sangchan avait cherché à comprendre ce qui inquiétait à ce point Jungyu, la raison de cette timidité maladive qui l'avait fait baisser les yeux et murmuré un simple « je préfère pas accepter, j'y arriverais pas ». Mais Jungyu était resté muet comme une tombe. Il avait refusé d'en parler plus longtemps, si bien que Sangchan avait abandonné, changeant de sujet pour tenter de le mettre de nouveau à l'aise.

Une semaine était presque passée. C'était dimanche en effet et Yeonu avait demandé au jeune garçon de lui envoyer sa réponse avant sept heures du soir – autrement dit, d'ici vingt minutes. Ça faisait environ une demi-heure que l'étudiant tenait son portable, les yeux rivés dessus, l'air inquiet.

Il hésitait.

Chaque jour cette semaine, il avait mangé avec Sangchan. Ce dernier ne lui avait pas reparlé de l'offre d'emploi, conscient que ça le gênerait et qu'il se braquerait. Pour autant, Jungyu l'avait lu sur son visage : il mourait d'envie de savoir s'il allait ou non finalement accepter. Sangchan s'était toujours montré curieux, c'était ce qui constituait son charme.

La réponse pour Jungyu était simple : il ne voulait pas faire ça, il ne voulait pas devenir le centre de l'attention, il ne voulait pas que les regards soient attirés par lui. Lui, au contraire, il voulait disparaître, rester dans son coin et servir sans qu'on le remarque. Malheureusement, les mauvaises nouvelles s'étaient accumulées entre temps : chacune de ses candidatures avait été rejetée. C'était bien inutile d'avoir fourni tant d'efforts pour rien…

Ce n'était néanmoins pas si étonnant à cette période : tous les petits jobs avaient été pris au début de l'année scolaire ou bien du semestre, ce n'était pas à la mi-mars qu'un quelconque employeur allait recruter un salarié pour si peu d'heures. Ce qu'on recherchait, en ce moment, c'était des temps pleins.

Il était coincé : l'offre de Yeonu allait bientôt expirer et il lui fallait du travail au plus vite. Il ne lui restait aucune solution de secours.

« Fait chier. »

Il se laissa tomber sur son matelas, sur le dos. Lui qui se tenait jusque-là en tailleur sur son lit s'y retrouva confortablement allongé, une moue boudeuse sur le visage. C'était tellement difficile ! Pourquoi est-ce que la seule offre était si particulière ? Pourquoi Yeonu n'avait-il pas eu l'idée d'ouvrir un banal restaurant !

Son portable posé à côté de lui, la tête enfoncée dans son oreiller, il ronchonnait en tentant de se raisonner : il lui restait encore beaucoup de choses à faire ce soir, il ne pouvait pas débattre intérieurement pendant des heures.

Le fil de ses pensées fut cependant tout à coup rompu quand on toqua à sa porte. Il se figea : il n'attendait personne. Yeonu ne serait quand même pas venu en personne pour s'enquérir de sa réponse, n'est-ce pas ?

C'était probablement Sangchan, c'était bien le seul à s'imposer chez lui…

Avec une énergie digne de celle d'une tortue agonisante, Jungyu se redressa et alla voir ce qu'on lui voulait. Il n'eut même pas à regarder à l'œillet qu'il reconnut la voix qui s'éleva, grave et envoûtante :

« Junie, je sais que t'es là. Je suis passé au fast-food prendre le dîner, je te connais je sais que t'as pas encore mangé. »

C'était juste.

Jungyu ouvrit d'un geste lent et s'écarta pour laisser Sangchan entrer. Ce dernier retira ses chaussures et posa le sac de papier sur la table du petit studio pendant que Jungyu refermait et allait ranger rapidement quelques affaires qui traînaient.

« Qu'est-ce qui t'amène ? demanda-t-il alors qu'il savait parfaitement la réponse qu'il allait recevoir.

— Je suis venu te soutenir pour que tu dises oui à Yeonu.

— Je lui ai déjà dit non, répliqua Jungyu.

— Je sais que tu mens, je lui ai demandé de m'envoyer un message dès qu'il aurait ta réponse. »

Jungyu abandonna dans un énième soupir le t-shirt qu'il comptait remettre dans l'armoire. Il se tourna de sorte à faire face à Sangchan.

« J'étais en train d'hésiter, voilà. Et puis t'es arrivé…

— Je vois bien que ça te fait peur, mais ça serait pas cool, une nouvelle expérience ?

— Tu me connais, tu devrais savoir que j'aime pas m'exposer.

— Mais je sais que t'as envie d'accepter et que c'est pour ça que t'as toujours pas envoyé ta décision.

— Sans doute, souffla Jungyu. Mais je peux pas. C'est trop difficile.

— Et tes autres candidatures ?

— Toutes refusées. Je ne sais plus quoi faire. J'ai que ça comme option et… et ouais, peut-être que je voudrais bien travailler là-bas, mais j'ose pas. En plus, on risquerait de croire que j'aime les garçons.

— Mais… je croyais que t'aimais les garçons ?

— Oui, râla Jungyu, mais je veux pas que ça se sache ! Et si un jour mes parents veulent venir boire un coup là où je travaille, je fais comment ?

— Tu leur dis que tu peux pas blairer Minwoo et tu proposes d'aller manger ailleurs, répliqua Sangchan en haussant les épaules tandis qu'il sortait du sac leur dîner.

— Pourquoi Minwoo ? Il a rien fait le pauvre…

— Je sais pas, c'est le premier prénom qui me soit venu… Bref, du coup, tu vas refuser ?

— J'ai pas l'impression d'avoir le choix mais ça me stresse, admit Jungyu en prenant le hamburger que Sangchan venait de poser devant lui.

— Si ça t'inquiète à ce point, t'as qu'à refuser et tenter ta chance ailleurs, lui sourit Sangchan avec compassion. Je pense que Yeonu comprendra. »

Jungyu hocha doucement la tête avant de mordre dans son dîner, l'air songeur. Il lui restait une dizaine de minutes pour se décider… et il en demeurait bien incapable. C'était pourtant stupide : s'il devait lister le pour et le contre, il y noterait bien plus de pour que de contre, néanmoins le seul contre lui pesait tant qu'il annihilait tout.

Or, un nouveau pour s'était ajouté à la liste : le besoin vital d'avoir un job. Et celui-là n'était pas négligeable, il dominait, même. Tant pis pour sa timidité, il lui fallait de l'argent.

Jungyu s'essuya les mains après avoir reposé son hamburger à moitié entamé. Sangchan le regarda attraper son portable et taper rapidement un message avant de laisser l'appareil sur la table.

« Tu l'as fait ? s'étonna-t-il. Tu lui as répondu ?

— Oui, j'ai pas réfléchi, opina doucement Jungyu en reprenant son dîner. Sinon j'aurais risqué de faire n'importe quoi. Quand je réfléchis pas, je suis moins timide.

— Alors… tu…

— J'ai dit oui, l'interrompit son cadet. J'ai accepté l'offre.

— Tu regrettes ? s'inquiéta Sangchan en voyant le peu d'enthousiasme dont il faisait preuve.

— Non. J'ai besoin d'un travail au plus vite. Alors j'ai compté jusqu'à trois dans ma tête et j'ai foncé tête baissée pour envoyer un « c'est d'accord » rapide, histoire de pas changer d'avis entre temps. »

Sangchan sourit : la technique de compter jusqu'à trois puis de se laisser complètement aller sans réfléchir, c'était lui qui la lui avait enseignée pour l'aider à combattre sa timidité. Il lui avait appris ce jour-là qu'une fois le premier pas fait, tout le reste devenait plus simple. Se lancer était toujours le plus difficile.

Une vibration le tira de ses rêveries. C'était le portable de Jungyu. Ce dernier, le cœur battant, attrapa son téléphone et observa un instant le message qu'il avait reçu.

Yeonu – Parfait, je suis heureux que tu te joignes à nous ! Tu peux venir signer le contrat dès demain et tu commenceras cette semaine, ça t'irait ?

« Il a répondu ? l'interrogea Sangchan.

— Oui, je signe le contrat demain.

— Oh, bien. Je suis sûr que t'as pris la bonne décision, tu verras ! J'ai confiance en Yeonu, je te confierais pas au premier inconnu qui passe.

— J'suis pas un gosse, marmonna Jungyu.

— Si, t'es mon Junie, un point c'est tout. Alors si Yeonu est méchant, je viendrai lui faire la leçon moi-même. Il s'en mordra les doigts : en tant que meilleur ami, il doit bien s'entendre avec mon Junie, sinon je le bouderai.

— Fais pas l'enfant, » rougit son cadet.

Sangchan se contenta de rire, laissant apparaître son magnifique sourire rectangulaire qui avait le don de faire fondre le cœur de Jungyu. Le jeune garçon toussota et centra de nouveau son attention sur son portable.

Jungyu – Oui aucun problème, à quelle heure est-ce que je pourrais passer ?

Yeonu – Quelle heure t'irait ?

Jungyu – Mes cours s'achèvent à midi, alors c'est comme ça vous arrange.

Yeonu – Tutoie-moi, ça fait bizarre sinon. À 15h, ça t'irait ? C'est l'heure à laquelle ça devient plus calme au café, le midi on est souvent un peu débordés…

Jungyu – D'accord, je serai là à 15h, merci encore de me donner une chance.

Yeonu – J'espère qu'on fera du bon travail ensemble, et ne t'inquiète de rien, tu vas y arriver. Minwoo aussi avait du mal au début, mais il s'est rapidement habitué. Je ne doute pas qu'il en ira de même pour toi. Il faut juste que tu m'envoies quelques papiers dans la soirée pour que je puisse finaliser le contrat, ça te va ?

Jungyu – Pas de soucis.

« Mais dis-moi, sourit malicieusement Sangchan, qu'est-ce que vous pouvez bien vous dire ? C'est au moins le quatrième message que tu lui envoies. T'essaies déjà de draguer ton patron ?

— M-Mais qu'est-ce que tu racontes, hyung ! protesta Jungyu.

— Je fais une hypothèse, c'est tout. Et puis, on va pas se mentir, il est beau mon Yeonie, non ? »

La remarque fit ressentir un douloureux pincement au cœur à Jungyu qui ne sut pas expliquer d'où il provenait – enfin si, il savait bien qu'il était jaloux que Sangchan complimente Yeonu ainsi, il ne voulait simplement pas l'admettre. Il se contenta de baisser la tête sur ses frites pour hausser les épaules.

Il ne la releva que quand la main de son aîné lui frotta vigoureusement les cheveux.

« Allez, souris un peu, je te taquinais, c'est tout. Je suis désolé, je pensais pas que ça te vexerait.

— N-Non, c'est pas ça, je... c-c'est rien, t'inquiète. C'est de savoir que je vais travailler là-bas... je suis un peu nerveux, c'est tout, alors je suis tendu. C'est pas ta faute. »

C'était vrai, ce n'était pas la faute de Sangchan s'il ne l'aimait pas.

Un goût amer en bouche, Jungyu reprit son repas. Son ami afficha une moue pensive et finit par hausser les épaules, imputant la réaction de son cadet au stress.

~~~

Il était trois heures moins cinq quand Jungyu, le lendemain, arriva devant le Boy's love Café. Il prit une longue inspiration et grimpa ces marches qui empêchaient les passants de voir ce qui se déroulait à l'intérieur de l'établissement situé trop en hauteur.

Dès l'instant où il poussa la porte de verre, un poids s'écrasa sur son dos tandis que deux bras s'accrochaient comme des ventouses à sa taille.

« Jungyu ! Je suis heureux que tu fasses partie de l'équipe ! se réjouit Wonseok. On a hâte de travailler avec toi, ça va être drôle ! On va faire de toi le petit maknae tout timide, tu vas devenir le chouchou des clients !

— Euh, j-je…

— Laisse-le d'abord respirer, ronchonna Minwoo en les rejoignant, il a encore rien signé, idiot.

— Kang Minwoo, retire tout de suite ça !

— Hors de question. T'es un idiot.

— Mais hyung… Alors tu vas m'abandonner quand Jungyu travaillera avec nous ? »

Wonseok, une moue de chien battu sur le visage, la lèvre inférieure avancée et les sourcils froncés de manière triste, relâcha Jungyu. Il était atrocement mignon avec ce petit visage qui attirait la compassion. Minwoo d'ailleurs ne sembla pas y résister longtemps : il poussa un soupir et, avec un peu trop de brutalité, il attrapa le poignet de son cadet pour le tirer de sorte que Wonseok s'échoue dans ses bras. Son collègue, surpris, lâcha une légère exclamation tandis que ses yeux s'arrondissaient.

D'abord incapable de bouger, il enroula finalement son bras libre – car Minwoo tenait toujours son autre poignet entre ses doigts longs et fins – autour de son aîné. Ce dernier laissa traîner ses lèvres sur son front et passa une main bienveillante dans ses cheveux.

« Hyung, souffla Wonseok avec une voix émue qui traduisait son soulagement.

— Bien sûr que non, je t'abandonnerai pas, lui assura Minwoo, t'auras toujours une place dans mon cœur.

— Toujours ?

— Je te le promets. »

Minwoo le relâcha au terme de cet échange et jeta un regard interrogateur à Jungyu qui, pour avoir balayé la salle d'un œil furtif durant cette petite scène, s'était rendu compte que l'interaction entre les deux serveurs avait attiré l'attention des quelques clients qui se trouvaient là et qui les avaient observés avec des visages attendris.

« Bah alors, se moqua Minwoo, t'attends quoi pour aller voir Yeonu ? T'as déjà oublié où c'était ? »

Jungyu se ressaisit et s'excusa avant de filer.

« Je l'aime bien, ce gosse, reprit-il une fois l'étudiant parti. Une fois qu'il se sera habitué et pris au jeu, on pourra le taquiner pour le faire rougir, ça sera mignon. J'espère qu'il se sentira vite à l'aise.

— Pourquoi pas, répliqua Wonseok en haussant les épaules. Je me souviens d'un chaton complètement perdu à qui j'ai appris à performer devant des clients, je suis sûr que je peux reproduire cet exploit avec un lapereau.

— J'suis pas un chaton.

— C'est vrai, t'es mon chaton à moi, c'est pas du tout pareil, hein hyung ?

— Tss, si tu le dis. Allez, bouge tes jolies fesses, on a des tables à débarrasser. »

Wonseok ricana et se pencha légèrement de sorte à abandonner un baiser sur la joue pâle de son collègue. Ce dernier détourna aussitôt le visage – c'était Jungyu qui était censé être embarrassé et rougir, pas lui – et partit en soupirant que décidément, Wonseok n'avait aucune gêne.

« Hyung ! T'es trop mignon ! lança son ami en le rattrapant.

— J't'ai dit d'aller laver les tables. Bosse un peu.

— Y a pas grand monde, je préfère être avec toi.

— Pot de colle.

— Je sais !

— Dans ce cas, au lieu de laver les tables que tu dois laver, lave celles que je dois laver. Je suis fatigué, j'ai grave la flemme. »

Wonseok fronça les sourcils et croisa aussitôt les bras sur son torse.

« Puisque je te dérange, je vais travailler, râla-t-il, tu devrais en faire autant.

— C'est noté, Wonseok-ah. »

À peine Wonseok se fut-il tourné, dos à son aîné, que son habituel sourire naquit de nouveau sur ses lèvres.

« Et traîne pas trop, chaton, se moqua-t-il en retournant à ses occupations.

— C'est ça, marmonna Minwoo avec un rictus malicieux, fais le malin devant les clients. Ce soir, ta jolie voix te servira à autre chose.»

CHAPITRE 9

Les yeux baissés sur ses doigts entremêlés, Jungyu se mordillait la lèvre – geste qui, il l'espérait, lui permettrait d'empêcher ses rougeurs de lui colorer le visage. Il sentait ce regard trop lourd sur lui et ça le déstabilisait.

« Désolé d'avoir été un peu long, s'excusa Yeonu en raccrochant pour revenir s'asseoir en face de son cadet, on avait un petit souci avec un des fournisseurs, mais c'est réglé. Bon, j'ai un contrat d'une quinzaine d'heures, et avec les disponibilités dont tu m'as fait part, je t'ai fait un emploi du temps. Il est juste provisoire, bien sûr, s'il y a un créneau qui te gêne on pourra le changer.

— D'accord, acquiesça Jungyu d'une voix douce.

— Tiens, dis-moi ce que t'en penses. »

Il posa sur la table deux documents : le contrat de Jungyu et son emploi du temps. Ce fut ce dernier que le jeune garçon étudia en premier : seuls trois créneaux de cinq heures apparaissaient. Un le lundi après-midi, un le jeudi en milieu de journée et un le samedi après-midi. C'était exactement les horaires qui l'arrangeaient, et ces gros blocs de cinq heures lui permettaient de lui libérer le reste de la semaine.

D'un geste nerveux, Jungyu se pinça inconsciemment la lèvre entre l'index et le pouce, l'air pensif. Alors il allait travailler là, pour de vrai ? C'était assez... irréel, et toute cette situation l'avait poussé à accepter de manière précipitée. Ça avait quelque chose d'angoissant – quoique tout l'angoissait, alors ce n'était sûrement pas grand-chose.

Dans un soupir muet, il lâcha sa lèvre pour reposer les mains sur son jean clair, profitant de ce geste pour retirer les poussières imaginaires de son pull noir à manches longues. Il ne se rendait pas compte que Yeonu observait discrètement le moindre de ses faits et gestes, un rictus à peine perceptible sur son visage impassible.

Jungyu prit le stylo et lut le contrat avec attention, laissant planer dans la pièce un silence duquel Yeonu se servit pour faire un tour sur son smartphone.

« Euh… Monsieur Kim ? balbutia Jungyu qui sentit ses joues s'empourprer. Je peux vous poser une question ?

— Pitié, appelle-moi Yeonu, demanda aussitôt le jeune homme avec un sourire amusé – qu'on l'interpelle ainsi était extrêmement bizarre pour lui qui avait l'habitude de considérer ses employés comme ses amis. T'as une question ?

— Oui, je… en fait, je ne comprends pas l'article sur le droit à l'image. Je croyais qu'on ne pouvait pas nous prendre en photo…

— Oh, oui, c'est vrai, je t'ai pas parlé de nos réseaux sociaux…

— Des réseaux sociaux ?

— Jungyu, il faut bien donner au client l'envie de passer quelques minutes en tête à tête avec un petit couple de nos performeurs, ou au moins de venir les admirer en personne. Alors le café a un site internet pour en présenter le fonctionnement et les performeurs. Il y a nécessairement une photo de toi accompagnée d'une courte description. Mais ce n'est pas ça qui marche le mieux. Ce qui marche le mieux, c'est nos comptes Twitter et Instagram. Chaque performeur doit y poster au moins deux selfies par semaine, seul ou avec un autre performeur. Vous devez aussi prendre un peu de temps quand vous le pouvez pour laisser un petit mot gentil aux personnes qui ont répondu sous vos publications. La consigne principale, pour vous, c'est bien évidemment de rester dans vos personnages. Pour ton premier selfie je te verrais bien avec un sweat ou un pull un peu trop large, ça serait absolument adorable. Et avec ta bouille d'enfant perdu tu ferais immédiatement craquer nos plus fidèles clients, ceux donc qui sont susceptibles de dépenser leur argent dans nos menus spéciaux.

« Nos comptes sont suivis par plusieurs milliers de personnes chacun. Certains sont des clients, mais la plupart, c'est simplement des personnes qui vous trouvent beaux et aiment que vous postiez régulièrement de jolies photos. Seuls les performeurs en postent, et parfois nos cuisiniers pour montrer leurs dernières créations... auquel cas on demande généralement à un performeur de poser avec le plat, histoire que ça marche encore mieux. La bouffe et les beaux mecs ça a un succès fou, tu peux me croire.

« On est rapidement devenus assez populaires à l'aide de cette importante présence sur Twitter et Insta. On a même déjà pu faire sponsoriser quelques tweets et publications, ça fait comme ça une prime pour le performeur qui recevait la proposition, et le café n'en garde qu'une toute petite partie.

— Oh, je vois...

— Je suis désolé : effectivement, j'avais oublié de t'en parler. Mais c'est pas grand-chose, c'est juste une ou deux photos dans la semaine. C'est juste qu'on préfère quand même demander une autorisation de droit à l'image. Personne ne touchera à tes photos, c'est toi qui choisiras celles que tu veux publier ou non. Ça sert simplement à bien prouver que ça te dérange pas de les mettre sur les réseaux du café.

— D'accord. »

Jungyu signa et tourna la page avant de continuer sa lecture. Dans quoi s'embarquait-il encore ? Sérieux, des réseaux sociaux ? Et lui qui s'en était toujours tenu éloigné de peur de recevoir de la haine gratuitement…

Il devait vraiment être désespéré pour accepter ces conditions…

Tout semblait en ordre. Une fois qu'il eut apposé sa signature au bas de la dernière feuille, il repoussa le document devant celui qui était désormais son patron.

« Parfait, sourit Yeonu, heureux de t'accueillir parmi nous ! Je vais te montrer un peu le restaurant, autant profiter du calme, non ? T'as du temps devant toi ?

— Oui, bien sûr. »

Maintenant qu'il ne travaillait plus que quinze heures par semaine, pour sûr il en avait, du temps. Il observa donc Yeonu se lever et l'inviter, d'un geste de la main, à l'imiter pour le suivre. Jungyu obéit, laissant traîner son regard sur son nouveau patron tandis que celui-ci s'éloignait. Yeonu était un garçon particulièrement mince, presque autant que Minwoo. Son visage pourtant était embelli par ses joues joliment arrondies et ses lèvres pulpeuses qui lui donnaient un air à la fois adorable et envoûtant. Tout ce qu'il portait, c'était un t-shirt noir sous une veste bleue dont le tissu semblait léger, ainsi qu'un jean qui mettait en valeur ses longues jambes fines.

Rougissant à la pensée qu'il avait décidément un supérieur magnifique, Jungyu baissa les yeux et accéléra le pas pour se retrouver à la hauteur de Yeonu. Dans le couloir, le patron ouvrit la porte juste en face de la sienne avant que Jungyu ait pu en voir l'écriteau qui l'ornait. C'était un autre bureau, vide.

« Là, c'est le bureau de Wonseok-hyung, déclara Yeonu.

— Wonseok a un bureau ? ne put pas s'empêcher de s'étonner Jungyu.

— C'est lui et moi qui avons monté ce café, il est co-directeur. Sauf que lui, il a fait des études d'hôtellerie, et moi de management et de gestion. Il préfère être dans la lumière, moi dans l'ombre. »

Yeonu ne s'attarda pas plus longtemps ici et referma avant d'aller à une autre pièce, plus éloignée. C'était le vestiaire, qui servait également de salle de repos. Il entra, suivi par son nouvel employé qui découvrit un endroit qu'il trouva grand. L'un des murs était occupé par des casiers près desquels étaient placés un banc et une rangée de porte-manteaux muraux. Plusieurs posters affichaient des règles sanitaires basiques et une feuille indiquait les emplois du temps. Sur le mur face à la porte était installé un haut miroir qui permettait aux garçons de vérifier leur apparence et à côté duquel avait été disposée une table entourée de plusieurs chaises.

« T'as un casier à ton nom dans lequel se trouvent ton polo bleu foncé et ton badge. Pour ce qui est du pantalon, j'en demande juste un noir, près du corps si possible. L'idée, c'est que chacun ait l'air naturel. Ça crée une ambiance plus détendue et ça rend aussi les performances plus réalistes que si vous aviez une tenue de travail trop stricte. Tu peux apporter de quoi te maquiller si t'en as envie, mais honnêtement, je te trouve bien au naturel, ça souligne ton aspect timide et mignon... et puis si tu mets du fond de teint, reprit Yeonu avec malice après une courte pause, on risquerait de ne plus voir tes adorables rougeurs, ce serait dommage. »

Jungyu ne sut pas quoi répondre et, muet, il se laissa guider jusqu'à la porte qui le ramenait à la salle principale du restaurant. Yeonu se tourna alors en direction du bar. Le comptoir était fait d'un bois sombre élégant et des tabourets se tenaient juste devant. Derrière, il y avait des étagères qui présentaient des fruits frais, des paquets de grains de café, de sachets de thé, etc. Tout mettait l'eau à la bouche.

« Voici le bar, indiqua Yeonu. C'est ici que tu viendras chercher les boissons commandées. Les sodas sont dans le réfrigérateur en bas des étagères derrière le comptoir, et Myeongtae s'occupe des préparations des autres boissons comme les cafés, les jus de fruits, les smoothies, mais aussi des glaces. En plus de ça, il sert les clients qui s'asseyent lire des mangas dans le fond de la salle – du moins quand les serveurs ne sont pas assez nombreux pour s'en occuper eux-mêmes, mais maintenant que t'es là, j'imagine que ça devrait aller un peu mieux. »

Jungyu opina en rendant un salut timide au jeune garçon derrière le bar. Il ressemblait décidément à un adolescent, c'était à se demander s'il était majeur...

Yeonu poussa la porte de la cuisine. Son cadet le suivit sans prêter plus longtemps attention au barman. La pièce était d'une bonne taille pour un restaurant avec la capacité qu'avait le Boy's love Café. Tout y semblait neuf, c'était comme si l'inox des plats brillait et que le carrelage au sol venait tout juste d'être posé. Deux garçons, chiffons à la main, avaient relevé la tête en les entendant entrer. Ils s'inclinèrent aussitôt devant Yeonu avec un sourire sincère.

« Comment tu vas, hyung ? » s'enquit l'un d'eux.

Jungyu n'écouta même pas Yeonu répondre : alors... les plats exquis qu'il avait littéralement dévorés la semaine passée... c'était ces adolescents qui les avaient préparés ? Leur tenue ne trompait pourtant pas, c'était bien eux aux fourneaux. Ils avaient des visages fins, des traits d'une douceur enfantine et des yeux étincelants de malice. Ils étaient aussi beaux que les performeurs, mais beaucoup plus jeunes.

« Eh, Jungyu, t'es avec nous ? demanda Yeonu qui le tira aussitôt de ses pensées.

— E-Euh, o-oui, qu'est-ce qu'il y a ?

— Essaie d'être un peu moins tête en l'air...

— Je suis désolé.

— T'en fais pas, c'est rien du tout. Donc je disais : ici, ce sont les cuisines. Les plats seront déposés sur l'îlot central, comme ça vous ne risquez pas de vous déranger les uns les autres. Shino et Jinwon sont très maniaques, en revanche, alors prends garde à ne rien faire tomber, ça a tendance à les énerver.

— Et en plus, ça gâche la nourriture, ajouta l'un des cuisiniers.

— T'es moins effrayant quand on gâche de la nourriture que quand on salit ton carrelage, rétorqua l'autre.

— Bref, soupira Yeonu. Ils sont super efficaces, alors généralement les plats arrivent vite. Je sais pas, en heure d'affluence, qui d'eux ou de toi aura le plus de mal à suivre. »

Son ton espiègle fit sourire les deux chefs, quant à Jungyu, il resta silencieux – il ignorait quoi répondre, tout simplement.

Yeonu et lui repartirent au bureau duquel ils venaient, et Jungyu y prit son manteau ainsi que son sac. Il s'inclina.

« Merci beaucoup pour votre confiance, je ferai mon possible pour la mériter et m'en montrer digne.

— Jungyu, arrête de me vouvoyer, bon sang, râla Yeonu dans un demi-rire en retournant s'asseoir sur sa chaise. J'ai tant de charisme que ça ? »

Face au mutisme de son cadet, le jeune garçon poursuivit :

« Bon, tu commences jeudi. Je n'arriverai qu'en fin d'après-midi, alors c'est Wonseok qui, au terme de cette première journée de travail, te verra dans son bureau pour déterminer ce qui allait ou non. Vous pourrez en parler en toute tranquillité et essayer de voir comment changer le négatif en positif. On sait que c'est pas toujours facile de jouer à draguer ses collègues devant des clients, mais on s'y habitue plus vite qu'on ne l'imagine, ne t'en fais pas. T'as des questions ? »

Jungyu réfléchit un instant avant de hocher la tête de gauche à droite : il n'y avait rien de plus – du moins pour le moment, aucune interrogation supplémentaire ne lui venait à l'esprit.

« Parfait, dans ce cas je te souhaite une bonne journée et Wonseok t'attend jeudi matin pour ton premier service. Une fois qu'il aura pu avoir un aperçu de ce que tu sais faire, il te conseillera pour tes premiers selfies et vous rédigerez ensemble ta présentation qu'on mettra sur le site. »

Jungyu acquiesça sans dire un mot, avant de finalement trouver la force de remercier Yeonu pour l'opportunité qu'il lui avait offerte...

Même s'il avait du mal à accepter que dans trois jours, il serait serveur dans un café yaoi.

~~~

« Je suis fier de toi, mon Junie ! s'exclama Sangchan en le serrant un peu trop fort entre ses bras. Je savais que t'en serais capable ! Oh comme j'ai hâte de savoir comment tu vas te débrouiller ! Tu comptes te maquiller ? Tu vas porter quel pantalon ? Et ton premier selfie, tu le posteras quand ? Je suis un des plus anciens followers du Twitter des performeurs, ils ont tellement de fans ! Tu sais que plusieurs sont déjà venus en personne au café demander un autographe aux hyungs tellement ils les adorent ! De vrais ulzzangs, il paraît même que certaines agences ont été intéressées par eux ! Avec ton regard innocent et ta bouille d'ange, tu vas faire un malheur !

— Hyung…

— Je t'imagine déjà rougir après une boutade de Wonseok ou une remarque de Minwoo, oh mon dieu je veux voir ça, ça va être magnifique ! Junie, s'ils ne t'adorent pas, alors ils sont aveugles ! Ça va être trop cool, tous mes amis bosseront au même endroit, je…

— Hyung, le coupa Jungyu avec plus de conviction cette fois.

— Oui ?

— Tu m'étouffes…

— Oh… désolé, pourquoi tu me l'as pas dit avant ? »

Jungyu soupira de dépit pour seule réponse et sentit ensuite diminuer la pression qu'effectuait Sangchan sur son pauvre corps malmené. Décidément, quand son aîné s'enthousiasmait, rien ne pouvait l'arrêter : une vraie machine à câlins…

Jungyu, en arrivant chez son ami, lui avait annoncé la signature de son contrat en retirant ses chaussures. Dès qu'il s'était relevé, Sangchan lui avait bondi dans les bras pour le féliciter chaleureusement... un peu trop, d'ailleurs. Mais... d'une certaine manière, c'était ce que Jungyu préférait chez lui.

« Encore merci d'avoir contacté Yeonu, souffla Jungyu en allant s'asseoir sur le lit comme il en avait l'habitude. Je sais pas comment je m'en serais sorti sinon. Tu sais, j'ai vraiment eu peur de mettre un temps fou à retrouver du travail.

— Oh, t'es chou. T'inquiète, ça me fait plaisir : j'ai pu aider mes deux meilleurs amis en même temps alors j'en suis ravi. Et puis tu sais, ajouta Sangchan d'un air malicieux, j'ai vraiment hâte de te voir à l'œuvre, je veux te voir en action !

— Q-Qu'est-ce que tu veux dire ?

— Quand tu t'en sentiras capable, je veux te voir lors d'un menu spécial ! »

Jungyu pâlit.

Le garçon dont il était éperdument amoureux tenait absolument à le regarder draguer et se faire draguer par un autre.

Non mais... la honte.

CHAPITRE 10

C'était jeudi. Il était dix heures. Après un peu moins de deux heures de cours, Jungyu avait filé. Il avait expliqué à son professeur que son nouvel emploi l'obligeait à quitter la classe avec un quart d'heure d'avance s'il voulait être à l'heure, ce à quoi son enseignant ne voyait pas le moindre inconvénient.

Ce jour-là, Jungyu s'était habillé d'un jean sombre qui mettait élégamment ses jambes en valeur, ces mêmes jambes qui avaient tremblé de stress toute la matinée. Il se sentait nerveux comme il l'avait rarement été.

À présent, il se trouvait devant le miroir de la salle de repos, son polo bleu foncé par-dessus ce fameux jean noir. Le polo bleu foncé… il était un performeur…

Oh mon dieu…

Trop perdu dans la contemplation de son reflet qui lui renvoyait l'image d'un pauvre chiot terrorisé, Jungyu sursauta en entendant la porte s'ouvrir.

« Jungyu-ah ! Te voilà ! se réjouit Wonseok avec son éternel air ravi. Ce haut te va vraiment bien, t'es mignon à croquer ! On est sur le point de commencer le service, Minwoo a fini d'installer la salle – enfin, disons plutôt que j'ai fini d'installer la salle pendant que Minwoo critiquait tout ce que je faisais alors que lui, il en branlait pas une. »

Sa moue renfrognée fit sourire Jungyu qui s'inclina.

« Bonjour, le salua-t-il. Comment est-ce que je dois t'appeler ?

— Hyung, c'est bien, affirma Wonseok. Ça te donnera un air tellement mignon ! Oh, je sais ! Moi, je vais t'appeler Junie ! Ça te dérange pas ? C'est tellement choupi !

— E-Euh… n-non, enfin je suppose… »

Wonseok fronça les sourcils avec une mine qui oscillait entre l'inquiétude et le chagrin.

« Tu sais, si t'es pas à l'aise avec ce surnom, il suffit de le dire. Personne ici te fera faire quelque chose qui te dérange. Si un truc t'ennuie, dis-le-moi plutôt que d'être mal à l'aise ensuite, d'accord ? »

Jungyu fut touché de l'intérêt que Wonseok portait à son bien-être. Il agita doucement la main devant lui, un air embarrassé sur le visage, avant de clarifier :

« T'en fais pas, j'ai juste pas l'habitude qu'on m'appelle comme ça, mais j'aime bien… je trouve ça mignon venant de toi, j'imagine que ce sera bon pour mon image, oui.

— Génial, alors on t'appellera Junie, je ferai passer le mot ! Minwoo-hyung sera tellement mignon quand il t'appellera comme ça, tout le monde va fondre !

— Je suis pas mignon, protesta justement Minwoo en entrant à son tour, c'est juste un de tes fantasmes bizarres de m'imaginer en train de faire quelque chose d'adorable…

— Mais ça c'est parce que t'es adorable, me fais pas croire le contraire, hyung !

— Ridicule. Et laisse un peu Jungyu tranquille, je suis convaincu que tu l'effraies.

— On parle pas d'un petit animal, rétorqua Wonseok en croisant les bras contre son torse. Il est timide mais pas à ce point. D'ailleurs, appelle-le « Junie » maintenant, ça lui ira tellement mieux !

— Le pauvre, il fallait que ce soit toi qu'il subisse en premier…

— Je ne te permets pas, je…

— Eh, les interrompit une troisième voix, vous foutez quoi ? »

Un jeune garçon poussa une fois de plus la porte. Sa tenue et son visage revinrent aussitôt en mémoire à Jungyu : c'était un des deux cuisiniers du café. L'attention de ce dernier se dirigea alors sur Jungyu qu'il gratifia d'un sourire avenant avant de se tourner de nouveau sur les deux aînés.

« Au lieu de vous chamailler, dépêchez-vous d'aller ouvrir, ordonna-t-il d'un ton sévère, il est bientôt dix heures deux.

— Ce gosse est bien plus jeune mais bien plus raisonné que toi, répliqua Minwoo avec un regard moqueur pour son supérieur.

— J'ai compris, râla ce dernier, je vais ouvrir. »

Il laissa les trois autres dans la salle de repos. Le cuisinier leva les yeux au ciel avant de concentrer son attention sur Jungyu.

« Yeonu a pas eu le temps de faire les présentations correctement la dernière fois, dit-il. Moi c'est Shino, enchanté de te connaître.

— Jungyu, répondit timidement ce dernier avec un sourire.

— J'espère qu'on fera du bon travail ensemble, Jungyu. Hésite pas à venir me voir si tu as le moindre souci. Je suis peut-être pas aussi âgé que les hyungs, mais je sais écouter. Ça se voit que t'es pas encore à ton aise, mais comme Yeonu le dit toujours : ça viendra.

— Merci beaucoup, Shino. »

Le cuisinier lui adressa un rapide signe de tête avant de filer. Jungyu quant à lui tourna les yeux vers Minwoo. Il s'apprêtait à lui demander s'ils ne devraient pas aller en salle quand l'autre le devança :

« Il a raison : les gosses ne sont peut-être pas aussi âgés que nous, mais ils sont au moins aussi matures, souffla-t-il avec un léger sourire.

— Qu'est-ce que tu veux dire ? » s'enquit Jungyu avec une moue curieuse.

Minwoo resta un instant muet, le silence de la pièce laissa Jungyu croire que son aîné ne l'avait pas entendu, néanmoins ce dernier soupira avant de prendre une mine rassurante.

« C'est rien, t'en fais pas. J'imagine que parfois, je réfléchis trop.

— Pourquoi est-ce qu'ils travaillent ici alors qu'ils sont si jeunes ? l'interrogea Jungyu. Je... je sais que ça me regarde pas, mais c'est de ça que tu parlais, hein ?

— Si t'as des questions à leur poser, va les voir eux, pas moi. »

Minwoo lui adressa un dernier regard avant de lui faire signe de le suivre en salle pour le premier service du jour. Jungyu obéit malgré la curiosité qui s'était doucement immiscée en lui et se laissa guider. Il n'y avait pas encore de clients, Shino était seul en cuisine – les deux cuisiniers ne travaillaient ensemble que les midis et les soirs, le reste du temps, ils se relayaient simplement. Quant aux serveurs, il n'y avait que les trois jeunes performeurs qui patientaient debout au bar auprès de Myeongtae, un peu en retard parce qu'il n'avait pas entendu son réveil sonner.

« T'as encore bossé jusqu'à je ne sais quelle heure, remarqua Wonseok, même le maquillage n'arrive plus à cacher tes cernes...

— Les examens arrivent bientôt et j'ai pas été très assidu ces dernières semaines, admit le barman dans un soupir. Je dois rattraper tout ce que j'avais mis de côté, et je peux te dire que c'est pas rien. Je vais en chier pendant encore un bout de temps...

— Courage, on est là pour te soutenir. Si t'as des questions ou s'il y a quelque chose que tu comprends pas, tu peux nous demander... par contre demande rien à Minwoo-hyung, lui il foutait rien en cours.

— Pardon ? s'indigna Minwoo resté jusque-là en dehors de la conversation qu'il n'écoutait que d'une oreille. Sans moi, t'aurais chié ta première année.

— Sans moi, t'aurais chié tes performances. Chacun son domaine.

— Tu vas pas arrêter de remettre ça sur le tapis, hein ?

— Jamais, se moqua Wonseok avec un air espiègle. Parce que plus je te le rappelle, plus ça t'énerve.

— Je te jure je vais tellement me venger...

— J'ai hâte de voir ça. »

Myeongtae était sur le point d'intervenir quand le son de la porte de verre qui s'ouvrait s'en chargea à sa place. Deux adolescentes entrèrent. Les trois serveurs s'inclinèrent en les saluant, après quoi Wonseok les invita à aller s'asseoir où bon leur semblait.

Jungyu sentit son cœur s'affoler dans son thorax : jusque-là, les conversations légères entre Minwoo et Wonseok lui avaient permis d'oublier un peu son travail, mais ce n'était désormais plus possible. Il allait devoir tenir son rôle – au sens propre – devant la clientèle.

Les deux amies, des étudiantes sans doute, allèrent s'installer au fond de la salle, sur une banquette confortable pour lire. Minwoo se dirigea vers elles sans hésiter, laissant ainsi Wonseok discuter avec Jungyu.

« En théorie, je termine mon service juste avant le rush du midi, indiqua le patron, mais exceptionnellement je resterai en salle pour aider et pouvoir te surveiller. T'as beaucoup à apprendre, Junie, alors essaie de faire de ton mieux pour les heures à venir, et ensuite on fera ensemble le point sur ce qu'il y a à améliorer. Reste avec moi pour le moment, comme ça tu verras comment on s'y prend et la façon dont on fonctionne. Ça marche ?

— D'accord, acquiesça simplement Jungyu.

— Oh comme t'es mignon, j'arrive pas à le croire ! »

Jungyu ne put réprimer un souffle amusé, imité par Myeongtae qui surveillait les deux performeurs depuis son poste.

Minwoo revint après quelques instants et dicta rapidement la commande des deux jeunes filles au barman qui se hâta de préparer ce qui lui avait été demandé. Jungyu l'observa travailler : il témoignait de gestes précis et assurés qui prouvaient l'étendue de l'expérience qu'il avait de son métier.

« Quand il n'y a que des gens qui lisent, on performe jamais, indiqua Wonseok en s'appuyant au bar avant de tourner les yeux vers Jungyu. On risquerait de les déranger.

— Je m'en doutais, acquiesça Jungyu. Vous avez souvent des clients qui ne viennent que pour profiter des derniers mangas ou manhwas achetés par le café ?

— Assez régulièrement, oui. Dès qu'un nouveau volume sort, on sait qu'il faut le commander au plus vite. Yeonu est toujours sur le coup. Ça nous ramène beaucoup de clients qui n'ont pas envie de les acheter mais qui veulent simplement les lire et profiter d'un environnement tranquille.

— Et vous n'avez jamais... enfin... essuyé des critiques pour ce concept boy's love ?

— Si, ricana Wonseok, surtout au début, via nos réseaux sociaux. Mais tu sais quoi ? On a continué de faire ce qu'on avait envie de faire, et on l'a fait comme on en avait envie. Les gens continuent de critiquer, mais comparé à ceux qui nous soutiennent, ils sont si peu nombreux qu'ils en sont devenus insignifiants. »

Ce fut alors que Jungyu se rappela :

« D-Dis... c'est vrai que vous êtes très populaires sur vos réseaux ? »

Il n'avait pas osé aller voir les comptes des performeurs de peur de se faire encore plus de souci à l'idée de devoir y poster des photos lui aussi. Or, maintenant que ça lui revenait à l'esprit, plusieurs questions se posaient...

« C'est un peu fort de dire qu'on est « très populaires », sourit Wonseok, mais on se démerde bien, ouais.

— S-Sangchan m'a dit... i-il m'a dit que vous avez même été approchés par des sociétés de divertissement, e-est-ce que...

— C'est vrai, acquiesça Wonseok, mais ça reste entre nous, ok ?

— Pourquoi ?

— On n'aime pas trop étaler ce genre d'infos, comme l'argent qu'on se fait avec les publications sponsorisées ou bien les agences qui nous approchent. Mais effectivement,

Yeonu et Minwoo sont régulièrement demandés. Yeonu surtout l'était beaucoup avant qu'il ne décide de se retirer et de rester dans la gestion de l'administratif. Moi, on m'a déjà demandé une ou deux fois et Doyeong, arrivé plus récemment, aussi.

— Ah ouais, quand même...

— T'as l'air inquiet, fit remarquer Wonseok avec les sourcils froncés. Ça te dérange d'être approché par des agences qui voudraient faire de toi une célébrité ?

— Non, pas du tout, répondit aussitôt Jungyu en comprenant que son aîné se méprenait. C'est juste que... vous devez avoir vraiment beaucoup de personnes qui vous suivent, alors...

— Ouais, pas mal. Certains nous voient comme les ulzzangs. On poste des photos, on étale nos vies et on essaie de rester proches de ceux qui nous admirent. »

Jungyu déglutit. Donc... ses camarades de classe allaient possiblement apprendre l'endroit où il travaillait ? Si leurs comptes s'avéraient si populaires, il y aurait forcément au moins une personne à l'université pour découvrir qu'il était employé dans un café yaoi, et à ce moment-là... que se passerait-il ? Comment les autres réagiraient-ils ? Comment le regarderait-on ?

« Ne t'en fais pas, sourit Wonseok en voyant sa mine préoccupée, ceux qui nous suivent sont des gens bien, si qui que ce soit te critique – surtout toi, l'adorable petit maknae – tout le monde lui tombera dessus... et nous aussi, d'ailleurs. On est très solidaires dans l'équipe, pas seulement entre performeurs. On prend soin les uns des autres. Si t'as un problème, tu peux en parler avec n'importe lequel d'entre nous. »

Les prunelles de Jungyu brillèrent de reconnaissance, il acquiesça vivement.

« Merci, hyung, dit-il, ça me rassure. Yeonu me l'avait déjà dit, mais… je sais pas, en avoir la confirmation, ça me rend moins anxieux.

— J'en suis ravi. N'oublie pas quels regards comptent le plus pour toi : ceux, bienveillants, de tes amis, ou bien ceux, malveillants, des inconnus ?

— T'as raison, approuva doucement Jungyu. Je le sais bien. »

Cependant, entre le savoir et l'accepter, il y avait un grand pas. Le jugement n'était pas anodin pour lui, impossible de se défaire du besoin qu'il ressentait de ne pas se distinguer. Il voulait rester comme tout le monde, discret, de sorte qu'on ne le remarque pas.

Visiblement, ce n'était pas avec ce travail qu'il réussirait à se fondre dans la masse, mais ça, il s'en était bien douté.

« T'as quand même peur, hein ? s'enquit Wonseok.

— C'est mal ? demanda Jungyu avec une moue coupable.

— Bien sûr que non, ne t'en fais pas. Venant d'un nouveau performeur, c'est même normal, surtout pour toi qui es timide. C'est pour ça aussi qu'on veille les uns sur les autres, on sait que c'est loin d'être un job facile. On est à la fois des serveurs et des acteurs avec une image à entretenir. C'est pas forcément évident au début… »

Il se coupa quand un petit groupe entra. Jungyu et lui s'inclinèrent pour saluer les jeunes gens – d'après leur uniforme, il s'agissait de lycéens – qui leur rendirent leur geste et allèrent s'installer à une table.

« Tu sais ce que ça veut dire, ça, Junie ? En scène. Tu viendras avec moi prendre leur commande, ce sera l'occasion d'une interaction de base. »

Jungyu acquiesça et osa un regard vers le groupe : un garçon et deux filles... et l'une des filles le dévisageait. Lorsqu'elle croisa son regard, elle s'empourpra aussitôt et détourna les yeux pour discuter avec ses amis. Jungyu quant à lui ne réagit pas, il était dans la lune.

Lorsque les jeunes gens levèrent le nez des menus disposés sur la table, Wonseok fit signe à son cadet. Ils se dirigèrent ensemble vers les clients. Jungyu déglutit et sentit son corps se réchauffer à mesure qu'il approchait. Il allait devoir performer, Wonseok allait sans doute le taquiner...

C'était tellement gênant !

Et s'il se mettait à bégayer et rougir sans réussir à se contrôler alors même que le groupe attendait de commander ? Wonseok lui viendrait en aide, n'est-ce pas ? Il ne serait pas du genre à le laisser tomber ?

Un autre garçon allait le draguer... pour la première fois de sa vie.

CHAPITRE 11

Wonseok s'inclina devant les clients, imité par Jungyu, et les deux jeunes serveurs les saluèrent avant de leur demander ce qu'ils désiraient. Le groupe passa commande de boissons et de pâtisseries, que Wonseok nota sur un calepin.

« Wonseok, sourit une des filles, c'est un petit nouveau que t'as avec toi ? Je l'avais encore jamais vu.

— Ouaip, confirma-t-il d'un ton enjoué en enroulant un bras autour du cou de son cadet, il s'appelle Jungyu. C'est notre Junie, le maknae parmi les performeurs. Il est mignon, hein ? »

Jungyu se crispa : devait-il répondre ? Comment devait-il réagir ? Lui qui n'appréciait pas les contacts physiques, le bras de Wonseok autour de lui l'intimidait profondément. Pourtant, le geste demeurait innocent, simplement affectueux, et Sangchan faisait très largement pire… mais Wonseok n'était pas Sangchan. Wonseok était son supérieur et un garçon qu'il connaissait à peine ; Sangchan était le garçon qu'il aimait depuis des années.

C'était stressant, bordel ! Draguer quelqu'un s'avérait déjà bien assez inhabituel pour lui, mais si en plus il devait agir devant des inconnus, ça devenait encore pire ! Pourquoi avait-il fallu que la seule offre qu'il ait reçue vienne de Yeonu !

Tendu comme il l'avait rarement été, Jungyu se contenta de s'incliner devant ceux dont il se doutait qu'ils étaient des clients réguliers. Wonseok passa la main dans ses cheveux d'un geste rapide, un large sourire aux lèvres comme s'il était fier de son poulain.

La jeune fille acquiesça en lui rendant son sourire, et le performeur indiqua qu'il apporterait leur commande au plus vite. Il s'en alla, Jungyu sur les talons. Les deux garçons entrèrent à la cuisine où un petit présentoir réfrigéré contenait les pâtisseries. L'aîné attrapa aussitôt un plateau et, adressant un signe au chef, il choisit les gâteaux réclamés par les clients avant de se tourner vers Jungyu.

« T'aurais dû répondre, lui expliqua-t-il maintenant qu'on ne pouvait plus les entendre depuis la salle. Ne serait-ce qu'un « hyung » prononcé de façon timide, un truc du genre. Je vais prendre les boissons, viens avec moi, tu vas te rattraper là, d'accord ? Ces clients sont assez réguliers, ils demandent pas souvent des performances mais ils observent toujours nos interactions avec intérêt. Allez, deuxième essai.

— D'accord, je suis désolé.

— T'excuse pas, voyons, sourit Wonseok, t'as pas à t'en faire, c'est normal. Et puis ils ont bien vu que t'étais nouveau et encore en phase d'apprentissage, ils seront indulgents.

— Je vois…

— Vite, on fait pas attendre les clients. »

Jungyu opina et jeta un rapide regard à Shino qui lui adressa un « fighting » murmuré du bout des lèvres et un poing levé en signe d'encouragement. Le performeur acquiesça doucement et souffla un « merci » avant de filer à la suite de son mentor. Wonseok se dirigea vers le bar. Il attrapa les boissons demandées puis retourna à la table. Le cœur battant, Jungyu le talonna.

Nouvelle tentative.

« Et voilà, sourit Wonseok en déposant leur commande devant les jeunes gens. Junie et moi-même vous souhaitons un bon appétit ! Hein, mon Junie ? »

Et sur ces mots, Wonseok ébouriffa les cheveux du pauvre serveur qui repoussa sa main en faisant la moue, les pommettes teintées d'un joli rose pâle à peine visible.

« Hyung, souffla-t-il d'une voix timide en baissant les yeux, c'est gênant devant les clients.

— Désolé, renchérit son collègue avec une étincelle de malice dans les prunelles, j'attendrai qu'on soit que tous les deux, la prochaine fois, promis. »

Jungyu rougit furieusement cette fois-ci, et Wonseok lui prit la main avant de s'en retourner aux cuisines déposer le plateau désormais vide. Jungyu se laissa faire, le cœur battant la chamade, avec l'impression que tout s'était déroulé en une fraction de seconde. C'était tout simplement irréaliste. Il était terrifié et sa paume était sans doute devenue moite avec tout ce stress. Son supérieur avait dû le trouver ridicule…

Pourtant, il serra un peu plus dans les siens les doigts de son aîné. Une fois la porte de la cuisine close, Wonseok se débarrassa de son plateau et adressa un immense sourire à son nouvel employé.

« Parfait, Jungyu ! s'exclama-t-il en lui lâchant la main. C'était génial cette fois ! Et la perche que tu m'as tendue était parfaite !

— Oh, alors tu l'as remarquée… ?

— Bien sûr, rigola le jeune performeur, rajouter « pas devant les clients », c'est un vieux truc. C'est traditionnel, pourtant ça fonctionne toujours. Ça se voyait que t'étais crispé, mais avec ta bouille de lapin timide ça passait. Par contre… pour les performances, faudra faire mieux. »

Les sourcils froncés et l'air pensif, Wonseok s'expliqua :

« Dans tous les cas, tu joueras le mec timide, alors t'auras pas beaucoup d'initiatives à prendre. Tu pourras laisser n'importe lequel de nos personnages te guider, on a tous un caractère assez affirmé. Pour autant, faut pas que tu restes à rougir et bredouiller pendant trois minutes, sinon les clients se lasseront. Bien sûr que t'es pas encore à l'aise avec l'idée de performer, mais faut vraiment que tu te donnes à fond et que tu fasses des efforts, d'accord ? Comme tu viens de le faire devant les clients. Et tu verras : à force d'essayer, tu finiras par réellement gagner confiance en toi, et pas seulement en toi en tant que Junie, mais aussi en toi en tant que Jungyu.

— Merci, hyung.

— Je te fais confiance, t'as vraiment du potentiel et ça se voit que même si tu flippes, tu veux faire les choses bien. Je suis sûr que tu finiras par y arriver. »

Jungyu opina avec un sourire touché. L'aîné lui fit alors signe de revenir avec lui en salle. Minwoo se trouvait près du bar à parler avec Myeongtae qui essuyait des verres.

« Minwoo-hyung ! se réjouit Wonseok en allant enrouler les bras autour de la nuque de son partenaire de scène préféré. Comment tu vas ?

— Ça allait mieux avant que t'arrives, et toi, Wonseok-ah ?

— Toujours bien quand t'es là !

— Tu discutais avec Jungyu tout à l'heure ?

— Oui, il est tellement timide, j'essayais de l'encourager.

— Et moi, tu m'encourages pas ? »

Minwoo, adossé au bar, avait entre temps posé les mains sur les hanches de Wonseok. Il l'interrogea du regard avec un sourire en coin malicieux et une moue presque hautaine. Son collègue éclata d'un rire franc :

« T'as largement assez de fierté sans que je gonfle ton égo ! »

Minwoo leva les yeux au ciel et le relâcha pour se tourner vers Jungyu.

« Alors, Junie ? s'enquit-il. Cette première expérience au Boy's love Café ? Pas trop inquiet de travailler ici encore une bonne partie de la journée ? »

Jungyu éprouvait la sensation que son cerveau était bloqué. Minwoo l'incitait à parler, son petit manège avec Wonseok ne laissait aucun doute : il savait que les clients les regardaient. Alors il lui fallait jouer, lui aussi, répondre quelque chose d'intelligent, d'adapté à la situation et qui permettrait à Minwoo de poursuivre le dialogue. Wonseok lui faisait confiance, il devait se surpasser !

« Non, ça va… »

Ok, c'était catastrophique…

Jungyu se flagella mentalement : c'était la pire réponse du monde ! « Non, ça va », mais quel con ! Et pourquoi pas un simple haussement d'épaules, tant qu'à faire…

« T'es timide ou bien est-ce que c'est moi qui t'effraie ? »

Jungyu comprit aussitôt, et cette fois-ci son cerveau – ô miracle – répondit présent. Le jeune garçon, sans attendre, prit une mine gênée (celle dont Sangchan prétendait qu'elle lui donnait l'air d'un petit animal apeuré) et baissa les yeux avant de lâcher la première chose qui lui vint à l'esprit :

« N-Non, hyung, ce… c'est pas toi…

— Oh vraiment ? »

Jungyu déglutit en voyant que les pas de Minwoo le guidaient jusqu'à lui. Les yeux toujours baissés, il n'osait pas les relever de peur de se mettre à rougir vivement. Wonseok était parti servir des clients et Jungyu, horriblement mal à l'aise mais déterminé à faire son possible pour le rendre fier, était bien conscient qu'il se donnait en spectacle devant au moins six ou sept personnes.

Son cœur ne cessait de s'emballer…

Un index fin et pâle se posa sous son menton et, d'une simple pression, Minwoo l'obligea à relever son adorable petit minois timide. Le jeune garçon à l'air altier poussa sa langue contre l'intérieur de sa joue avant de soupirer :

« Junie, tu sais pourtant bien que c'est impoli de ne pas regarder les gens quand tu leur parles.

— J-Je suis désolé… hyung. »

Minwoo lui sourit avec une moue tendre cette fois et laissa sa main s'égarer sur sa pommette. Jungyu demeura immobile, les yeux levés vers son aîné, le visage rose d'un embarras touchant. Alors Minwoo dirigea doucement les doigts dans la tignasse de Jungyu, auparavant maltraitée par Wonseok.

« Wonseok-ah est parfois stupide, mais pour le coup, il a pas eu tort quand il m'a dit que t'étais un garçon extrêmement mignon, Junie. »

Ledit Junie entrouvrit les lèvres pour répliquer. Or, incapable de trouver quoi que ce soit à dire, il se contenta de baisser de nouveau la tête avant que Minwoo ne retire la main de ses cheveux qu'il avait replacés correctement.

« Merci, » murmura Jungyu, reconnaissant.

Son collègue lui fit signe de le suivre à la cuisine, constatant que les quelques clients présents étaient tous servis et que Wonseok pouvait se débrouiller seul encore quelques instants au vu de l'heure.

« Pas mal, Jungyu, sourit chaleureusement Minwoo une fois la porte de pièce fermée, ça reste assez mécanique, mais au moins t'essaies. J'ai cru comprendre que Wonseok t'avait lui aussi parlé, il t'a un peu conseillé ?

— Oui, il a été vraiment gentil et encourageant, souffla Jungyu comme s'il s'agissait d'une confidence.

— C'est tout Wonseok, ça. Il a l'air un peu excentrique, trop extraverti, mais il reste avant tout quelqu'un d'intelligent qui sait parfaitement gérer son business. T'as pas à craindre son jugement, tu sais.

— Oui, je sais. »

Le jeune homme essuya ses mains toujours moites contre son polo, geste que Minwoo remarqua.

« Essaie de te focaliser uniquement sur ton interlocuteur pendant les interactions : tu t'en rends sûrement pas compte, mais pendant que tu me parlais, tu jetais de très rapides petits coups d'œil dans la salle. C'est la nervosité, je sais, mais je pense que si t'arrivais à te focaliser juste sur le performeur avec qui tu discutes, tu te sentirais un peu plus à l'aise : juste avant d'ouvrir le café, tu semblais beaucoup plus calme quand tu discutais avec nous. T'étais plus détendu et ta tête n'était pas à moitié rentrée dans tes épaules comme elle l'est maintenant. T'es tout crispé. Alors oui, on se drague un peu, on a quelques contacts, mais essaie de te dire que c'est pas différent des moments où il n'y a que nous.

— C'est difficile…

— Je sais bien. D'ailleurs… tu veux que je te confie quelque chose ? »

Minwoo arborait une mine amusée, et Jungyu lui adressa un regard interrogateur.

« Y a deux ans, expliqua l'aîné, quand je suis arrivé au café en tant que performeur, Yeonu était le mec cool et dragueur, Wonseok le gars extraverti qui aime bien taquiner les autres, et moi, j'étais le timide peu sociable qui avait du mal à s'exprimer. Je rougissais encore plus facilement que toi et je bégayais chaque fois que j'ouvrais la bouche. »

Si sa mâchoire n'était pas aussi bien fixée, Jungyu l'aurait crue susceptible de tomber : Minwoo ? Le timide de service ? Certes, Wonseok avait indiqué qu'il l'avait entraîné, qu'avant ça, il ne se sentait pas à l'aise… mais de là à être comme ça ! Ce n'était pas envisageable, ce n'était pas… lui ! Il se glissait si aisément dans le personnage du garçon hautain et moqueur, impossible de l'imaginer bredouillant des mots incompréhensibles devant un Wonseok hyperactif !

« Yeonu et Wonseok ont fait du théâtre, expliqua Minwoo, l'un pensait jouer dans des dramas, l'autre était passionné par le théâtre nô. Mais ça ne s'est pas passé comme prévu, ils n'avaient pas assez pour s'offrir l'école d'arts dramatiques de leur rêve et leur famille refusait de les soutenir dans leurs démarches. Alors Yeonu s'est tourné vers le business et Wonseok vers l'hôtellerie et la restauration. Yeonu étudiait encore – mais par correspondance – quand il a contracté un prêt pour se payer l'étage de cette maison et le rénover. Il a toujours caché à sa famille ce qu'il comptait faire de ce café, sinon jamais ils ne l'auraient aidé à obtenir son prêt.

« Yeonu a fait appel à Wonseok avec qui il était encore très proche, et dès que ce dernier a eu terminé ses études, il l'a aidé à monter ce qui est devenu leur affaire. Le café s'est développé plus vite que prévu et Yeonu a obtenu son diplôme l'année dernière. Moi, je suis arrivé peu après Wonseok : on étudiait tous les deux la restauration dans le même centre de formation, j'avais un niveau de plus que lui et je jouais un peu le rôle du grand frère. Quand il a fallu embaucher quelqu'un de plus au café, Wonseok m'a appelé et m'a proposé le job. J'ai pas réfléchi longtemps avant d'accepter et de plaquer le boulot de serveur que j'avais dans un bar pour venir ici à la place.

« Mais cet idiot, sourit Minwoo, il ne m'avait pas dit qu'on devait aussi jouer. Je pensais qu'un café dans ce genre c'était un peu comme les cafés avec des maids, genre on aurait des beaux vêtements et puis basta : j'étais jamais venu voir comment ça se passait, je savais pas ce que ça impliquait. Mais non, c'était pas comme les cafés de maids, Yeonu et Wonseok, eux, ils rêvaient que leur passion pour le théâtre serve, alors ils ont eu cette idée dingue. Le concept plaît, c'est déjà ça, mais à l'époque j'étais beaucoup trop renfermé. Je détestais m'exprimer et j'étais plutôt froid. Mon premier jour a été une catastrophe – et encore, le mot est faible.

« C'est pour ça que le soir même, ça a été à Wonseok de me prendre sous son aile : pendant des mois, on est restés tous les deux après la fermeture du café et il m'entraînait. Il aimait ce côté froid chez moi, il était convaincu de pouvoir faire de moi l'archétype du badboy genre mec ténébreux et toutes les conneries qui vont avec – de type lourd passé, gars qui trempe dans des trucs pas nets, etc. J'aurais jamais cru, mais ses conneries, ça a fonctionné. J'ai beaucoup appris, et maintenant je dois reconnaître que je suis vraiment à l'aise, c'est comme un jeu. Ça m'a aussi aidé dans ma vie personnelle d'être en mesure de m'ouvrir plus facilement aux autres, je dois beaucoup à Wonseok. »

Jungyu acquiesça doucement, touché du regard attendri qu'avait Minwoo lorsqu'il parlait de ce passé qu'il partageait avec Yeonu et surtout Wonseok. La curiosité l'emportant, une question qui lui brûlait les lèvres échappa à Jungyu :

« Du coup, c'est depuis ce moment-là que t'es amoureux de lui ? »

CHAPITRE 12

Un bruit métallique attira aussitôt l'attention de Jungyu : Shino venait de faire tomber le couteau qu'il tenait et les observait, Minwoo et lui, avec de grands yeux arrondis par la surprise. Minwoo justement arborait la même expression, et l'espace d'un instant, il sembla à Jungyu que ses joues pâles étaient devenues un peu plus roses qu'à l'accoutumée.

« Qu'est-ce que tu racontes, gamin ? râla Minwoo d'un ton peu assuré. C'est ridicule.

— Oh mon dieu, alors c'est vrai, t'es amoureux de Wonseok ! intervint Shino.

— Quoi ! s'exclama-t-il en faisant volte-face pour lui jeter un regard outré. Mais pas du tout !

— Hyung, tu mens très mal…

— Cuisine au lieu de me faire chier, putain !

— Tu t'enfonces ! clama Shino. Jungyu, comment t'as su ?

— Ferme-la ! »

Gêné d'avoir provoqué ça, le jeune serveur s'était tu, observant ses deux collègues se disputer de manière enfantine. L'un accablait l'autre qui tentait de se défendre. Jungyu néanmoins avait cru que c'était flagrant : certes, Shino restait cloîtré dans sa cuisine, mais il devait bien les voir dans la salle de repos des employés, non ? Dès la performance que Wonseok et Minwoo avaient donnée devant Sangchan et lui, Jungyu avait compris que Minwoo était amoureux de son ami.

Son regard ne mentait pas, c'était une évidence, et s'il y avait bien une chose à laquelle Jungyu prêtait une attention particulière, c'était au regard... Malheureusement, celui de Wonseok ne reflétait pas les sentiments de son collègue, tout comme celui de Sangchan ne reflétait pas les siens. C'était un regard de profonde amitié, de tendresse, mais pas d'amour.

Se trompait-il ? Minwoo était-il dans la même situation que lui, piégé par une passion qui n'était pas réciproque ? L'étudiant était de cet avis. Peut-être était-ce douloureux d'en parler, raison pour laquelle son aîné gardait ça pour lui. Est-ce que Jungyu avait commis une erreur en évoquant ça sans se rappeler que Shino se trouvait là aussi ? Est-ce que Minwoo allait lui en vouloir ?

« C'est bon, vous faites chier, je me casse, » soupira Minwoo en retournant d'où il venait.

Jungyu le suivit sans se poser la moindre question. Il crut que son collègue allait se diriger vers des clients, mais ce dernier observa la salle pour constater qu'il n'y en avait pas. Il attrapa aussitôt le poignet de Jungyu qu'il plaqua contre le mur.

« Fais semblant que c'est une simple interaction, murmura Minwoo.

— D-D'accord, balbutia son cadet soudainement intimidé par cet ordre froid.

— Ne dis rien à personne. Je sais que Wonseok ne m'aime pas, ça se voit, mais je ne veux en aucun cas qu'il apprenne ce que je ressens pour lui, compris ?

— Oui, oui, promis.

— Je veux pas en parler, j'aime la relation que j'ai avec lui et j'ai fini par admettre tout seul comme un grand qu'il n'y aurait jamais rien de sérieux entre nous. J'ai pas besoin de toi pour jouer au psy et je veux que tu fasses comme si t'ignorais tout de mes sentiments, t'as bien compris ?

— O-Oui.

— Parfait. »

Avec un sourire sympathique bien loin de la froideur du masque qui avait semblé recouvrir un instant plus tôt son visage, Minwoo posa une main réconfortante sur l'épaule de son cadet.

« Merci beaucoup, Junie. »

Ledit Junie acquiesça doucement et les deux garçons tournèrent les yeux en même temps lorsque de nouveaux clients entrèrent dans le café.

~~~

Deux heures étaient passées depuis l'arrivée de Jungyu. Les contacts qu'il avait eus avec ses aînés avaient beau le mettre systématiquement mal à l'aise, il ne cessait pas d'essayer de faire de son mieux pour ne rien en laisser paraître devant les clients. Quelques tables étaient occupées, l'ambiance s'avérait tranquille et agréable. Jungyu ne pouvait néanmoins plus s'empêcher de chercher à comprendre les réactions de Minwoo. Pourquoi refusait-il à ce point l'idée même que Wonseok puisse connaître ses sentiments ? Certes, ils ne semblaient pas réciproques, mais Wonseok étant acteur, il pouvait très bien les cacher. Bien sûr, le regard de Minwoo parlait à lui seul tandis que celui de Wonseok ne montrait rien de plus qu'une affection amicale, mais... allez savoir.

Midi approchant, un nouveau venu avait fait son apparition : c'était un performeur que Jungyu n'avait pas encore eu l'occasion de rencontrer, un jeune homme plus grand que lui aux cheveux teintés d'un blond platine éclatant et parfaitement coiffés. Il avait des yeux fins, une carrure plus massive que celle des autres employés et une aura douce quoique puissante. Ses joues ornées d'adorables fossettes firent sourire Jungyu aussitôt qu'il lui adressa un salut et le rejoignit près du bar où il aidait Myeongtae à ranger ses produits.

« T'es le petit nouveau, Jungyu c'est ça ? s'enquit le performeur.

— Oui, approuva-t-il. Et toi tu es… Doyeong ? hésita-t-il en lisant le nom inscrit sur le badge.

— Exactement. Enchanté. C'est ton premier service, n'est-ce pas ?

— Oui.

— Et tout se passe bien ?

— Je trouve… en tout cas, tout le monde est attentif à moi et je me sens… protégé. »

Jungyu rougit aussitôt, regrettant ses mots et l'air songeur stupide qu'il avait pris pour les prononcer. Doyeong néanmoins ne releva pas et se contenta d'acquiescer avec un sourire bienveillant.

« J'ai entendu que t'étais le petit timide de la bande, c'est bien ça ?

— Oui, et toi ? »

Yeonu l'avait mentionné mais il avait oublié le rôle que revêtait Doyeong…

« L'intello sympathique qui s'entend bien avec tout le monde, ricana Doyeong. Ça fait un peu personnage secondaire, tu trouves pas ?

— Ça dépend, ça peut très bien être le personnage principal : le gars intelligent et sympa qui va... je sais pas... aider un petit nouveau à s'intégrer ou ce genre de cliché...

— Tu t'y connais un peu en romance, alors ? se moqua gentiment Doyeong sans lâcher la salle et les clients du regard.

— J-Je... non, c'est pas... enfin, c'est pas ça... quoique si, bien sûr... j-je veux dire, c'est tellement cliché, c'est connu, et je...

— Panique pas, le coupa Doyeong en riant devant sa frimousse rouge pivoine, je te taquinais, je suis désolé.

— Oh... c'est moi qui le suis. Je... je suis stupide. »

Il se frotta la nuque d'une main gênée et Doyeong se tourna vers lui. Jungyu eut à peine le temps de comprendre ce qui se passait que déjà son aîné avait saisi avec délicatesse son poignet. Il y effectua une pression d'un geste sec qui fit perdre l'équilibre au jeune performeur, ce dernier basculant alors vers l'avant... droit contre Doyeong. Il s'échoua contre son torse et sentit sa propre respiration se couper subitement lorsque le garçon glissa son bras libre – car de l'autre il lui tenait toujours le poignet – dans son dos pour le serrer contre lui.

« Tu n'es pas stupide, lui souffla doucement Doyeong, moi j'aime bien ton idée... est-ce que tu voudrais devenir mon petit nouveau, celui que j'aiderais à s'intégrer ? »

Ce fut à cet instant que Jungyu sentit les regards peser sur lui. C'était si lourd de devenir le centre de l'attention... mais il n'avait pas le choix, il devait le faire. Ce n'était après tout pas un calvaire, en soi, de se trouver dans cette position. Au contraire, ça donnait à Jungyu un sentiment de sécurité de se voir à ce point chouchouté par ses collègues en raison de sa timidité. Le calvaire, c'était simplement – encore et toujours – les regards qu'on posait sur lui.

Il se répétait qu'ils n'étaient pas méprisants, que les gens venus ici pour profiter d'un moment dans un café tout droit sorti d'un yaoi ne pouvaient pas le haïr pour ces scènes. Il ne lui fallait pas avoir honte. Il ne faisait rien de plus que son travail. Il improvisait, ça demeurait quelque chose de banal.

« T'accepterais de m'aider ? demanda Jungyu d'un ton candide en relevant ses grands yeux innocents vers le visage de son aîné.

— Bien sûr que oui, Junie. »

Cela dit, il appuya un baiser bienveillant sur le front du jeune garçon qui sentit aussitôt son cœur cogner contre sa cage thoracique. C'était... étrange d'être traité ainsi par ses collègues. Et pourtant, même s'il trouvait ça atrocement gênant, une part de lui aimait être choyée de cette manière et considérée comme le petit être fragile qu'il fallait absolument protéger. Ça avait quelque chose de rassurant.

Doyeong lui fit signe de le suivre lorsque des clients entrèrent et le temps passa étonnamment plus vite dans ce café-là que dans celui où il avait travaillé ces deux dernières années. Une seule prestation fut réclamée pendant les cinq heures du service de Jungyu ; elle impliqua Doyeong, Minwoo ainsi qu'un peu de chocolat.

Ce fut à ce moment-là que Jungyu comprit comment l'idée de faire de lui un performeur pour le Boy's love Café avait pu germer dans le crâne de Sangchan. La scène ne lui était en effet pas inconnue, c'était exactement ce qui s'était produit lorsque lui-même s'était mis du chocolat au coin des lèvres en mangeant les fondants favoris de son aîné.

« Jungyu, tu peux y aller, Euijin vient d'arriver et le café commence à se vider, sourit Doyeong lorsque l'heure de la fin de la journée du benjamin advint. Wonseok doit sûrement t'attendre dans son bureau, tu te souviens où c'est ?

— Oui, merci beaucoup, hyung.

— T'as fait du bon travail aujourd'hui, félicitations. »

Touché par ces paroles encourageantes, Jungyu ne sut pas quoi répondre et se contenta de s'incliner avant de rejoindre à la hâte le bureau de son supérieur. Il toqua et fut invité à entrer. Lorsqu'il s'exécuta, il vit son aîné sur son fauteuil, le dos droit et les yeux rivés sur son ordinateur, visiblement concentré sur quelque chose d'important – du moins ses sourcils froncés l'indiquaient-ils.

« Je dérange ? s'inquiéta aussitôt le jeune homme.

— Bien sûr que non, sourit Wonseok malgré son regard toujours fixé sur son écran, je t'aurais dit de repasser plus tard sinon. Assieds-toi, j'en ai juste pour deux secondes. »

Jungyu obéit et s'installa sur la chaise face au bureau de son supérieur. Ce dernier acheva rapidement sa tâche et sortit une clé USB pour sauvegarder sa progression. L'ordinateur éteint, Wonseok releva enfin les yeux sur le nouveau performeur qui se sentit tout à coup suffoquer.

L'heure était venue de dresser le bilan de son premier service.

« Dis-moi d'abord ce que tu as pensé de ce travail, lui demanda-t-il.

— C'est… particulier, hésita Jungyu. Je n'aime pas être le centre de l'attention mais… je suis jamais seul… alors ça va.

— Effectivement, acquiesça Wonseok, l'avantage de devoir performer des scènes de romance, c'est qu'au moins t'as toujours quelqu'un avec toi, tu peux compter sur les autres si tu te retrouves en difficulté. Mais n'oublie pas que le cas inverse marche aussi : on doit pouvoir compter sur toi.

— Je ferai des efforts.

— T'en as déjà fait aujourd'hui, je l'ai bien vu. Ta technique est loin d'être irréprochable, mais t'as du potentiel. Yeonu et moi, on sait sentir ces choses-là, je te l'assure. Ça se voit que tu veux bien faire. Je t'en remercie, d'ailleurs. »

Jungyu rougit : à croire que même le négatif, Wonseok réussissait à le tourner de sorte à lui adresser un compliment.

« Concernant la partie serveur, il n'y a strictement rien à redire, songea Wonseok. Les plats sortent rapidement de la cuisine, tu te débrouilles bien, t'es souriant devant les clients et ton charme fait effet immédiatement. En fait, le seul souci, c'est vraiment cette partie performance et interaction. Tu me diras, pour quelqu'un de timide, c'est pas étonnant. Dès l'instant où tu dois jouer, le sourire que t'offres aux clients est remplacé par une moue gênée que tu déformes pour que ça ait vaguement l'air d'un sourire embarrassé. C'est mignon, mais ça pourra pas fonctionner sur le long terme. Si t'as un bug chaque fois qu'il faut être auprès d'un performeur, ça va finir par poser problème.

« À la longue tu t'y feras, j'ai aucun doute à ce sujet, mais l'idéal ce serait que tu puisses rapidement te sentir à l'aise. Je sais bien que changer sa nature, c'est quasi impossible, et c'est pas ce que je te demande. Je te demande simplement d'essayer de rentrer dans un rôle. Si t'arrives pas à différencier Jungyu et Junie – si je puis m'exprimer ainsi –, tu seras jamais réellement à ton aise parmi nous. Pour improviser de manière naturelle, tu dois pas devenir complètement quelqu'un d'autre : on te demande d'incarner un personnage caricatural, tu dois forcer les traits de ta propre personnalité, tu comprends ce que je veux dire ?

— J-Je crois...

— Quand ta timidité naturelle s'exprime, on le ressent. Qu'on le veuille ou non, on le ressent. Ça met, d'une certaine manière, mal à l'aise : on voit que tout ce dont tu as envie, c'est fuir au plus vite. C'est pas de cette timidité-là qu'on veut. Nous, ce qu'on cherche, c'est une timidité qui crie « j'ai envie d'être là, mais je ne veux pas le montrer », tu comprends ? C'est ce personnage de yaoi qui refuse d'admettre qu'il est amoureux alors qu'il rougit quand son crush lui embrasse la joue. C'est ce « oui mais non » qu'on recherche. Ta timidité à toi, elle est plus de l'ordre du « non mais non ».

— Oh j'ai compris, acquiesça Jungyu. Je vois un peu mieux ce que vous attendez de moi. »

Ils attendaient tout simplement que Jungyu se comporte avec les performeurs comme il se comportait avec Sangchan : qu'il agisse en garçon discret et secrètement amoureux, tout en grossissant légèrement le trait pour entrer plus parfaitement encore dans le stéréotype qu'il devait incarner.

Quoique... même sans forcer le trait, il y entrait déjà bien, dans le moule de ce stéréotype. Sa vie était-elle donc si pathétique ? Oh mon dieu, il était un cliché, le cliché des romans à l'eau de rose yaoi qu'il écrivait et postait sur internet ! C'était pour ça que ça marchait bien ? Parce que c'était atrocement cliché ? Lui, il pensait se peindre à travers son protagoniste, mais... s'il était cliché, alors son protagoniste l'était nécessairement, non ?

Fait chier...

« Je crois que j'ai rien à ajouter : les autres t'aiment bien, tu t'intègres bien... On passe à la suite : ta présentation sur notre site ! Je viens juste de la finir, c'est un truc court qu'on fait généralement, les gens en apprendront plus sur toi sur les réseaux sociaux. »

Il montra sur son portable la page d'accueil du café qui vantait l'arrivée d'un nouveau performeur : « Jeune garçon timide et attachant, Jungyu est un passionné de littérature aux traits enfantins qui fera sans aucun doute fondre votre cœur avec ses mimiques à croquer. »

C'était gênant...

« Tu me fais penser à un petit chocolat, sourit Wonseok, c'est pour ça : « fondre », « croquer », tu vois le truc. »

Jungyu ne put retenir un sourire amusé et acquiesça. Même si c'était atrocement gênant, il devait bien reconnaître que ça représentait le rôle qu'il tenait.

« Pour le selfie ensuite, Yeonu et moi on avait pensé à un selfie chou où tu ferais un aegyo[3] habillé avec un haut coloré ou blanc, pas sombre en tout cas. Tu pourras faire ça et me l'envoyer ? Je te dirai les trucs pour que ça marche sur les réseaux sociaux, d'accord ?

— D'accord, je ferai ça ce soir.

— Parfait, sourit Wonseok en regardant sa montre avec un air pressé. Dernier point donc, sûrement le plus important : Jungyu, est-ce que tu veux que je te donne des cours de théâtre et d'improvisation pour t'aider à t'habituer plus vite à ton rôle de performeur ? »

---

[3] *Terme utilisé pour évoquer une attitude excessivement mignonne voire enfantine (des mots, des mimiques, etc).*

CHAPITRE 13

Sangchan ouvrit des yeux ronds.

« Et t'as accepté ? Sérieux ?

— Bah oui, marmonna Jungyu en se cachant derrière sa tasse de chocolat chaud, j'allais pas dire non au patron, quand même.

— Mon Junie va prendre des cours de théâtre, victoire ! Je suis certain que ça n'aura que des avantages !

— Il m'a aussi dit de prendre un selfie mignon de moi. Je lui ai répondu que je le ferai ce soir.

— Fais-le ici ! J'ai plein de hauts trop chou qui t'iront comme un gant ! »

Jungyu soupira : il aurait dû se douter que Sangchan se montrerait enthousiaste. Ce n'était pas pour rien que dans son message, il avait mis une foule de points d'exclamation : il était surexcité à l'idée de savoir comment s'était passée cette première journée.

En vérité, après avoir accepté l'offre de Wonseok, ils avaient convenu de se voir les lundis soir, puisque Jungyu travaillait jusqu'à la fermeture du café. L'étudiant, une fois cet entretien terminé, était retourné à l'université et, lorsqu'il était sorti des cours, il s'était rendu chez Sangchan qui l'avait invité à boire un chocolat chaud pour qu'il puisse lui raconter son tout premier service en tant que performeur. Ils venaient à peine de s'installer à la table que déjà il avait fallu gérer un Sangchan surexcité qui avait commencé à le harceler de questions (qui n'avaient pas réellement de rapports les unes avec les autres). Pour faire bref, Jungyu lui avait narré de A à Z tout ce qui lui était arrivé, et ils en étaient là.

Jungyu avait répété à Sangchan ce que lui avait proposé puis demandé Wonseok. Grosse erreur. Car ce même Sangchan s'était à présent mis en tête de jouer à la poupée avec son Junie…

« Tu vas enfiler un pull blanc, tu seras super soft oh mon dieu ! Des accessoires ! Il te faut des accessoires, aussi ! Et tes cheveux, il faut faire un truc, genre les ébouriffer un peu, ça te rendra tellement cute ! Et un peu de blush pour rehausser tes pommettes et donner l'impression que tu rougis un peu ! Et…

— Chan, du calme, soupira Jungyu, c'est totalement ridicule. »

Sangchan se tut, le toisa un instant et rétorqua :

« Tss t'y connais rien, je vais te rendre mignon de ouf, tu vas voir. Wonseok va halluciner.

— Mais…

— Pas de mais, laisse faire les pros.

— T'as vraiment du blush chez toi ?

— Bah ouais : tu crois que c'est avec ma gueule de cadavre drogué au chocolat chaud que je vais draguer en boîte ? Je bosse comme un dingue ces derniers jours, faut bien camoufler les dégâts.

— Mais je…

— On a dit pas de mais, l'interrompit encore Sangchan avec sévérité. Je vais te rendre aussi doux qu'un nuage et aussi craquant qu'un petit sucre. Oh je déborde d'idées, on va bien se marrer !

— Toi tu vas bien te marrer, rectifia Jungyu, moi je sens que je vais pas rire beaucoup…

— Ça, mon Junie, c'est parce que tu n'as pas d'humour. »

Jungyu soupira et leva les yeux au ciel dans un haussement d'épaules qui traduisait son impuissance : quand Sangchan avait une idée qui lui plaisait en tête, impossible de la lui sortir de l'esprit. Désespérant. Rien ne servait de lutter, il était déjà perdu.

Sangchan, debout au milieu de la pièce, allait de son armoire à sa salle de bains, jetant des regards ici et là pour vérifier ce qu'il pouvait proposer. Le premier selfie de Jungyu posté sur le compte du Boy's love Café était décisif, c'était lui qui déterminerait la première impression que le jeune garçon produirait sur les abonnés, il fallait donc absolument qu'il arbore un look irréprochable.

Et pour ça, Sangchan était le meilleur. Il allait s'assurer que tout le monde adore son Junie comme lui l'adorait. Il devait montrer cette image qu'il avait de lui, celle d'un petit frère qu'on voudrait simplement croquer.

« J'ai ! se réjouit-il en attrapant ce qu'il cherchait parmi ses vêtements. Ce pull est un bijou pour te donner l'air innocent ! Enfile-le, je vais chercher le reste !

— Le reste ?

— Pose pas de questions, enfile ça, je t'ai dit !

— D'accord… »

Jungyu ne pouvait décidément pas lui résister, c'était affligeant de constater à quel point il devenait faible et obéissant devant Sangchan. L'amour le rendait pathétique.

Il retira donc le sweat noir qu'il portait pour revêtir le pull blanc de son aîné. Bien évidemment, comme il s'en doutait, l'habit s'avéra d'une taille trop grand pour lui. Ses doigts dépassaient à peine des manches...

« Oh t'es trop choupi ! »

L'appelé releva les yeux subitement sur Sangchan qui revenait de la salle de bains. Le jeune homme tenait un peigne, un vaporisateur d'eau, du blush avec son pinceau, ainsi que...

« Tes anciennes lunettes ? s'étonna le jeune homme. Mais je vais rien voir avec...

— On s'en branle, rétorqua Sangchan, c'est juste pour le selfie. Les lunettes aux verres ronds, ça va te donner un air tellement cute, je suis sûr que ça va agrandir ton regard et souligner ton petit visage tout mignon.

— T'es sûr ?

— Quoi, tu me trouvais laid avec, c'est ça ?

— Q-Quoi ! Non ! B-Bien sûr que non ! s'exclama aussitôt Jungyu en se redressant si vivement qu'il faillit renverser sa tasse. C'est juste que... ça va faire bizarre sur moi, non ?

— Ridicule, tu racontes n'importe quoi. Allez, au lieu de dire des bêtises assieds-toi, je vais te rendre encore plus magnifique que tu ne l'es déjà. »

Jungyu vira au pourpre et s'exécuta docilement, baissant la tête pour ne rien montrer de ses rougeurs. Il s'installa donc sur sa chaise, face à la table, mort de honte à l'idée que Sangchan s'amusait à le relooker.

« C'est parti ! »

Sangchan attrapa sa propre chaise après avoir laissé tout son matériel sur la table et il s'assit en face de son cadet, si près que leurs jambes étaient entremêlées. Tout ce que voyait

Sangchan, cependant, c'était qu'ils demeuraient juste assez proches pour qu'il puisse s'occuper de lui, tout simplement.

Il saisit donc d'un geste assuré le petit boîtier transparent qui contenait son blush teinté d'un rose discret ainsi qu'un pinceau qui permettrait de répartir uniformément la poudre sur les pommettes du jeune garçon. Après avoir déposé un peu de maquillage dessus, il prit le menton de Jungyu entre le pouce et l'index de sa main libre puis, avec délicatesse, il l'obligea à relever la tête.

« C'est à se demander pourquoi je m'entête à vouloir te mettre du blush, remarqua Sangchan en l'observant, tes joues sont déjà d'un rouge magnifique et naturel.

— Hyung, gémit piteusement Jungyu en faisant la moue.

— Désolé, je te taquinais. Bon, souris un peu, je vais juste t'en mettre assez pour colorer très légèrement tes pommettes. »

Le jeune garçon soupira intérieurement de dépit mais obéit néanmoins, toujours heureux au fond de lui quand il s'agissait de capter toute l'attention de son Sangchan. Ce dernier ne le lâchait plus des yeux et s'attela alors à le maquiller de sorte que ça demeure discret. Un rictus élargit le coin de ses lèvres, Jungyu en conclut qu'il était satisfait de son travail. Sangchan attrapa ensuite ses lunettes : une paire aux branches fines en métal et aux verres parfaitement ronds sans montures.

Son cadet les adorait : il se souvenait encore du nombre de fois où il avait regardé Sangchan les porter, elles lui allaient si bien. Il regrettait qu'il ait changé pour des lunettes plus banales. Il fallait reconnaître que ses anciennes lui donnaient un air plus enfantin, craquant aux yeux de Jungyu.

C'était probablement pour ça qu'il le trouvait si beau avec, il avait toujours ressemblé à un ange quand il les portait...

Jungyu fut étonné de se rendre compte que la correction dont avait besoin son aîné se révélait assez faible, ce qui lui permit de ne pas être trop déboussolé une fois les lunettes sur son nez.

« Et maintenant, les cheveux... »

L'autre eut à peine le temps de relever les yeux que déjà Sangchan disparaissait de son champ de vision pour se placer derrière lui. Le jeune homme se laissa faire lorsqu'il vit la main de son ami passer rapidement sur la table à côté d'eux, saisir le peigne et le vaporisateur.

Quelques minutes durant, Sangchan, après lui avoir humidifié les cheveux, s'attela à le coiffer au mieux. Il s'y reprit à plusieurs fois et finit par être satisfait de son travail, puisqu'il se posta devant Jungyu et, après avoir vérifié son apparence globale, un large sourire se dessina sur son visage.

« T'es désormais le garçon le plus chou que j'aie jamais vu, mon Junie ! T'es superbe ! »

Et sur ces mots, il photographia ce qu'il considérait comme son œuvre. Jungyu retira ses lunettes pour découvrir le résultat et fut surpris : effectivement, il était... plutôt mignon. Et encore, il avait un petit air gêné, mais s'il faisait un aegyo ainsi que Wonseok le lui avait demandé, sans doute paraîtrait-il plus mignon...

« Bon, parfait ! Maintenant va sur le lit et remets les lunettes. Tu vas faire ton adorable selfie pour Wonseok !

— M-Merci, Chan... Sans toi, j'aurais pas su comment me débrouiller... »

L'aîné sourit et passa la main dans ses cheveux pour les ébouriffer un peu plus et leur donner un côté plus naturel.

On aurait dit que Jungyu venait de se réveiller avec cette coupe, un chef-d'œuvre !

« C'est normal, je te soutiens à fond ! Comme ça, tu prendras confiance en toi, et même si ça voudra dire que je te verrai moins rougir, ça voudra surtout dire que tu te sentiras mieux avec les autres, alors c'est tout ce qui compte. »

Touché, Jungyu acquiesça doucement. Il quitta sa chaise et, les lunettes de son ami entre les mains, il alla s'installer sur le matelas dont les draps blancs étaient vaguement défaits – car pour Sangchan, hors de question de refaire son lit puisqu'il y dormirait de nouveau le soir même.

Jungyu tira son portable de sa poche puis, une fois que tout fut prêt, il mit les lunettes de Sangchan et prit un premier selfie, stressé de savoir son aîné à côté de lui en train de l'observer. Il était probablement ridicule, Sangchan devait bien rire intérieurement...

« T'es trop tendu, soupira-t-il justement. Essaie de t'amuser, d'y prendre du plaisir. T'es supposé être un magnifique et adorable jeune homme qui prend tranquillement un selfie, assis sur son lit.

— Je sais mais... c'est gênant...

— Junie, tout te gêne toujours, alors dis-toi que c'est sûrement rien de bien gênant en vrai. Allez, je vais t'aider. Fais-moi un petit sourire, juste un sourire innocent. Non, avance pas trop les lèvres, le corrigea-t-il, sinon on croira que tu boudes. »

Jungyu obéit sans réellement savoir ce qu'il faisait.

« Pas mal, le félicita Sangchan. Maintenant baisse légèrement la tête et lève les yeux vers moi. »

Une nouvelle fois, le jeune homme s'exécuta, lançant un regard d'une pureté adorable à Sangchan, entre ses cils. L'aîné acquiesça avec son large sourire rectangulaire, celui qui prouvait qu'il était ravi.

« Génial ! C'est ça qu'il faut pour le selfie !

— T-Tu crois ?

— J'en suis convaincu. Retente. »

Jungyu opina et leva son smartphone pour se photographier. Les clichés s'enchaînèrent, Sangchan lui en fit prendre un nombre incalculable – non pas parce que chaque selfie était raté, mais parce qu'il voulait qu'ils en obtiennent le plus possible pour les comparer et choisir le meilleur de tous.

Ce ne fut qu'après une bonne dizaine de minutes que ce fut enfin terminé. Jungyu retira les lunettes de son aîné avec l'impression que son crâne commençait à cogner à force de les porter. La correction des verres avait beau s'avérer faible, elle n'en demeurait pas moins dérangeante.

« Mon Junie, je suis fier de toi ! »

Le pauvre garçon fut renversé sur le lit lorsque Sangchan se jeta sur lui pour le serrer dans ses bras... quoique... il était plutôt en train de l'étouffer, à vrai dire. Pourtant, aussi étrange que ça puisse paraître, ça ne dérangeait pas particulièrement Jungyu qui sourit et, par réflexe, lui rendit son étreinte en le remerciant tout bas.

Sangchan se redressa, à quatre pattes au-dessus de son cadet, et lui embrassa furtivement la joue avant de lui voler son portable. Jungyu rougit furieusement, par chance son ami était trop intéressé par ce qu'il tenait pour lui prêter attention.

« Montre-moi les photos, vite ! Je veux les voir ! »

L'autoproclamé coach en photographie lui redonna le téléphone que Jungyu s'empressa de déverrouiller. Une bonne quarantaine d'images figuraient dans sa galerie à la date d'aujourd'hui, toutes étaient les selfies pris ces dernières minutes. Il tendit alors son portable à Sangchan pour lui permettre de l'aider à décider du cliché à choisir.

« On va faire un premier tri pour se débarrasser de celles qui sont floues ou mal cadrées, indiqua Sangchan avec sérieux après s'être assis en tailleur à côté de lui. Je vais m'en charger, ça marche ?

— D-D'accord, merci encore.

— C'est normal, j'ai bien conscience que c'était pas forcément facile pour toi, mais j'ai beaucoup aimé t'aider, je me suis bien amusé. Maintenant, il faut que ça paie et qu'on trouve la plus belle photo ! »

La détermination de son ami fit sourire Jungyu qui acquiesça doucement. Ce ne fut qu'au terme de nouvelles longues minutes que Sangchan, alors que Jungyu nettoyait la table après avoir terminé son chocolat chaud (devenu froid), se releva avec une exclamation de victoire :

« J'ai la photo idéale ! Aucun doute : des quatre qu'il me reste, c'est elle la plus belle ! »

Le jeune garçon revint s'asseoir sur le lit avec curiosité et observa l'image. C'était une des dernières qu'il avait prises, preuve qu'il avait bien fait d'y passer du temps. Elle était belle, effectivement… Jungyu lui-même se trouvait mignon dessus, c'était sans doute un cliché de ce genre qu'espérait Wonseok.

« On envoie ? s'enquit Sangchan.

— Oui, bien sûr.

— T'es sûr de toi ? Tu dis pas ça juste pour me faire plaisir.

— Mais non enfin, sourit Jungyu amusé, je fais simplement confiance à ton sens artistique. Moi, je saurais pas dire laquelle est la mieux...

— Allez, viens là, on va l'envoyer ensemble. »

Sangchan tapota le matelas auprès de lui ; son cadet obéit. Or, une fois qu'il fut installé à côté de son aîné, ce dernier se déplaça. Il n'eut qu'un mouvement rapide à esquisser pour se retrouver le torse contre le dos de Jungyu, son cadet désormais assis entre ses jambes.

« Hyung...

— Je veux te voir l'envoyer, vas-y, vas-y ! » se réjouit Sangchan qui ne semblait pas comprendre que ce qui dérangeait Jungyu, c'était leur position.

Ce fut d'ailleurs d'autant plus dérangeant pour Jungyu lorsque Sangchan appuya le menton sur son épaule et enroula les bras autour de sa taille pour le serrer contre lui. Une chaleur qui n'était pas inconnue au plus jeune se diffusa dans tout son corps – en particulier dans son cœur – et il frémit de sentir la respiration de celui qu'il aimait tout contre la peau sensible de son cou.

Il retrouva néanmoins rapidement ses esprits, conscient comme d'habitude qu'il s'agissait du genre de geste dans lequel Sangchan ne voyait aucun mal. Ils demeuraient après tout de simples amis...

Jungyu donc envoya la photo sélectionnée à Wonseok, le cœur battant.

« Tu trembles, murmura Sangchan, je savais que tu serais stressé, mais détends-toi, t'as été parfait.

— Hyung...

— Oui ?

— T'es collant.

— Je sais, ricana Sangchan, mais c'est pour te rassurer…
et parce que j'adore t'avoir dans mes bras.

— Mais je… »

Il se coupa lorsque son portable vibra. Il s'en saisit
aussitôt pour voir la réponse de son supérieur.

Wonseok – Elle est parfaite !

Wonseok – P.S. : j'ai reconnu le pull et les anciennes
lunettes de Chanie. Tu le remercieras, il a fait du sacré bon
travail. ^^

CHAPITRE 14

« Je suis vraiment très fier de moi ! s'exclama Sangchan avec un large sourire. Même Wonseok l'affirme !

— Hyung, lâche-moi, gémit Jungyu qui tentait de se défaire de sa prise.

— T'es pas drôle : maintenant que t'es le garçon le plus mignon du café, moi aussi je veux un selfie avec toi !

— Hein ? »

Une moue perplexe sur le visage, Jungyu tourna la tête vers Sangchan au moment où ce dernier levait son propre portable devant eux pour prendre une photo. Son cadet ne s'en rendit compte qu'en découvrant l'image qu'affichait désormais le smartphone de son ami. Celui-ci esquissa un rictus.

« Magnifique du premier coup ! Avec ton petit air étonné, t'es à croquer ! »

Jungyu rougit de ce selfie sur lequel Sangchan et lui étaient serrés l'un contre l'autre, pour autant... ça lui réchauffait le cœur.

« Tu me l'enverras ? s'enquit-il.

— Bien sûr. »

Le portable de Jungyu vibra avant même que Sangchan n'ait eu le temps d'agir.

Wonseok – Bon, maintenant faut la mettre sur le Twitter et l'Insta du café. J'imagine que t'as déjà un compte personnel sur ces réseaux, alors inutile de t'en expliquer le fonctionnement (et au pire, si Chan est toujours avec toi, demande-lui de te montrer). Pour ce qui est de la légende de la photo, je te suggère d'écrire quelque chose de court où tu te présenteras en tant que Junie, le maknae des performeurs. N'oublie pas aussi d'ajouter un ou deux émojis, genre un petit smiley avec un sourire et qui rougit, ou alors un petit lapin, un truc dans le genre, quoi. Je te fais confiance.

Jungyu – D'accord, merci beaucoup, hyung.

Wonseok – Je t'en prie. On se voit samedi !

« T'as les mots de passe pour aller sur les réseaux du café ? le questionna Sangchan qui avait profité de sa position pour lire par-dessus l'épaule de Jungyu le message qu'il venait de recevoir.

— Oui, hyung me les a donnés pendant l'entretien de cet après-midi.

— Parfait. T'as une idée de ce que tu vas mettre comme texte ?

— Euh… pas vraiment. T'as une suggestion ? »

Sangchan, plongeant en pleine réflexion, appuya la joue sur l'épaule de son ami derrière lequel il était toujours assis.

« Un truc simple : t'es supposé être tout timide, alors ça pourra pas non plus être trop familier. Au contraire, j'imagine quelque chose d'assez formel, comme si t'avais peur et que tu voulais bien faire. Ce serait cute.

— Tu proposes quoi ?

— Un truc simple : « Bonjour, je suis Junie, je suis le nouveau maknae du Boy's love Café, prenez soin de moi s'il vous plaît », suivi d'un petit émoji qui sourit avec ses joues un peu rouges. T'en penses quoi ?

— C'est… plutôt mignon, approuva Jungyu. Ouais, on va écrire ça. »

Oui, c'était mignon, sobre, et d'une certaine manière, ça le représentait bien, lui le garçon timoré qui craignait toujours le moindre faux pas.

Sangchan sembla satisfait et resserra sa prise sur la taille de son cadet. Celui-ci se sentit défaillir tandis qu'il ouvrait la première application sur laquelle il allait publier son selfie.

~~~

« Il vient de poster, sourit Wonseok en s'adossant au bar du café avec un air soulagé.

— Heureusement que Chan était avec lui, je suis sûr qu'il aurait paniqué sinon, répliqua Minwoo avec une mine sombre. J'espère qu'il pourra peu à peu faire ça seul et se sentir à l'aise aussi bien avec son image qu'avec la façon dont les autres le perçoivent.

— On en parle, des deux mois qu'il t'a fallu pour oser prendre et poster seul un selfie ?

— Moi c'était pas pareil, le café n'en était qu'à ses débuts, ronchonna le jeune garçon. J'étais un peu perdu et je voulais être sûr de faire les choses bien. »

Wonseok rigola puis leva les yeux au ciel avant de revenir à sa tâche, à savoir ranger le café qui avait fermé plus tôt dans la soirée. Les chaises étaient correctement installées sur les tables et, pendant que Wonseok avait discuté avec Jungyu, Minwoo avait commencé à laver le sol. Les cuisiniers avaient terminé de nettoyer la cuisine, ils étaient partis, et il en allait de même pour Myeongtae qui en avait fini avec son bar.

Wonseok et Minwoo étaient seuls.

« Bon, tu te bouges le cul ou pas ? râla encore l'aîné en constatant que Wonseok avait toujours les yeux rivés sur son portable.

— Je surveille la réaction de nos abonnés : la publication de Jungyu vient d'enflammer nos notifications, tu verrais ça : je crois que tout le monde l'adore déjà ! Il est beaucoup trop mignon ce gosse, surtout avec les lunettes de Sangchan... il faut qu'on lui en trouve des pareilles, mais des verres sans correction.

— Wonseok, c'est ridicule...

— Mais non enfin... je veux dire, il aurait pas à les porter pendant son service, mais juste sur ses selfies de temps en temps. »

Minwoo haussa les épaules : il devait bien reconnaître que la photo, que son ami lui avait montrée lorsque Jungyu la lui avait envoyée, était vraiment belle. Ces lunettes rondes donnaient à Jungyu un air de petit gamin timide. Il était à croquer.

« Y a déjà la masse de réponses, sourit le gérant toujours accroché à son smartphone. Les filles et les mecs sont tous à ses pieds, ils sont trop gentils avec lui c'est adorable.

— Faudra qu'il évite d'utiliser le mot « études ».

— Hein ? s'étonna Wonseok.

— J'étais en train de réfléchir et je me disais que dans les légendes de ses photos ou si on lui pose la question, il vaudrait mieux éviter de dire qu'il est étudiant. On a pas mal de clients qui ne sont encore qu'au lycée. Si on veut que Jungyu ait une image de petit frère, mieux vaut éviter de mentionner qu'il est déjà à l'université.

— Bah du coup tu veux qu'il dise quoi ?

— Si un jour il poste une photo dans la rue ou dans un parc comme on l'a déjà fait, au lieu d'écrire « je vais à la fac », il pourrait se contenter de « je vais en cours », ou plus mignon encore : « je vais à l'école », même si là ça fait vraiment gamin. Tu vois, un truc comme ça.

— Pas faux, je lui en toucherai deux mots. Faudra que tu me fasses une liste du genre avec ce qu'il doit éviter de dire et ce qu'il doit dire à la place, je la lui ferai passer.

— Pas de soucis.

— Et tu pourras aussi aller checker le site du café quand t'auras le temps ? s'enquit Wonseok en reposant son portable pour aller chercher à son tour un balai et une serpillère. J'ai changé un peu la présentation et j'ai mis à jour nos actualités, mais j'ai pas encore publié les modifications.

— Je ferai ça ce soir ou demain, ça marche. »

Wonseok acquiesça avec un sourire : si Yeonu et lui n'avaient aucun souci avec l'organisation du site, ils demandaient cependant systématiquement à Minwoo de vérifier le moindre article et le moindre document qu'ils rédigeaient : l'aîné en effet avait développé une véritable passion pour la langue coréenne et leur servait de correcteur. Son regard acéré ne ratait jamais une faute de frappe, et il offrait aux jeunes gérants un avis extérieur sur ce qu'ils écrivaient.

Les deux amis terminèrent de laver la salle puis, tandis que Minwoo rangeait les mangas au fond de la pièce, Wonseok alla s'assurer que son bureau était en ordre et que la salle des employés l'était aussi.

Lorsqu'il revint, Minwoo n'avait pas bougé, désormais affalé sur un siège, l'air épuisé.

« Putain de longue journée, souffla-t-il. Mais c'était chouette de voir le petit nouveau pour son premier service. »

Wonseok acquiesça en s'asseyant près de lui.

« T'as bien bossé, hyung, tu viens dîner à la maison ? »

Minwoo ne mit que quelques instants à peser le pour et le contre avant d'acquiescer doucement, son regard vide rivé sur le mur en face de lui. Son expression neutre n'en laissait rien paraître, pourtant son cœur se réjouissait de pouvoir s'offrir un peu plus de temps avec celui qu'il aimait... même si ça finissait toujours par le faire souffrir de constater chaque jour que non, ce n'était pas réciproque.

Jungyu n'avait pas vu totalement juste : Minwoo n'était pas tombé amoureux de Wonseok des suites des cours que ce dernier lui avait donnés, il était tombé amoureux de lui bien plus tôt, lorsqu'ils n'étaient encore tous les deux que des élèves en hôtellerie-restauration. C'était pour cette raison qu'il avait plaqué le travail qu'il avait réussi à décrocher dans un restaurant... et c'était pour cette raison qu'il avait accepté d'essayer de devenir performeur : pour pouvoir passer ses journées auprès de Wonseok, souvent dans ses bras.

Un doux poison pour lui qui se consumait de bonheur et de douleur à chaque geste tendre...

Après s'être changés, ils sortirent du café que Wonseok referma pendant que Minwoo descendait d'un pas lent les marches. En bas, il fut rattrapé par son ami et tous deux n'eurent que quelques mètres à parcourir avant d'arriver à destination : l'établissement se situait à l'étage d'une immense maison dont le rez-de-chaussée se divisait en trois appartements – celui de Yeonu, celui de Doyeong et celui de Wonseok. Puisqu'ils ne les avaient achetés que quelques mois après avoir pris possession du café, ces appartements n'étaient pas reliés à l'étage, il fallait le quitter pour y accéder (chose qui ne gênait de toute manière pas les trois occupants).

Wonseok ouvrit la porte et fit signe à Minwoo de passer devant lui, détaillant la silhouette de son ainé de manière peu discrète lorsque celui-ci entra.

« Je te fais donc à ce point envie, se moqua gentiment Minwoo en s'agenouillant pour retirer ses chaussures.

— Tu sais bien que oui, rétorqua Wonseok avec humour. Fais comme chez toi, je vais faire réchauffer des nouilles, ça fera l'affaire j'imagine.

— Ouais. »

Wonseok possédait un bel appartement comportant trois pièces : un salon ouvert sur une cuisine moderne, une salle de bains et une chambre. Ainsi, tandis que le propriétaire des lieux se rendait dans le coin cuisine, Minwoo quant à lui s'installa sur le canapé devant la télévision. Il choisit un programme au hasard, seulement pour créer un bruit de fond et éviter qu'une tension trop marquée ne naisse.

De toute façon, ils savaient tous les deux comment allait finir cette soirée.

Wonseok le rejoignit sur le sofa une fois le repas prêt : des nouilles accompagnées de petits légumes et de morceaux de viande. Simple mais efficace. Ils dînèrent tranquillement, changeant de chaîne à plusieurs reprises pour finalement laisser un film qu'ils prirent en cours de route.

Minwoo termina de manger le premier et, lorsqu'il en fut de même pour Wonseok, ce dernier rapporta les bols désormais vides à la cuisine pour les abandonner dans l'évier. Il revint auprès de son aîné qui l'observa d'un regard en coin, regard que perçut Wonseok, bien évidemment. Ce fut sans doute pour cette raison, donc, qu'au lieu de se rasseoir sur le canapé, il s'installa à califourchon sur les genoux de Minwoo qui posa par automatisme les mains sur ses hanches, par-dessus son haut – geste qui fit agréablement frémir Wonseok.

« Alors, hyung, prononça-t-il d'une voix suave, t'avais prévu quelque chose de particulier pour moi, ce soir ?

— Rien de bien spécial : te faire crier, comme d'habitude.

— Y a des habitudes dont je ne me lasse décidément pas… »

Et sur ces mots, Wonseok se pencha pour lui mordiller le cou, juste sous l'oreille. Minwoo poussa un long soupir de bien-être tandis que son cœur tentait pour la énième fois de le mettre en garde : comme toujours, il prendrait son pied avec Wonseok puis, le lendemain, il regretterait de s'être laissé aller et d'avoir cédé à ses pulsions.

Mais… il était si désespéré. Il l'était au point de s'abandonner à ces liaisons charnelles, tant que ça lui permettait d'avoir celui qu'il chérissait auprès de lui, contre lui, parfois même en lui, rien de plus n'importait. Il arrivait à donner du plaisir à Wonseok tout en en prenant également. Tant pis s'il ne l'aimait pas, au moins il aimait son corps.

C'était déjà ça, non ?

Minwoo était à ce point fou de lui qu'il avait accepté cette situation : quand il avait commencé les cours de théâtre avec Wonseok, les soirs, après ses services, ils s'étaient considérablement rapprochés. Minwoo avait cru y voir le signe du possible développement de sentiments dans le cœur de son ami… malheureusement il s'était leurré.

Un jour, lancés qu'ils étaient dans la répétition d'une scène, ils s'étaient embrassés.

Wonseok s'était aussitôt excusé et lui avait demandé de ne pas le mépriser, lui expliquant qu'il n'avait pas agi par amour et que Minwoo n'avait rien à craindre au sujet de potentiels sentiments – il avait peur qu'il se méprenne et ne veuille plus travailler avec lui. Dépité, Minwoo avait menti, affirmant qu'il en allait de même pour lui. Quelques jours plus tard, un nouveau baiser avait été échangé, et de cette manière avait débuté cette relation qui ne s'arrêtait désormais plus seulement à quelques chastes caresses.

Combien de fois Minwoo avait-il désiré couper court à leur liaison, conscient du mal qu'il se faisait. Mais c'était impossible, il était accro à Wonseok. Chaque fois qu'ils se redécouvraient, chaque fois qu'ils couchaient ensemble, c'était comme effleurer le paradis sans pouvoir l'atteindre. C'était pour Minwoo comme si son souhait le plus cher était à deux doigts de se réaliser avant que tout ne s'effondre de nouveau.

C'était se condamner éternellement au même mélange de plaisir et de souffrance, une peine de plus en plus lourde pour le jeune homme prisonnier de sentiments qu'il avait si souvent tenté de taire. Quand Wonseok l'invitait à dîner, c'était comme s'il lui proposait de le conduire à un échafaud de luxure, une guillotine de débauche prête à lui faire perdre la tête. Et Minwoo s'y soumettait toujours avec un espoir candide en son cœur, mais une certitude implacable à l'esprit : il devrait résister, il devrait, oui, mais c'était trop difficile.

Wonseok embrassait amoureusement – douce tromperie – le cou de Minwoo qui avait glissé les doigts sous son haut pour attraper vigoureusement ses hanches et l'inciter à enclencher de lents mouvements sensuels contre son bassin. Le cadet lui mordit l'épaule lorsqu'une vague de volupté le traversa au moment où leurs deux sexes, à travers leur pantalon, entrèrent en contact. Minwoo, à cette douleur qui pourrait le rendre fou, poussa un soupir rauque et s'accrocha plus fermement encore aux flancs pâles de Wonseok. Celui-ci, profitant d'avoir les lèvres tout contre l'épaule de son aîné, entama un suçon tandis que déjà les mains de Minwoo étaient passées de ses hanches à son torse et remontaient peu à peu jusque sur son pectoral.

Une fois de plus, Minwoo n'avait pas pu résister.

Il s'en délectait d'avance, taisant comme il le pouvait cette petite voix en lui qui le maudissait pour sa faiblesse. Tout ce qu'il désirait, c'était posséder Wonseok, que son corps devienne sien pour oublier que ce n'était pas le cas de son cœur.

CHAPITRE 15

Wonseok gémit et se cambra contre le toucher de Minwoo lorsque celui-ci s'amusa à lui pincer les tétons. Les mains de son aîné sous son t-shirt savaient comment le caresser pour le rendre fou. Il s'était redressé, frottant plus énergiquement son bassin contre celui de son amant.

Minwoo occupa sa bouche sur le torse parfait de Wonseok après lui avoir retiré son haut. Il goûta avec bonheur à cet épiderme sans imperfections et y laissa une traînée de baisers qui partait de son cou pour arriver jusqu'à son pectoral ; il se concentra dessus pour le dévorer. Wonseok se mordit férocement la lèvre à cette sensation : sa chair fragile l'était plus encore des suites de l'excitation qui grandissait peu à peu dans son bas-ventre pour se répandre dans tout son corps. Chaque geste déclenchait ce qui ressemblait à un ouragan de plaisir.

Ainsi, lorsque Minwoo cessa de jouer avec sa langue sur cet endroit si sensible et préféra le mordiller, cette fois Wonseok ne fut plus en mesure de retenir sa voix. Il lâcha un râle guttural, ce genre de sons dont raffolait Minwoo. Wonseok dégageait quelque chose de puissant, une aura qui faisait de lui quelqu'un capable de vous dominer d'un simple regard, même quand c'était lui qui était supposé se laisser dominer.

Et Minwoo adorait ça.

Il tira avec délicatesse sur le téton entre ses dents tout en y passant la langue pendant que l'une de ses mains était occupée à titiller et pincer le bout de chair esseulé de son cadet. L'autre, il la traînait tantôt sur la taille et tantôt sur la hanche du jeune homme torse nu qui continuait pour sa part d'effectuer des mouvements tout contre lui. Ses déhanchements avaient beau tenir de l'anarchie, ils leur procuraient à tous les deux un bien fou.

Wonseok s'accrochait puissamment aux épaules de son aîné, plantant les ongles dans son t-shirt tant il avait besoin de cette attache à la réalité s'il ne voulait pas flancher dès le début. L'esprit embrumé, il se révélait aux yeux de Minwoo plus éblouissant que jamais : son corps réclamait de sensuels touchers tandis que sur son visage on pouvait déjà lire la luxure qui émanait de son être. Malgré sa tête rejetée en arrière, ses yeux mi-clos ne fixaient pas le plafond : le désir formait sur ses iris un voile indistinct qui brouillait sa vision. Plus rien n'avait de forme, plus rien sinon Minwoo, sous lui, qui lui prodiguait un bien incommensurable. Ses sourcils s'étaient légèrement froncés et ses lèvres entrouvertes pour laisser échapper des soupirs qui traduisaient l'étendue de son bien-être sans avoir besoin de mots.

Minwoo avait toujours su comment le rendre fou simplement en jouant avec son torse.

« Putain, hyung… t'es tellement bon… »

Ça valait aux yeux de Minwoo tous les « je t'aime » du monde. Il ne répondit pas, ne souhaitant pas stopper là cette activité si exquise à laquelle Wonseok s'abandonnait déjà. Il lui offrait du plaisir, tant de plaisir, il rendait Wonseok heureux. Rien pour lui n'importait plus que ça. Pas même son propre bonheur, qu'il écorchait vif chaque fois qu'ils se contentaient de baiser sauvagement dans cet appartement baigné de cris qui n'exprimaient rien de plus qu'une passion éphémère.

Désormais plus à l'aise et confiant, Minwoo laissa sa main libre quitter doucement la hanche de son amant pour trouver sa place par-dessus son jean sur sa fesse gauche qu'il se mit à malaxer durement. Wonseok n'avait qu'une envie, qu'il lui retire son pantalon, mais il comptait le faire languir, comme il savait si bien le faire.

Sans doute parce qu'ainsi, il recevait un peu plus de ce qui ressemblait à de l'amour...

Une morsure plus prononcée tira un puissant gémissement à Wonseok qui planta aussitôt les doigts dans les cheveux sombres de Minwoo, l'incitant de cette manière et malgré la douleur à continuer son traitement sur cette partie de son corps qui semblait si pur mais qui n'incarnait rien d'autre que le péché de chair.

Minwoo concentrait son attention sur la rondeur et la fermeté du postérieur de son ami, palpable en dépit du jean qu'il portait. Bordel, qu'est-ce qu'il était bien foutu ! Il pourrait passer des heures à se contenter de lui caresser la peau et y abandonner de simples baisers... si du moins il en avait un jour l'occasion – ce qui s'avérait peu probable, malheureusement.

L'érection de Wonseok commençait à grossir douloureusement, emprisonnée dans ce pantalon qui l'étouffait. D'abord agréable, cette sensation devenait de plus en plus gênante. Il ne retint pas de petits sons plaintifs, demandant sans trouver les mots à Minwoo de cesser ses attentions.

Parce qu'ils savaient tout de l'autre à force de coucher ensemble, Minwoo comprit aussitôt le message, une tendre chaleur se diffusa une fois de plus dans son être : Wonseok le réclamait, il le désirait lui plus que quiconque. Cette fierté naïve de songer qu'il était le seul que son amant se soit tapé ces dernières années embrasait son corps d'une flamme légère et douce, pourtant bien plus dévastatrice pour Minwoo que le feu ardent de la passion.

Peu importait son propre plaisir, savoir que Wonseok le voulait lui était une sensation mille fois plus jouissive qu'une caresse ou un baiser. Elle faisait palpiter son cœur beaucoup plus vite et empourprait ses joues d'un rouge plus vif que celui qui les colorait si souvent lorsqu'il avait rencontré Wonseok, à l'époque où il était encore si timide.

Minwoo s'écarta imperceptiblement de son collègue et, lui volant ses lèvres lorsque l'autre baissa la tête vers lui, il lui indiqua d'une claque sur la fesse de se relever. Wonseok obéit, il prit la main de son aîné qui le conduisit jusqu'à la chambre.

C'était une pièce banale au design épuré, à l'image de l'appartement. Et au centre trônait ce lit, ce lit sur lequel ils avaient couché ensemble tant de fois et duquel ils avaient dû changer à tant de reprises les draps...

D'ailleurs, les deux garçons n'avaient laissé en reste ni la commode, ni le bureau, ni même les murs ou le sol. Ils l'avaient fait de toutes les manières possibles et imaginables.

D'un geste sec, Minwoo poussa son cadet sur le lit. Le jeune homme s'abandonna, tombant au milieu des couvertures sombres. Immédiatement, un sourire presque démonique habilla les lèvres de Wonseok ; la malice imprégna son regard qui ne lâchait pas Minwoo. Celui-ci retira son t-shirt à son tour, toujours debout devant le lit, et dirigea ensuite les yeux sur son ami.

L'espace d'un bref instant, chacun observa l'autre avec dans les prunelles ce qui ressemblait à l'éclat de la fougue de l'instinct primaire qui les animait. Wonseok était mince mais musclé, ses abdominaux légèrement dessinés en témoignaient. Quant à Minwoo, sa maigreur lui donnait le charme de la fragilité malgré son comportement dominant. Sa peau au teint diaphane renforçait cette sensation qu'on avait devant soi une poupée de porcelaine susceptible de se briser au moindre geste trop brutal.

Et pourtant, qu'est-ce qu'ils étaient brutaux l'un avec l'autre…

« Hyung, souffla Wonseok d'une voix suave en se mordant exagérément la lèvre, viens là…

— Demande-le mieux, ordonna Minwoo avec un rictus moqueur.

— Viens me faire du bien. »

Et sur ces mots prononcés de manière beaucoup trop sensuelle pour que Minwoo ne cède pas, Wonseok ouvrit les jambes pour l'inviter à prendre place entre. Malgré son jean, le renflement causé par son excitation n'était pas des moindres, il réclamait clairement qu'on s'en occupe. Il était magnifique ainsi, cette position soulignait plus encore le V parfait qui se formait au niveau de ses hanches, guidant inévitablement le regard de Minwoo vers son bassin quémandeur de caresses.

Il n'y résista pas un instant de plus : d'un pas rapide, il traversa le court espace qui les séparait et grimpa sur le matelas pour rejoindre Wonseok. Il s'installa entre ses jambes, à quatre pattes au-dessus de lui, les paumes de part et d'autre de son visage aux traits enjôleurs.

« J'ai envie de toi, » souffla le cadet dans le but de le provoquer.

Et sur ces mots, il prit une moue espiègle que Minwoo comprit une seconde plus tard, lorsqu'il sentit la main de son amant se poser sur son sexe en légère érection et y asséner de vifs mouvements qui mêlaient pour Minwoo douleur et plaisir. Il poussa un soupir qui traduisait ces émotions contradictoires, et ses bras ne furent plus en mesure de le soutenir. Il se plaça donc sur les coudes, cherchant les lèvres délicates de Wonseok pour profiter de cette position qui permettait à leur corps d'être si proche de celui de l'autre.

Le bas-ventre de Minwoo était en fête, son entrejambe ainsi stimulé lui renvoyait les signaux d'un plaisir exponentiel. Entre deux baisers fougueux, il lâchait de profondes expirations satisfaites. La sensation de cette main qui s'activait sur sa longueur emprisonnée n'avait d'égal que celle des lèvres gourmandes de Wonseok qui dévorait les siennes, y passant la langue par moments. Aucun doute : Wonseok embrassait divinement bien.

Sa bouche fine s'accordait à merveille avec celle de Minwoo à laquelle elle était désormais largement habituée. Ils alternaient entre des baisers surfaciques et de véritables combats de langues. Le souffle de l'un se répercutait délicatement sur la chair des lèvres de l'autre, et la moiteur exquise des bouches et des langues qui se confondaient leur tirait de nouveau des soupirs que leurs baisers tentaient de taire.

Des bruits sensuels s'élevaient dans la chambre dont la température augmentait peu à peu à mesure que celle des corps des deux garçons grimpait elle aussi. Tout n'était plus que chaleur humide et ivresse carnassière dans cet endroit duquel la luxure avait pris possession.

Le plaisir explosait dans le ventre de Minwoo qui roulait à présent des hanches contre la main de son amant. Celui-ci ne pouvait pas lâcher du regard son air absent, comme aspiré par les limbes du désir dans un monde qui n'appartenait qu'à lui.

Il ignorait que dans ce monde de bonheur dans lequel se trouvait Minwoo, ce dernier l'imaginait se déclarer à lui tôt ou tard dans un moment des plus féériques.

En bref, un moment complètement opposé à celui-là où, sous l'éclairage artificiel de la pièce, ils souillaient la pureté du silence de la nuit avec leurs gémissements et leurs soupirs. Les gestes étaient secs, saccadés, l'instinct avait pris le pas sur tout le reste. C'était ainsi que Wonseok préférait le sexe, au contraire de Minwoo qui ne recherchait que câlins amoureux et paroles douceâtres comme son aîné lui en accordait si peu.

Peu importait son propre plaisir, savoir que Wonseok aimait ce qu'il lui faisait était une sensation mille fois plus jouissive qu'une caresse ou un baiser. Elle faisait palpiter son cœur beaucoup plus vite et empourprait ses joues d'un rouge plus vif que celui qui les colorait si souvent lorsqu'il avait rencontré Wonseok, à l'époque où il était encore si timide.

Et pourtant, dans ce flot de bonheur restait la pique du désespoir qui se plantait dans son âme pour s'y loger et ternir le plaisir ressenti par Minwoo. Il n'y prêtait pas attention. Elle ne méritait pas son attention. Wonseok était le seul qui la méritait.

Déterminé à permettre à son cadet de se sentir bien, Minwoo coupa finalement court au baiser et se redressa à genoux. Wonseok le relâcha à son tour et, les yeux débordants de désir, il l'observa ouvrir le bouton de son jean et faire lentement coulisser la braguette. Son impatience était palpable, son torse se soulevait et s'abaissait à un rythme anormal : il avait besoin que Minwoo lui retire son vêtement, tout de suite.

Un soupir de soulagement lui échappa lorsque son pantalon et son caleçon glissèrent de ses hanches dans un même mouvement pour dévoiler d'abord son bas-ventre puis, au terme de trop longues secondes, son érection qui réclamait un peu d'attention. Finalement, ses interminables jambes minces s'offrirent à leur tour à la vue de Minwoo qui ne put s'empêcher de se passer la langue sur les lèvres : il désirait goûter la moindre parcelle de cette peau aussi douce que de la moire.

Les vêtements finirent froissés par terre – un peu de la même façon dont finissait chaque fois le cœur de Minwoo, en vérité.

L'aîné se dénuda sous le regard envoûté de Wonseok qui le dévorait des yeux comme un prédateur sur le point de bondir sur sa proie. Or cette nuit, c'était lui, la proie.

Minwoo reposa un genou sur le lit au moment où son amant écarta vulgairement les cuisses avec un sourire victorieux, sachant d'emblée l'effet de ce geste sur Minwoo.

« Putain, Wonseok-ah, t'es magnifique, jura ce dernier avec des prunelles affamées.

— Alors me fais pas attendre… »

Déterminé à obéir à cette requête prononcée d'une voix traînante, Minwoo s'installa de nouveau au-dessus de Wonseok, le corps tout contre le sien de sorte qu'un simple mouvement de hanches permette à leur érection de se frotter à celle de l'autre. Sentant la peau brûlante de son aîné contre la sienne, le cadet lâcha un souffle et son cœur bondit dans sa poitrine face à un tel afflux de satisfaction mêlé d'impatience.

Il entoura de ses bras la nuque de Minwoo qui entreprit un baiser de plus tandis qu'il agitait doucement son bassin.

Wonseok ne tint pas longtemps avant de couper court à ce contact pour gémir de plaisir, laissant à Minwoo le soin de lui grignoter amoureusement le cou et les clavicules. Ces lèvres chaudes qui se déposaient délicatement sur son épiderme firent frémir le jeune homme qui enroula alors les jambes autour des hanches de Minwoo, permettant ainsi à ses gestes de stimuler plus encore leurs deux virilités.

« Putain… hyung… »

Minwoo sourit et remonta ses lèvres jusqu'à la jointure entre son cou et son épaule, endroit qu'il mordilla tendrement. Un puissant frisson fit trembler le corps sous lui, Wonseok planta les ongles dans son dos, le griffant sans y prendre garde.

Minwoo continua la lente torture de ce garçon que l'amour le poussait à aduler plus que de raison. Il se maintint sur un seul avant-bras pour permettre à sa main libre de glisser tantôt sur le pectoral de son collègue, tantôt sur son ventre, sa taille et ses hanches.

Wonseok avait beau témoigner du fait qu'il voulait qu'ils baisent de manière fiévreuse, Minwoo ne pouvait pas s'empêcher de le caresser doucement, de redécouvrir chaque fois son corps aussi bien que ses lèvres. Il ne pouvait pas s'empêcher de lui faire l'amour.

Conscient que Wonseok avait tendance à se lasser rapidement des préliminaires, Minwoo l'obligea à écarter de nouveau les jambes, plaçant les mains sous ses genoux. Se sentir ainsi manipulé et dominé par son aîné demeurait une sensation à laquelle Wonseok était accro, il se laissa faire de bon cœur, soumis à la volonté de son collègue. Les baisers que ce dernier déposait sur son cou descendirent lentement avant de s'arrêter un instant sur son pectoral. Minwoo y traça un sillon humide du bout de la langue, s'aventurant ensuite le long des abdominaux de son cadet qui perdit les mains dans ses cheveux châtains.

Minwoo sourit de ce geste et lui suçota la peau du bas-ventre, tout près de la jointure entre sa hanche et sa cuisse. Wonseok se mordait durement la lèvre et gémit lorsque son amant entama une marque à cet endroit sensible de son anatomie. Il était si près de son sexe délaissé...

« Hyung, pitié... »

Minwoo enclencha de lentes caresses sur les cuisses de son cadet, sans interrompre pour autant le suçon qu'il lui faisait. Il semait à chaque mouvement une traînée de chair de poule sur le corps fébrile et tremblant de Wonseok dont les muscles se contractèrent lorsque Minwoo commença à lui malaxer les cuisses. Ses grandes mains maigres douées de doigts de fée savaient exactement comme s'y prendre, et le plus jeune crut s'étouffer quand l'une des mains de son ami quitta sa jambe pour s'enrouler autour de son sexe.

« Oh putain, ouais, hyung !

— Du calme, Wonseok-ah, souffla Minwoo contre le suçon qu'il venait de réaliser, tu sais que je vais te faire du bien...

— Oui... »

Minwoo sentit poindre un rictus en constatant l'étendue du pouvoir qu'il exerçait sur lui lorsque Wonseok plongeait dans un tel état. Il éprouvait à cet instant la sensation d'agir sur son amant comme une drogue capable de l'amener à un état second dans lequel son plaisir dépendait tout à coup de lui.

Il exerçait sur le corps de Wonseok le pouvoir que ce dernier exerçait sur son cœur.

Minwoo commença par des mouvements sur sa hampe, attardant seulement de manière furtive son pouce sur son gland de temps en temps. Il savait qu'il rendait Wonseok fou en le stimulant de cette façon, le désir montait progressivement jusqu'à en devenir insoutenable.

Parce qu'ils se fiaient aveuglément l'un à l'autre et avaient passé les tests il y a bien longtemps, Minwoo n'hésita pas une seconde de plus à offrir à Wonseok ce qu'il attendait tant : ses lèvres autour de sa verge. Un glapissement échappa au cadet qui se tordit doucement malgré les mains de Minwoo désormais appuyées sur son bassin afin de l'empêcher de bouger.

Wonseok était dingue de sa bouche. Il lui ouvrit les jambes plus largement, les doigts accrochés à ses mèches. Sentir l'humidité chaude des parois buccales de Minwoo contre son sexe tenait de la bénédiction pour lui qui se languissait de tels contacts, plus encore étant donné tout le soin que l'aîné avait de traîner en même temps sa langue sur son gland si sensible.

Wonseok dut relâcher les cheveux de son ami de crainte de lui faire mal, agrippant immédiatement à la place les draps qu'il serra puissamment entre ses phalanges qui déjà blanchissaient sous la pression qu'il effectuait. Minwoo avait entamé des mouvements parfaitement maîtrisés sur sa verge, allant chaque fois un peu plus loin.

Le cadet se mit à trembler quand, au terme de longues minutes absolument divines, les lèvres de Minwoo caressèrent la base de son membre.

« Putain, souffla Wonseok d'une voix tremblante, t'es toujours aussi doué pour les gorges profondes… »

Le cœur réchauffé par la fierté à l'idée qu'il lui offrait tant de plaisir, Minwoo ignora que c'était surtout sa gorge qui le brûlait douloureusement. Il continua ses mouvements jusqu'à devoir se retirer, toussotant avec les larmes aux yeux. Pourtant, il en fit rapidement fi et revint s'occuper du sexe de Wonseok qui l'observait avec dans le regard ce désir foudroyant que Minwoo aimait tant y voir.

Lui accorder une fellation était pour Minwoo toujours quelque chose de divin : il aimait que son amant comble sa bouche, il aimait sentir contre sa langue le liquide séminal qui s'échappait en faible quantité de sa longueur. Il aimait, en vérité, chaque preuve du fait qu'il était le seul capable de faire venir Wonseok.

Ce dernier en effet ressentait peu à peu une chaleur immense croître au creux de son ventre, son esprit se perdait lentement dans la luxure à mesure qu'il s'oubliait et glissait dans un monde de délicieuse débauche. Son amant malaxait délicatement ses bourses tout en s'occupant à merveille de son membre, c'était comme si le moindre nerf de Wonseok s'affolait sous ces voluptueuses caresses.

Il s'accrochait désespérément aux draps, poussant à intervalles réguliers tantôt de profonds soupirs, tantôt de légers gémissements quand son aîné le taquinait en lui mordillant gentiment la hampe. Minwoo avait ce don de lui faire vivre mille émotions contradictoires mais qui se complétaient à tel point qu'elles formaient un cocktail explosif.

« S-Stop, je vais… je vais venir… »

Minwoo se retira, satisfait, et lui embrassa le ventre tout en lui caressant tendrement les cuisses dans l'espoir de le faire redescendre un peu de son nuage. Il fallut quelques instants à Wonseok pour reprendre complètement ses esprits, et il laissa échapper un profond soupir de bien-être avant de diriger son regard sur son amant.

Ce dernier s'était levé et se tenait désormais dos au lit, en train de fouiller dans l'armoire, plus précisément dans un tiroir que les deux connaissaient bien.

Menottes, rubans de soie, vibromasseurs ; il s'y trouvait toutes sortes de sextoys qui leur servaient à pimenter leurs ébats. Rien de bien extraordinaire néanmoins, ils préféraient toujours privilégier les rapports simples. Du moins, c'était Minwoo qui n'avait jamais songé à aller beaucoup plus loin. Il voulait continuer de serrer Wonseok dans ses bras, le sentir contre lui, sans rien de plus que leurs deux corps liés tendrement. Il avait toutefois cédé aux envies de son amant, l'idée de lui faire plaisir le rendant bien trop heureux pour qu'il lui refuse certains objets.

Aujourd'hui néanmoins, il éprouvait le besoin que Wonseok l'étreigne, alors pas question de sortir les menottes. Il attrapa en revanche, en plus du lubrifiant, deux longs rubans faits d'une soie particulièrement opaque et résistante. Il ne comptait pas les utiliser tout de suite, mais mieux valait qu'il les prenne maintenant plutôt qu'une fois qu'il aurait une érection trop prononcée entre les jambes et un Wonseok au sourire enjôleur qui lui tendrait son postérieur en le suppliant de le baiser au plus vite.

Il revint déposer son butin sur le matelas, laissant courir son regard prédateur sur son amant qui n'avait pas bougé, lui permettant de voir la moindre parcelle de son corps d'apollon. Il était si tentateur, allongé là, l'air comblé, le sexe dur et les cuisses ouvertes au point que Minwoo pouvait presque discerner son antre entre ses fesses.

« T'es vraiment un démon, souffla Minwoo en retrouvant sa position au-dessus de lui.

— Ton démon, le corrigea Wonseok.

— Oui, mon démon… »

Une fois de plus, Minwoo sentit cette chaleur s'immiscer dans son cœur, il ne put se retenir de se pencher un peu plus pour cueillir les lèvres de Wonseok. Celui-ci se laissa faire. Il n'était pas un grand adepte des gestes tendres en plein milieu d'une bonne partie de jambe en l'air, mais il avait conscience que ça plaisait à Minwoo. Ce dernier ayant accordé des concessions vis-à-vis des sextoys, Wonseok en accordait de son côté en ce qui concernait les marques d'affection.

Et puis c'était bien loin d'être désagréable, son aîné avait toujours su l'embrasser de manière d'abord délicate puis passionnée, si bien que c'était un régal et, même si Wonseok n'initiait jamais vraiment ces contacts, il appréciait chaque fois que l'autre lui en offrait.

« Sur le ventre, fesses en l'air, ordonna suavement Minwoo.

— À tes ordres, hyung… »

Wonseok s'installa comme demandé pendant que son amant attrapait le tube de lubrifiant. Son collègue laissa néanmoins planer un instant d'hésitation :

« T'es propre ? s'enquit-il.

— Tu veux savoir ce que j'ai fait pendant la pause de dix minutes que j'ai prise un peu avant la fin de mon service ? » répondit malicieusement Wonseok qui, la tête entre les avant-bras et le bassin tendu, tourna légèrement son magnifique visage pour adresser un regard espiègle à son ami derrière lui.

Minwoo sourit et versa le lubrifiant sur ses doigts avant de poser sa main propre sur ses fesses. Il malaxa un instant dans sa paume son postérieur ferme et doux puis l'écarta juste assez pour révéler l'anneau de chair serré qu'il convoitait tant.

Il brûlait de s'insérer en lui...

Il commença par appuyer contre cette peau rosée son majeur et son index, traçant autour de l'antre de Wonseok de petits cercles en se mordant la lèvre. Très vite, son cadet agita le bassin, lui demandant silencieusement de lui en donner plus. De sa main libre, Minwoo massa un peu plus fortement cette rondeur tout en enfonçant de l'autre main un doigt en lui. À ces deux sensations, Wonseok gémit de surprise et de soulagement. C'était tellement bon...

Les longs doigts fins de Minwoo étaient sans doute ce que préférait Wonseok, son seul index était capable de l'exciter. Et cet index, justement, s'insinuait de manière sensuelle en frottant contre ses parois, le stimulant sans interruption pendant que l'autre main de Minwoo continuait de presser la fesse qu'il tenait fermement.

Wonseok serra les poings, les yeux puissamment clos et les lèvres entrouvertes pour laisser échapper son souffle haché. Très vite et parce qu'il était habitué, il sentit un deuxième doigt se glisser en lui. Il expira longuement, oubliant rapidement la sensation d'étirement à peine douloureuse. Minwoo s'attachait à caresser sa chair chaude, variant le rythme de ses coups de poignet et courbant les phalanges à la recherche de sa prostate. Tout ça se confondait en Wonseok pour créer ce qui lui apparaissait comme un unique et immense plaisir qui enflammait le moindre de ses sens. Ses muscles étaient tendus dans l'attente de ce qu'il ne tarderait plus à recevoir.

Minwoo quant à lui observait avec un intérêt tout particulier chaque réaction de son amant. Voir ses doigts si généreusement avalés par l'anneau de chair habitué de

Wonseok était un régal, presque autant que l'était la peau désormais rougie de la fesse que Minwoo maltraitait depuis le début. Il aimait laisser ses traces sur l'épiderme de son collègue, il aimait savoir que lui seul pouvait lui prodiguer ces marques. D'une certaine manière, ainsi, son corps lui appartenait.

Wonseok gémit quand Minwoo, une fois convaincu qu'il n'en souffrirait pas, enclencha des mouvements de ciseaux afin de dilater son rectum et le préparer à une troisième intrusion. Tremblant de plaisir, le cadet s'accrocha aux draps et ondula des hanches contre ces gestes lascifs qui lui permettaient de sentir mieux encore les doigts qui s'activaient en lui. Chaque fois il lui semblait redécouvrir cette sensation de la peau chaude de Minwoo se frottant langoureusement à ses parois sensibles.

Et ce n'était que ses doigts...

Un léger inconfort lui tira un geignement douloureux quand son amant planta son annulaire en lui. Aussitôt, Minwoo lui caressa lentement le dos, déposant contre sa colonne vertébrale quelques baisers tandis qu'il immobilisait ses phalanges dans son antre pour l'y habituer. Son cadet se détendit rapidement et lui donna le feu vert lorsqu'il esquissa un mouvement de hanches en lâchant d'un souffle un sensuel « continue ».

Minwoo ne se le fit pas dire deux fois. Ses trois doigts s'enfoncèrent doucement entre les chairs étroites de Wonseok qui retint sa respiration avant d'expirer bruyamment.

« Ça va toujours ? s'inquiéta l'aîné d'une voix neutre.

— Oui, oui, t'en fais pas. C'est tellement bon, continue...
»

Minwoo déplaça la main qu'il avait posée sur son dos, dérivant lentement sur sa taille dessinée puis sur son ventre, et finalement sa verge dressée. Wonseok écarta un peu plus encore les jambes dans un gémissement de plaisir, et l'autre sentit son anneau s'élargir autour de ses doigts jusque-là comprimés par le muscle tendu. Wonseok avait repris ses mouvements du bassin, encourageant Minwoo aussi bien à le doigter plus profondément qu'à accélérer les gestes sur sa longueur.

L'aîné exécuta donc des va-et-vient plus amples et rapides ; Wonseok se cambra violemment dans un cri étouffé. Minwoo avait touché sa prostate, c'était une véritable décharge électrique qui s'emparait de son corps, un incommensurable bonheur. Déjà de la sueur commençait à se répandre sur sa peau désormais poisseuse, et ses cheveux étaient emmêlés à force des mouvements faits contre l'oreiller.

Il tremblait de plus en plus, si bien que Minwoo délaissa son sexe pour l'empêcher de jouir trop vite et se concentra plutôt sur sa prostate. Conscient qu'ils avaient tous les deux passé une longue journée, il préférait ne pas enchaîner les orgasmes comme ça leur arrivait parfois.

De réguliers soupirs échappaient à Wonseok qui, complètement détendu, profitait du bonheur de sentir sa boule de nerfs ainsi malmenée. Minwoo lui tenait la hanche, s'assurant de ce fait une prise pour pouvoir le maintenir en place pendant qu'il martelait son point sensible. Son cadet en effet ne pouvait pas se retenir de gigoter, incapable de se contrôler quand sa prostate était stimulée. Les doigts lubrifiés de Minwoo entraient et sortaient à présent sans problème de l'antre ouvert de son amant qui sombrait dans un gouffre de débauche. Ses mouvements provoquaient comme des électrochocs en Wonseok qui avait le sentiment qu'il pourrait pleurer de bonheur. Il arrivait trop lentement à la libération, ce qui lui procurait à la fois une impression de frustration et de bien-être extatique.

Minwoo écarta alors les doigts, tirant un cri peu discret à Wonseok qui se sentit tout à coup délicieusement étiré. C'était à peine douloureux en même temps que c'était profondément agréable. Convaincu désormais que son cadet pouvait tolérer plus que ses trois seuls doigts, le jeune garçon les retira de lui et, tandis que Wonseok grognait de mécontentement, il le retourna sur le dos d'un geste.

« Hyung, souffla Wonseok satisfait du regard brûlant de son aîné sur lui.

— Putain qu'est-ce que j'ai envie de toi…

— Je suis tout à toi. »

Qu'est-ce que Minwoo aurait aimé lui répondre « je t'aime ». Qu'est-ce que son cœur lui fit mal quand il dut se contenter de garder le silence, craignant de briser ce moment charnel s'il venait à commettre l'immense erreur d'avouer à Wonseok les profonds sentiments qu'il éprouvait pour lui.

« Tu permets que je t'attache ? s'enquit-il en attrapant les rubans noirs jusque-là laissés de côté.

— Oh putain oui, soupira l'autre en se mordant la lèvre.

— Parfait. Et comme d'habitude, dis-moi si ça va pas.

— T'inquiète. »

Minwoo ne désirait qu'une chose : retrouver la sensation des chairs de Wonseok enserrant les siennes. Cependant, il voulait que son amant prenne le plus de plaisir possible dans l'ébat et, connaissant son faible pour les entraves, il avait décidé que les rubans feraient l'affaire.

Son cadet, les jambes toujours bien ouvertes pour lui, s'était installé près de la tête de lit, contre les oreillers, et lui tendit ses poignets pour qu'il les attache. Minwoo néanmoins hocha la tête de gauche à droite. Wonseok afficha une moue surprise, mais bien vite ses yeux retrouvèrent leur éclat d'excitation lorsque Minwoo lui enroula une des extrémités de la première bande autour du genou.

Oh putain…

Une fois le nœud terminé, Minwoo lia l'autre extrémité à l'un des barreaux du lit, tirant sur le ruban afin que le genou de son collègue soit maintenu correctement. Il se déplaça et alla à sa jambe libre qu'il attrapa entre ses mains opalines. Il obligea Wonseok à ouvrir les cuisses au maximum et, lorsqu'il eut achevé le nœud autour de son genou, il noua le second ruban à la tête de lit, serrant assez pour que ses jambes soient largement écartées. Attaché comme il l'était, impossible pour Wonseok de refermer les cuisses, et parce que ses jambes étaient repliées, son bassin était soulevé et ses fesses offertes, son antre prêt à accueillir Minwoo. Ce dernier cala un oreiller sous les hanches de son cadet afin de s'assurer de son confort et se recula pour observer son œuvre.

Wonseok était tellement bandant dans cette position…

« T'es magnifique, Wonseok-ah.

— Prends-moi, hyung, dépêche.

— Laisse-moi réfléchir… »

Bien sûr qu'il le taquinait : il n'avait qu'une envie, c'était lui bondir dessus et le faire hurler à la mort. Mais il demeurait capable de se contenir encore quelques instants, les quelques instants nécessaires à rendre fou son Wonseok.

Ce dernier avait replié les bras vers l'arrière, agrippant fermement les barreaux. C'était si excitant de se trouver dans une telle position, ainsi exposé à Minwoo qui pouvait lui faire tout ce qu'il souhaitait ! Il était à sa merci, soumis à lui. Savoir ça lui paraissait affolant, il voulait que son hyung se montre violent avec lui, le fasse sauvagement crier de plaisir.

Mais Minwoo faisait mieux que ça : il faisait grimper le désir lentement, lui permettait de s'épanouir dans son bas-ventre comme une rose qui s'ouvrirait progressivement jusqu'à libérer sa beauté au dernier moment.

L'aîné en effet s'abaissa vers son amant et lui mordilla l'intérieur de la cuisse avant d'entamer un suçon tandis que de nouveau il plantait directement trois doigts lubrifiés dans l'intimité de Wonseok qui gémit brutalement. Sa main libre, Minwoo la laissa traîner sur la longueur de son collègue qui sentit des larmes lui monter aux yeux sous le trop-plein de sensations. Tout cessa cependant d'un coup et Wonseok rouvrit les paupières, observant avec envie son ami se verser du lubrifiant sur la paume puis en enduire son érection dressée.

Le plus jeune poussa un soupir pour se détendre et s'accrocha plus fermement encore – si c'était possible – aux barreaux du lit. Ses jambes étaient si écartées qu'il se demanda un instant s'il n'en souffrirait pas, néanmoins la question fut promptement éludée quand Minwoo se pencha au-dessus de lui et, ayant croisé son regard approbateur, s'enfonça entre ses chairs.

Wonseok gémit en se tortillant ; Minwoo n'y allait pas de main morte – il n'y allait jamais de main morte, il savait bien que son cadet aimait la douleur. Il buta une première fois au plus profond de l'intimité de Wonseok qui crut que son cœur se détachait à cette sensation fracassante. Minwoo n'attendit pas une seconde de plus, il amorça de langoureux mouvements en lui, mouvements qui gagnèrent de la vitesse avant de prendre un rythme saccadé.

Wonseok étouffait sous la vague d'euphorie qui grondait en lui. Le lubrifiant rendait la pénétration facile, et bien qu'ouvert, l'antre de Wonseok demeurait assez serré pour qu'il puisse sentir chaque centimètre du sexe de Minwoo frotter fermement ses parois sensibles. C'était divin, chaque fibre de son être semblait avoir décidé de lui envoyer un sentiment d'absolue béatitude, il planait sur un nuage. Le rythme adopté par Minwoo était imprévisible, ajoutant encore plus de plaisir à celui que Wonseok ressentait déjà. Le jeune homme avait libéré ses cordes vocales : il hurlait, basculé d'avant en arrière par les coups furieux de Minwoo qui claquait son bassin contre le sien dans une mélodie anarchique qui se mêlait à celle de leurs deux voix.

Les mains de part et d'autre du visage de son cadet au-dessus duquel il se trouvait, Minwoo l'observait se tordre de plaisir. Il se délectait de ses sourcils froncés ainsi que de ses yeux mi-clos et sa bouche entrouverte pour gémir. Il captura d'ailleurs ses cris lorsqu'il plaqua ses lèvres sur les siennes. Wonseok se laissa aller, couinant contre sa bouche tandis qu'il lâchait enfin les barreaux du lit pour s'accrocher à la place à son aîné.

Décidément, il avait bien fait de le contraindre à garder les cuisses si vulgairement écartées, c'était un absolu régal pour l'un comme pour l'autre. Ce le fut pour Wonseok plus encore lorsque Minwoo, dans un coup brusque quoique parfaitement maîtrisé, frôla sa prostate : il eut pour réflexe de vouloir refermer les jambes, réflexe qui se trouva entravé par les rubans. Aussitôt Wonseok gémit de plaisir à l'idée d'être obligé de maintenir une telle position.

Minwoo haletait, mettant toute sa rage et tout son amour dans ces coups de bassin furieux qu'il offrait à Wonseok. L'intimité de celui-ci l'accueillait si bien, juste assez élargie pour le compresser sans que ce soit douloureux. Les parois chaudes et moites de son amant semblaient lui caresser le sexe à chaque mouvement qu'il effectuait. Son gland frottait ardemment les profondeurs du jeune garçon qu'il embrassait avec toute la fougue dont son désir l'avait doté.

Un cri soudain contraignit Wonseok à s'éloigner de ses lèvres : à coup sûr il venait de toucher sa prostate. Sans hésiter, Minwoo recula légèrement le buste, quittant à regret la bouche de son ami. Il plaqua les mains sur ses fesses qu'il adulait et releva un peu son bassin, juste assez pour obtenir un angle idéal. Il reprit alors des coups brutaux dont l'effet fut immédiat : Wonseok se cambra violemment et hurla de plaisir, sa boule de nerfs attaquée tout à coup.

Des contractions spasmodiques le saisirent tandis qu'il griffait le dos de Minwoo en gémissant sans se retenir, les jambes tremblantes et les yeux fermement clos. L'aîné tenait ses cuisses qu'il pressait entre ses longs doigts de fée, féru de la peau délicate de Wonseok qui marquait si facilement. Concentré sur ses coups de bassin, il baissa la tête et ferma un instant les paupières lui aussi avant de les rouvrir pour observer avec envie son sexe disparaître entièrement dans l'intimité de son amant.

Bordel, c'était jouissif.

« Ah hyung ! Plus ! Encore ! supplia Wonseok entre ses cris.

— T'aimes ça quand je t'attache, hein ? le provoqua Minwoo de sa voix traînante malgré ses halètements.

— Oui… oui putain j'aime ! Ah… ! »

176

Les muscles de son bas-ventre se crispèrent en même temps que son anneau de chair, compressant de manière savoureuse la verge qui le pilonnait. Chacun ressentit mieux la présence de l'autre, les sensations se renforcèrent tout à coup. Wonseok pouvait presque sentir le gland de son collègue se presser violemment sur sa prostate qui le lui faisait savoir sans détour, quant à Minwoo, c'était comme si son sexe était étreint avec amour, gardé au chaud dans cette intimité moite.

Il sortit cependant complètement de lui pour ensuite s'enfoncer de nouveau, sauvagement, dans un mouvement qui amena Wonseok à écarquiller les yeux lorsqu'une fois de plus ses nerfs furent vivement suscités. Le rythme des coups avait beau varier, leur intensité ne faiblissait pas. Qu'il le pilonne littéralement ou qu'il se montre plus doux, dans tous les cas sa longueur finissait par épouser férocement la prostate de son cadet.

« Wonseok-ah… je vais pas tenir longtemps…

— Non, plus, plus, hyung encore !

— Merde… »

Minwoo serra les dents : c'était trop bon, surtout qu'il y avait non seulement son corps mais aussi son cœur qui criaient leur excitation. Il aimait à ce point Wonseok que chaque coup lui apportait un plaisir bien plus vif et foudroyant.

C'était rare que Wonseok jouisse le premier, mais ça ne lui avait jamais vraiment posé de problèmes étant donné la capacité de Minwoo à enchaîner les orgasmes – capacité souvent mise à rude épreuve.

Après quelques mouvements de bassin supplémentaires, ce fut donc Minwoo qui vint le premier, éclaboussant de son sperme les parois sensibles et la prostate déjà malmenée de son cadet. Ce dernier frémit et gémit de bien-être à cette sensation délicieuse d'être entièrement comblé. Quelques coups de plus s'ensuivirent, Minwoo prolongeant de cette façon son orgasme. Tandis qu'il le stimulait, il lui détachait les genoux sans prendre la peine de dénouer les rubans du lit.

Ainsi, comprenant ce qu'il espérait de lui, Wonseok agit dès que son aîné se retira : il le fit basculer sur le dos et se plaça à califourchon sur son bassin. Minwoo faillit gémir : Wonseok s'était installé non pas face mais dos à lui, lui permettant de cette manière d'avoir une vue plongeante sur ses fesses.

« Tu vas sérieusement finir par avoir ma mort sur la conscience avec toutes tes conneries, haleta Minwoo.

— Attends que je vienne avant de crever, » répliqua son amant en tournant la tête pour lui envoyer un regard amusé.

Minwoo ne répondit pas, retenant son souffle lorsque Wonseok attrapa son sexe et se mit à le masturber énergiquement pour lui faire recouvrir toute son excitation.

Et dire qu'il avait espéré ne jouir qu'une fois avant que tout ne cesse.

Quelques minutes à peine plus tard, satisfait, Wonseok n'hésita pas un instant avant de s'empaler sur lui, se cramponnant vivement à ses cuisses pour se stabiliser. Il poussa un profond soupir de bonheur lorsqu'il sentit contre ses fesses le bassin de son amant qui, entre temps, avait agrippé ses hanches. Cette vue plongeante sur le postérieur de Wonseok avalant son sexe sans problème l'avait fait durcir à la vitesse de l'éclair.

Wonseok entama un sensuel déhanchement, conscient de l'angle exact à adopter pour toucher sa prostate. Il s'immobilisa aussitôt en rejetant la tête en arrière, laissant un souffle lourd lui échapper. Il ondula du bassin, permettant ainsi à la verge de son aîné de frotter sa boule de nerfs.

« Oh putain de merde… »

Minwoo lui donna un coup de reins brutal, écrasant soudainement sa prostate. Wonseok faillit perdre l'équilibre et lâcha un gémissement qui mêlait surprise et plaisir.

« Trop de vulgarité dans une même phrase, râla Minwoo pour expliquer son geste. Parle mieux, bordel. Et tourne-toi, je veux te voir quand tu jouiras.

— Tu préfères pas mon cul ?

— Je reconnais qu'il est intéressant, mais moins que toi. »

Le corps bouillonnant, il fallut quelques instants à Wonseok pour se tourner et se placer parfaitement face à Minwoo. Le cadet ne perdit pas de temps et s'enfonça de nouveau sur la longueur de son aîné qui, décidé à le faire venir, enroula son poing autour de son sexe. Wonseok se mordit la lèvre, lançant à son amant un regard empli de désir. Il reprit ses ondulations tandis que Minwoo lui offrait une masturbation des plus appréciables.

Il était sublime, Minwoo : sa peau était d'une pâleur qui laissait croire à une pureté depuis longtemps bafouée par les nombreuses marques violacées formées par la bouche de Wonseok sur chaque parcelle de son épiderme de nymphe. Mince qu'il était, on pouvait voir ses os saillir – ce n'était pas faute de ne pas manger régulièrement, mais sans doute mangeait-il en trop petites quantités. Et pourtant, Wonseok le trouvait magnifique tel qu'il était, pâle et maigrichon. Qu'il domine ou soit dominé, les deux rôles lui allaient comme un gant, probablement parce que malgré son côté brutal dans ses actes, il cachait un cœur tendre qui adorait les caresses et les baisers.

Le partenaire idéal pour Wonseok qui appréciait autant être soumis à son amant que le dominer pour ensuite en prendre soin. Ils s'étaient bien trouvés.

Ce fut ainsi que, dans un gémissement plaintif à cause de ses cuisses qui le faisaient désormais souffrir, Wonseok éjacula longuement, traçant sur le ventre de Minwoo plusieurs lignes blanchâtres. Son orgasme le foudroya, déchirant son corps alors qu'il s'immobilisait, plantant le sexe de Minwoo au plus profond de lui. Son aîné continuait de lever les hanches pour lui accorder des coups de reins supplémentaires qui prolongèrent la jouissance de Wonseok au point qu'il ne fut plus en mesure de tenir en équilibre. Il bascula en avant, dans les bras de son amant qui le retint en s'asseyant, le serrant contre lui tandis qu'il lui offrait encore quelques mouvements.

Minwoo caressait son dos qui se soulevait au rythme de sa respiration hachée – preuve qu'il cherchait désespérément son souffle. De longues secondes durant, le plaisir poursuivit sa course ininterrompue dans chaque fibre du corps du jeune garçon qui tremblait spasmodiquement, ses muscles se contractant seuls. C'était tellement bon, et Minwoo qui frottait toujours sa prostate lui apportait la plus merveilleuse des satisfactions.

« C'était parfait, souffla Wonseok une fois calmé, incroyable. »

Minwoo sourit en cessant ses mouvements, comprenant que l'orgasme passé, mieux valait stopper là ses gestes langoureux. Il bascula de sorte à étendre Wonseok sur le lit auprès de lui et sortit de son intimité délicatement. Son cadet soupira et le poussa à s'allonger à son tour avant de l'obliger à ouvrir les jambes pour s'agenouiller entre. Minwoo le fixa avec curiosité.

« T'es toujours dur, indiqua l'autre en baissant les yeux sur son sexe érigé. Laisse-moi arranger ça, hyung.

— T'inquiète, c'est rien.

— Mais j'en ai envie. »

À ces mots, Minwoo, hypnotisé par le regard sincère de celui qui faisait à ce point battre son cœur, ne put qu'acquiescer. Wonseok, satisfait, se pencha aussitôt et, malgré la fatigue, traîna la langue le long de la verge de Minwoo, récupérant une partie de son sperme et de son liquide pré-éjaculatoire – l'autre partie coulait sur ses propres cuisses en ce moment même, mais ça, Wonseok s'en moquait.

Minwoo était envoûté par le spectacle de son amant en train de prendre ainsi soin de son sexe. Wonseok veillait à ne laisser aucune parcelle inconnue à sa bouche, stimulant en même temps ses bourses. Minwoo sentait l'épuisement s'emparer de son corps tendu, pourtant l'orgasme approchait à une vitesse foudroyante, c'était intenable. Déjà Wonseok jouait de sa langue sur son gland, taquinant également sa fente.

Sa longueur était trop sensible, toutes ces sensations s'enrayaient, se bousculaient, se confondaient, et ce fut ainsi que, peu après le début de cette incroyable fellation – du moins elle l'était aux yeux de Minwoo –, le jeune garçon se cambra en serrant les draps entre ses poings. Il vint entre les lèvres de son collègue qui l'avait pris généreusement dans l'espoir de le faire jouir, retraçant du bout de la langue les veines qu'il sentait pulser sur son membre dressé.

Wonseok donc s'immobilisa, veillant à avaler la moindre goutte du sperme de son ami, friand de ce liquide qui s'écoulait alors dans sa gorge.

« Merci, souffla Minwoo vidé de ses forces. C'était dingue. »

Wonseok lapa une dernière fois son gland avant que son aîné ne porte la main à ses cheveux et, saisissant une bonne poignée, ne le tire doucement à lui. Wonseok se laissa faire jusqu'à ce le sentir plaquer ses lèvres fines sur les siennes. Les langues se rencontrèrent bien vite et ils partagèrent un baiser passionné tandis que Minwoo caressait amoureusement le corps sculpté qui se trouvait désormais au-dessus de lui.

Il aurait pu rester des heures à l'étreindre ainsi, néanmoins Wonseok coupa court à ce fantasme de tendresse lorsqu'il se recula, une moue gênée sur le visage.

« Hyung, se plaignit-il, j'ai du sperme plein le cul, j'ai besoin d'un bon bain, tu viens ? »

Dans un souffle amusé, l'aîné acquiesça et lui vola un dernier baiser d'une chasteté délicate avant de se redresser, grimaçant face au contrecoup de cette activité physique intense pour ses muscles.

Pourtant, le lendemain à son réveil, ce serait bel et bien non pas son corps qui le ferait le plus souffrir, mais son cœur...

CHAPITRE 16

Wonseok, les jambes tremblantes, se glissa lentement dans la baignoire. Il fut rejoint quelques instants plus tard par Minwoo qui se moula contre son dos, enroulant les bras autour de son ventre pour y laisser ensuite courir ses doigts maigres. Il enfonça le visage contre la nuque de celui qu'il chérissait secrètement et inspira l'odeur qu'il portait sur lui ; leurs deux parfums se mêlaient.

Qu'est-ce qu'il désirait l'embrasser, le câliner, lui témoigner toute l'affection dont son cœur débordait pour lui. C'en était douloureux.

Wonseok, un sourire attendri aux lèvres et conscient que son aîné aimait le contact, se lova doucement contre lui et n'eut qu'à tourner la tête pour lui embrasser la joue, récoltant de la part de Minwoo un rougissement qu'il demeurait le seul à réussir à lui soutirer.

« Hyung, lave-moi. »

Sans un mot, Minwoo s'exécuta avec plaisir, ravi à l'idée qu'il allait pouvoir passer les mains sur la moindre parcelle de son corps.

Les minutes qui suivirent furent un bonheur pour le jeune garçon entre les bras duquel Wonseok se reposait confortablement, se laissant bercer par les tendres caresses de ces mains qui redécouvraient ses courbes avec délicatesse. Les yeux clos, Wonseok fut presque déçu lorsqu'il fut nettoyé. Son aîné se lava à son tour et l'enjoignit à sortir.

Les deux collègues se séchèrent et enfilèrent un caleçon, retournant ensuite dans la chambre. Wonseok retira la couette sale de son lit et l'abandonna sur le sol puis se faufila sous les draps demeurés propres, rapidement imité par Minwoo. Celui-ci hésita un instant avant de finalement venir s'installer contre Wonseok, un bras autour de sa taille et la tête sur son torse.

« J'aime bien quand t'es aussi affectueux qu'un chaton, souffla le cadet en lui caressant les cheveux, je trouve ça mignon.

— Je suis pas mignon.

— Si.

— Non.

— Si.

— Non.

— Quelqu'un de pas mignon serait infiniment moins attachant que toi. C'est pas une critique, moi j'aime bien quand t'es mignon... ça me donne des idées impures.

— Wonseok, râla son aîné.

— Bah quoi c'est vrai, j'y peux rien : tu viens te serrer tout contre moi en caleçon.

— On vient juste de baiser.

— Et alors ?

— Dors, je suis fatigué. »

Baiser. Chaque fois, se rappeler qu'ils se contentaient de ça donnait à Minwoo un désagréable sentiment de vide intérieur. C'était comme s'il affirmait lui-même que ces ébats ne lui gonflaient pas le cœur de bonheur. Il niait ses émotions.

« Bonne nuit, chaton, se moqua Wonseok dans un murmure.

— Boucle-la… »

Minwoo ponctua sa phrase d'un baiser sur le corps de son ami dont le sourire s'élargit tandis qu'il fermait les paupières. Toujours effrayé à l'idée que Wonseok puisse deviner ses sentiments, il s'en tint à cette unique marque d'affection malgré son âme qui rêvait de lui en offrir plus, bien plus. Il reposa simplement la tête sur lui, la joue contre son torse, l'oreille au niveau de son cœur dont les battements l'apaisaient.

Ce fut dans cette position qu'ils s'assoupirent.

Ce fut également dans cette position qu'ils se réveillèrent tandis que dehors le soleil était déjà haut dans le ciel. Minwoo en fut gêné le premier quand un rayon brûlant vint lui caresser le visage. Un bref instant, il songea à se rendormir avant de se souvenir où et surtout dans l'étreinte de qui il se trouvait. Un sourire naïf se dessina sur ses lèvres et il battit des paupières.

Il ouvrit les yeux puis releva légèrement le buste, s'assurant de ne pas déranger son cadet qui avait enroulé les bras autour de ses hanches. Il contempla les traits délicats d'un adorable Wonseok assoupi et sentit sa gorge se serrer en même temps que son ventre se tordait douloureusement. L'amour ne s'expliquait pas ; rien ne justifiait le monstrueux coup de foudre que Minwoo avait éprouvé pour son ami, de même que rien ne justifiait que ce dernier ne ressente pas la même chose. Il en allait ainsi, tout simplement, et il n'y pouvait rien.

Ce n'était pourtant pas faute d'avoir tout tenté pour lui plaire. Il avait abandonné son job pour venir travailler avec lui. Puis il lui avait abandonné son corps dans l'espoir qu'un jour Wonseok demanderait son cœur. En outre, Minwoo lui avait menti : le premier soir qu'ils s'étaient retrouvés dans sa chambre, Wonseok lui avait indiqué ne pas vouloir le toucher s'il était vierge, alors son aîné lui avait avoué qu'il avait déjà couché avec quelqu'un, une fois : son ex.

Mais Minwoo n'avait jamais eu de petit ami.

Il avait donné avec bonheur sa première fois à son collègue ce soir-là, deux ans plus tôt. Sa naïveté de jeune homme épris l'avait convaincu que s'il prouvait à Wonseok qu'il pouvait être bon au lit, peut-être son cadet développerait peu à peu des sentiments pour lui. N'était-ce pas de cette façon que ça devait se passer ? Deux sexfriends qui développaient des sentiments l'un pour l'autre jusqu'à se décider à sortir ensemble.

Alors pourquoi Wonseok ne l'aimait-il pas ?

Minwoo avait fini par admettre en son for intérieur qu'il en était ainsi, ils n'étaient pas faits pour être en couple. Ils baisaient, tout simplement. Pourtant, le jeune garçon voulait y croire, il voulait croire que tôt ou tard Wonseok prononcerait ce « je t'aime » qu'il rêvait de l'entendre dire. C'était sûrement d'espérer jour après jour qui était le plus difficile…

Il se pencha au-dessus de l'endormi et, frottant délicatement le bout de son nez contre le sien, il déposa un doux baiser sur ses lèvres, souhaitant oublier l'espace d'un instant qu'ils ne s'aimaient pas.

~~~

Le samedi advint rapidement pour Jungyu qui, depuis jeudi soir, n'avait pas osé ouvrir les applications sur lesquelles il avait posté sa photo. Wonseok lui avait dit qu'il n'était pas obligé de regarder tout de suite les réponses qu'il avait reçues, qu'ils pourraient s'en occuper ensemble si ça le rassurait.

C'était pour cette raison que, conformément à ce que lui avait demandé son aîné, Jungyu était arrivé avec une demi-heure d'avance. Il était présentement en train de se changer dans la salle de repos des employés – qui se trouvait vide – et vérifia son apparence avant d'expirer un souffle profond. En général, ça lui permettait de calmer son anxiété.

Lorsqu'il sortit de la pièce, son regard s'attarda sur la porte du bureau de Yeonu. Un instant, il se surprit à songer qu'il aurait préféré que ce soit lui qui lui enseigne tout ce que Wonseok lui apprenait et allait lui apprendre. Il dégageait ce charme inqualifiable qui le rendait particulièrement envoûtant et donnait à Jungyu l'envie d'en savoir plus sur lui.

« Hey, Jungyu ! »

L'appelé sursauta et se tourna en direction de celui qui l'avait joyeusement interpelé. Impossible pour le jeune homme de ne pas reconnaître ces cheveux d'un bleu lumineux. Son sourire prit le pas sur sa timidité et il salua Euijin de bon cœur.

« T'es vachement en avance, fit remarquer le serveur, t'es venu voir Yeonu ?

— Non, Wonseok, rectifia Jungyu honteux d'avoir été surpris avec un regard fixe sur la porte du bureau de son supérieur.

— Oh je vois. Il est encore en salle, tu veux que j'aille le chercher ?

— Ah bon ? Oui, je veux bien, merci. »

Euijin lui adressa un sourire bienveillant et s'en retourna d'où il venait d'un pas serein. Le performeur quant à lui se passa une main incertaine dans la nuque. Est-ce que Wonseok allait formuler des remarques sur sa photo ? Bien évidemment, après tout ils se voyaient pour parler de ça, ils n'allaient pas discuter de la pluie et du beau temps...

L'attention de Jungyu fut attirée par la porte qui s'ouvrit en face de lui qui attendait devant celle de Wonseok. Le jeune garçon s'empourpra immédiatement lorsque Yeonu s'adossa au chambranle, les bras croisés contre son torse. Il était vêtu d'un t-shirt rouge rayé de gris sur lequel figurait une inscription que sa position ne permettait pas de lire, ainsi qu'un jean sombre particulièrement saillant et élimé aux genoux.

Dire que ça lui seyait à merveille, c'était encore à mille lieues de la réalité. Si à leur rencontre Jungyu l'avait trouvé magnifique, il ne possédait désormais plus de mots pour qualifier la beauté de son supérieur sur le visage duquel un rictus amusé s'était dessiné lentement.

« Bonjour, lança simplement Yeonu d'un air avenant. Comment tu vas, Junie ? »

Le surnom le fit rougir de gêne.

« J-Je vais bien, et vous... euh toi ? se rattrapa-t-il.

— Je vais bien aussi, » rigola Yeonu.

Ciel, ce sourire, Jungyu n'en avait jamais vu de pareil !

« Dis-moi, continua l'aîné, t'as aimé prendre ce selfie ? »

La question déstabilisa Jungyu qui fronça les sourcils sans même s'en rendre compte. Est-ce que Yeonu insinuait que la photo était ratée ? Est-ce qu'il souhaitait simplement connaître son état d'esprit ? Sa mine étonnée dut suggérer à son aîné qu'il s'était montré trop évasif puisqu'il s'expliqua :

« Je veux dire... t'étais à l'aise devant ton téléphone à te prendre en photo ?

— Oh, comprit l'autre, oui je crois... enfin, c'est pas trop gênant.

— Même avec Chanie dans les parages ? le taquina-t-il.

— Surtout avec lui dans les parages, confirma Jungyu qui se sentait toujours plus détendu quand il s'agissait de parler de Sangchan, il a rendu ce moment beaucoup plus léger que ce que j'aurais pu craindre.

— Il a ce don, c'est vrai. Combien de fois je lui ai demandé de venir travailler parmi mes performeurs ; avec son visage d'ange et sa personnalité unique, je suis certain que le café marcherait encore mieux. C'est quelqu'un de vraiment spécial. »

Jungyu hocha la tête : Sangchan lui avait déjà expliqué qu'il n'avait pas besoin d'un emploi. Ses bourses couvraient ses dépenses basiques, et chaque fois qu'il lui fallait un peu plus — notamment pour des livres — il pouvait solliciter sa famille. Il n'avait jamais manqué de rien et pouvait de cette façon consacrer l'entièreté de son temps à ses études qu'il menait avec brio tout en parvenant à se dégager chaque semaine quelques heures pour ses amis et lui.

Jungyu enviait cet équilibre que son aîné avait réussi à acquérir, lui ne pouvait pas espérer une vie aussi tranquille.

Il s'apprêtait à répondre quand Wonseok poussa la porte qui séparait le couloir de la salle du restaurant.

« Yeonie ! lança-t-il joyeusement. Quoi de neuf ?

— Rien de bien spécial, je discutais avec le lapereau égaré qui t'attendait.

— Le… ah oui, Junie. »

Ce dernier redevint rouge de honte en un éclair. C'était à la fois mignon et humiliant… mais il n'oserait jamais admettre qu'il n'aimait pas être qualifié ainsi, surtout pas à son patron.

Wonseok plissa les yeux et toisa son ami.

« Dis, tu fous quoi fringué comme ça ?

— Je viens pas en salle aujourd'hui, rétorqua Yeonu en haussant les épaules, flemme de me mettre en tenue de travail.

— T'as aucune crédibilité en tant que patron.

— Mais moi au moins je suis beau, se moqua-t-il d'un ton espiègle.

— La ferme, gamin. »

Yeonu leva le regard au ciel avant de saluer les deux garçons et de retourner à ses tâches, fermant derrière lui la porte de son bureau. Wonseok soupira puis se tourna vers son employé.

« Bonjour Junie, sourit-il, tu vas bien ?

— Oui, et toi ?

— Pareil. Désolé de t'avoir fait attendre, j'étais occupé de l'autre côté. Bon, allons discuter de cette photo. Viens. »

Il ouvrit la porte de son propre bureau, qui émit un grincement à peine perceptible, et fit signe à son cadet d'entrer le premier. Jungyu obéit, passant devant lui en courbant légèrement l'échine, toujours aussi intimidé à l'idée de tutoyer son supérieur et de devoir aborder avec lui l'épineuse question de ce selfie et des réactions qu'il pouvait avoir engendrées.

Jungyu s'installa sur la chaise face à celle sur laquelle s'assit son aîné. Celui-ci alluma son ordinateur et, après un court silence, le tourna vers Jungyu avec un sourire profondément bienveillant. C'était la page Twitter du café sur laquelle on pouvait voir son tweet. Le jeune homme sentit aussitôt son cœur palpiter et envoyer un puissant flot de sang à ses joues tandis qu'il baissait la tête.

« N'en rougis pas, le rassura Wonseok avec douceur, et ne détourne pas les yeux non plus. T'as fait exactement ce qui t'était demandé et même plus encore. Je sais que Sangchan t'a aidé, c'est super que tu puisses t'appuyer sur lui pour débuter. T'es vraiment très beau sur cette photo, à la fois naturel et adorable. N'en aie pas honte. Tout le monde a adoré. Même Yeonu, généralement le plus sévère de nous deux, a trouvé que c'était une excellente première photo.

— Oh c'est vrai ? »

Étrangement, ce détail fit naître au creux de son ventre une immense fierté : Yeonu était quelqu'un qui savait se montrer aussi bien doux que charismatique. Jungyu enviait la confiance en lui qu'il dégageait, et le fait qu'il ait aimé son cliché le réconfortait.

Wonseok opina.

« Oui, ajouta-t-il, je t'assure. Il a trouvé que t'avais beaucoup de potentiel, surtout avec les grandes lunettes de Sangchan. Faudrait que tu t'en trouves des similaires, mais avec des verres sans correction, histoire de pouvoir les porter de temps en temps sur tes photos – et même, si l'envie t'en prend, au café.

— Oui, pourquoi pas, acquiesça doucement Jungyu.

— Regarde le nombre de vues, de j'aime et de retweets : t'es extrêmement apprécié par nos abonnés. Quant aux réponses, j'en ai lu un paquet et je peux t'assurer que tu fais l'unanimité.

— J'en suis heureux.

— Alors leçon du jour : répondre aux abonnés. »

Jungyu sourit devant l'enthousiasme exprimé par celui qu'il considérait peu à peu non plus comme un supérieur mais comme un collègue. Wonseok et lui avaient passé beaucoup de temps ensemble jusque-là – et avec les cours de théâtre qu'il allait prendre avec lui, ils étaient bien partis pour se rapprocher encore – c'était sans doute pour cette raison qu'il se sentait plus proche de lui que des autres employés ici. Euijin et Minwoo étaient également des garçons avec qui il tissait des liens, probablement parce que c'était eux que Jungyu avait vus en premier lorsqu'il avait franchi la porte du café.

Doyeong en revanche, Jungyu ne l'avait connu que l'avant-veille et, puisqu'il était arrivé pour le service du midi, ils avaient eu trop de travail pour pouvoir réellement discuter.

Quant à Yeonu... bien qu'étant quelqu'un de visiblement patient et agréable, Jungyu peinait à le percevoir comme un simple collègue. Ils ne s'étaient après tout rencontrés que dans son bureau, difficile donc de le considérer autrement que comme un supérieur.

Un supérieur qui, il fallait néanmoins le reconnaître, ne le laissait d'emblée pas indifférent.

CHAPITRE 17

Sangchan – Je viens aux nouvelles ! Alors, comment ça s'est passé aujourd'hui ?

Jungyu – Hyung, il est 21h, j'ai du boulot à finir… T-T

Sangchan – Demain c'est dimanche, t'auras le temps. Je veux tout savoir !

Le jeune garçon soupira et fit glisser sa chaise de bureau pour pouvoir s'étirer en inspirant profondément. Il était arrivé chez lui une demi-heure plus tôt, après avoir quitté le travail. Il avait espéré pouvoir réviser, mais c'était visiblement sans compter sur Sangchan, toujours aussi curieux qu'à l'accoutumée.

Songeant qu'une pause ne lui ferait de toute façon pas de mal, il attrapa de nouveau son portable et s'installa sur son lit, tranquille, avec sa fiche de révision – qu'il prenait alors même qu'il n'y jetterait pas un seul coup d'œil, car il parlerait avec Sangchan, ça le distrairait trop pour penser à quoi que ce soit d'autre.

Jungyu – Bah écoute, Wonseok m'a un peu montré les réseaux sociaux, alors j'ai répondu à des gens qui me complimentaient ou qui me posaient des questions. C'était plutôt sympa, j'étais choqué qu'autant de monde s'intéresse à moi. X)

Sangchan – Faut pas t'étonner, t'as un charme fou je te l'ai toujours répété ! Et du coup, la journée s'est bien passée ?

Jungyu – Oui, Minwoo est resté pendant la moitié de mon service avant de partir, et j'ai passé l'après-midi avec Doyeong, on a pu discuter.

Sangchan – Doyeong-hyung est un ange, et c'est normal que tu t'entendes bien avec Minwoo-hyung aussi : c'est un vrai passionné de littérature !

Le cadet fronça les sourcils : Minwoo et lui n'étaient pas proches au point de discuter de leurs passions, ils n'avaient pas encore abordé ce sujet.

Jungyu – Ah bon ? Tu m'apprends quelque chose ! Il aime ça depuis longtemps ?

Sangchan – Bah depuis toujours je dirais, du moins depuis deux ans que je le connais il en est féru, ouais. Doyeong, lui, il est plutôt tourné vers l'art dans sa globalité. Minwoo, il préfère les lettres, surtout la poésie. Je crois qu'il écrit un peu, aussi. Wonseok m'a dit un jour que Minwoo lui avait montré un de ses textes et ça aurait carrément pu faire une chanson magnifique !

Jungyu – Ouah, c'est impressionnant !

Sangchan – Grave ! Mais il flippe, il veut jamais me montrer ce qu'il écrit. Vous êtes chiants tous les deux, pourquoi c'est les deux timides du groupe qui écrivent ? Je voudrais bien pouvoir lire toute l'étendue de votre talent… T-T

Jungyu sourit avec douceur, touché de ces mots. Que lui refuse de parler de ses livres était logique, après tout les protagonistes étaient leur portrait craché. Ça l'humilierait que Sangchan se reconnaisse et comprenne par ce biais les sentiments de Jungyu à son égard. Minwoo, en revanche… c'était de la poésie qu'il écrivait. C'était encore plus intime qu'un roman : un poème était un condensé de l'âme, réussir à le faire lire à quelqu'un s'avérerait très difficile. Pas étonnant que Minwoo, renfermé comme il l'était, n'ose pas les montrer à quiconque.

À part à Wonseok, bien sûr. C'était beau qu'il essaie de lui ouvrir son cœur de cette manière, en l'ayant laissé découvrir un de ses écrits. Wonseok avait-il compris à quel point il avait eu là un immense privilège ? Sans doute pas…

Jungyu – T'es adorable, ça me touche que tu penses ça. T-T

Sangchan – Pour me remercier, tu me feras lire tes romans ?

Jungyu – Non.

Jungyu – Jamais.

Sangchan – Au moins j'aurai essayé…

Jungyu – Bien tenté. X)

La conversation se poursuivit longuement, Jungyu la relançait dès qu'il le pouvait. Il aimait tant discuter avec Sangchan, c'était un tel bonheur ! Chaque fois son cœur lui paraissait porté par l'amour qu'il éprouvait pour lui. Il souriait naïvement à chaque message et rigolait bêtement aux blagues de son aîné, en parfait amoureux transi.

~~~

Le lendemain matin, dimanche donc, Wonseok fut réveillé par des lèvres agréablement occupées sur son ventre. Ses paupières papillonnèrent un instant avant de s'ouvrir ; il croisa le regard de Minwoo.

« Tenté par une petite fellation de bon matin ? le taquina le cadet d'une voix toujours ensommeillée.

— Non, j'aime simplement ton ventre, répliqua Minwoo en reposant la tête sur son torse tandis qu'il laissait la pulpe de ses doigts courir sur les abdominaux finement tracés de son ami. C'est un tort ?

— Pas du tout, sourit Wonseok amusé. Mais y a une autre partie de mon corps qui est jalouse.

— Tant pis pour elle.

— Dommage. Petit déjeuner ?

— Plus tard, je veux rester au lit…

— Mais hyung, j'ai soif. »

Le ton boudeur de son cadet finit par faire céder Minwoo qui se redressa avec une grimace et quitta à regret la chaleur de son bien-aimé. Il aimait tellement dormir entre ses bras, tout contre lui…

« Ah putain ! gémit aussitôt l'aîné, posant immédiatement la main au bas de ses reins.

— Courbatures ?

— Bordel, oui.

— Rallonge-toi, je vais préparer le petit déjeuner et je reviendrai m'occuper de toi.

— Non mais t'inquiète, je…

— C'était pas une question, hyung, reste au lit. »

Minwoo soupira et obéit. Un seul geste et il lui semblait que des dards enflammés se plantaient sévèrement dans le bas de son dos. En même temps, Wonseok n'y était pas allé de main morte la veille – et encore, c'était un euphémisme, il l'avait littéralement démonté. Résultat : Minwoo éprouvait une sensation de déchirure au moindre mouvement.

Allongé sur le ventre avec un oreiller entre les bras et sur lequel il avait posé la joue, il ferma puissamment les yeux puis expira en tentant de se détendre comme il le pouvait. Il l'avait bien cherché, c'était de sa faute s'il souffrait tant, il aurait dû prendre plus de précautions. Heureusement, l'odeur agréable de son cadet dans les draps de qui il était enveloppé apaisait légèrement ses maux.

Vêtu d'un simple jogging, Wonseok revint avec sur un plateau deux paires de baguettes, un grand bol de riz chaud et deux verres d'eau.

« J'ai fait réchauffer le repas d'hier soir, indiqua-t-il en laissant le plateau sur le lit auprès de Minwoo. C'est pas ouf, mais c'est le truc le plus rapide que j'aie pu faire.

— C'est gentil, merci beaucoup.

— C'est normal. Bois un coup, ça te fera du bien. »

Minwoo obéit sans rechigner tandis que Wonseok relevait la couverture pour dévoiler son corps. Son aîné se trouvait toujours en caleçon. Il reposa le drap sur ses jambes et s'agenouilla sur ses cuisses. Minwoo se sentit rougir mais se laissa faire docilement. Il dut se mordre l'intérieur de la joue lorsque Wonseok appuya les mains dans le creux de son dos et entama quelques légers mouvements.

« J'ai mis une poche de glace au congélateur, le temps qu'on regarde un film elle sera prête. Ça te dit de passer la matinée ici ?

— Pourquoi pas, acquiesça Minwoo qui contractait la mâchoire à ces gestes, je dois être rentré cet après-midi, par contre.

— Aucun souci. »

Le dimanche, le café n'ouvrait qu'en soirée, ils disposaient d'une journée libre. C'était sans doute ce qui expliquait leur endurance toute particulière les samedis soirs...

« Putain, geignit Minwoo en serrant l'oreiller entre ses poings.

— Je t'avais dit que t'étais pas assez préparé. La prochaine fois évite de vouloir faire le malin, tu souffriras moins.

— Me fais pas la morale, t'as déjà fait pire.

— Qu'est-ce que j'avais morflé, ricana Wonseok à ce souvenir qu'ils semblaient avoir en commun. J'avais pas pu aller bosser pendant deux jours. »

Minwoo sourit et laissa échapper un souffle amusé. Peu à peu, les mains chaudes de Wonseok sur ses reins apaisèrent ses maux. Les douleurs qu'il ressentait s'estompèrent lentement à mesure que le massage se poursuivait. Puisque chacun s'était retrouvé plus d'une fois dans cette situation délicate, ils savaient tous deux exactement où appuyer pour détendre l'autre et lui permettre de combattre au mieux la souffrance.

L'aîné ainsi ferma les yeux après une gorgée d'eau et se cambra légèrement quand son ami effectua une pression plus prononcée sur sa peau.

« Fais gaffe, tu vas me redonner envie avec ton petit cul juste sous mon nez, se moqua Wonseok en laissant volontairement une main effleurer son caleçon.

— Pas touche, » râla son collègue.

Il voulut relever le buste pour chasser les doigts baladeurs qui cherchaient à s'aventurer où ils n'avaient pas leur place, mais un gémissement de douleur lui échappa au premier geste et il enfouit aussitôt la tête dans l'oreiller.

« Désolé, s'excusa Wonseok en reprenant son massage. Bouge pas, tu vas te faire encore plus mal.

— C'est rien, j'ai l'habitude… »

L'autre ne répondit pas, toujours agenouillé sur ses cuisses. Minwoo fut surpris quand ses paumes cessèrent leur mouvement ; les secondes passèrent et alors qu'il s'apprêtait à demander à son ami s'il allait bien, il sentit, là, au creux de son dos, les lèvres de Wonseok déposer un baiser d'une douceur à laquelle Minwoo n'avait le droit que rarement.

Wonseok savait qu'ainsi, il allait lui faire du bien, raison pour laquelle il avait agi. Et cela fonctionna : des frissons se propagèrent le long de la colonne vertébrale de l'aîné qui poussa un soupir de plaisir. Il adorait quand son amant se montrait si délicat et attentionné. D'abord le massage, puis cet inattendu petit baiser où sa peau était si fine et sensible… la journée décidément s'annonçait bien. C'était dans ces moments-là qu'il en viendrait presque à oublier qu'ils n'étaient pas en couple. Tous ses problèmes s'évaporaient, depuis les maux de ses reins jusqu'à ceux qui occupaient son esprit.

Il était serein, profondément heureux.

~~~

Équipé de ses fidèles écouteurs, Jungyu somnolait en ce tranquille lundi matin dans le bus qui le conduisait à l'université. La tête contre la vitre, il tentait de regagner les heures de sommeil qu'il avait perdues à rédiger un chapitre de son dernier roman.

Mais il fallait le comprendre, c'était un chapitre important.

Comme le précédent, d'ailleurs… et celui d'avant encore… et puis celui qui avait précédé ces deux-là…

Bon, oui, peut-être qu'à ses yeux tous les chapitres revêtaient une importance cruciale, même les plus anodins. Mais qu'on en enlève un seul et plus rien ne tiendrait debout. Ça signifiait bel et bien qu'il n'existait pas de petits chapitres, non ?

Bref, il s'était couché tard – ou tôt, selon le point de vue – et sentait ses paupières à peu près aussi lourdes que le sac de bouquins qu'il avait prévu de rapporter à la bibliothèque dans la journée. Il espérait pouvoir dégager un peu de temps pour dormir avant de se rendre au travail, d'autant plus que sa séance d'entraînement avec Wonseok aurait lieu ce soir, mieux valait qu'il soit en forme, pour lui c'était toujours plus difficile de combattre sa timidité lorsqu'il était fatigué.

Plongé dans ses pensées, il sursauta vivement quand son téléphone vibra entre ses mains. Il ouvrit aussitôt les yeux et fut étonné d'y voir un SMS d'un numéro qui, jusque-là, le contactait peu (mais qu'il n'avait pas supprimé pour autant).

Eunhyeok – Salut, Hwang ! Comment tu vas ? Les potes et moi on se demandait si t'avais retrouvé du boulot, tu t'en sors mieux pour gérer tout ça ? Si y a un truc qui va pas, tu peux nous le dire, tu sais. On pourra peut-être pas faire grand-chose, mais on pourra toujours essayer. ^^

Touché par le message de son ancien collègue, Jungyu se rendit compte qu'effectivement, il n'avait même pas songé que ces garçons, desquels il s'était pourtant rapproché avant son départ, pourraient vouloir prendre de ses nouvelles. C'était… mignon. C'était bien le genre d'Eunhyeok de s'inquiéter sans arrêt pour lui.

Jungyu – Salut ! Je vais beaucoup mieux, t'en fais pas : j'ai retrouvé un boulot avec des horaires vraiment tranquilles et qui s'adaptaient parfaitement à ce dont j'avais besoin. J'ai redécouvert le sommeil… :P

Eunhyeok – Oh j'en suis heureux ! Ça se voyait que tu dormais pas assez, Dongho était pareil l'année dernière au moment de ses examens, il me faisait de la peine... T-T

Jungyu – Ah ouais, je me rappelle, il avait l'air d'un zombie, le pauvre... Mais dis-moi, comment ça va au restau ?

Eunhyeok – Oh bah ça va tranquille : le type qui te remplace est trop drôle. Hyeonseung, qu'il s'appelle. Un type cool. Bon, il est vachement grand, mais au bout d'une heure on s'est rendu compte qu'il était doux comme un nounours. Si tu veux mon avis, Dongho, quand il se met en colère, il fait plus peur que lui ! XD

Jungyu – Y a personne qui fait plus peur que Dongho en colère... XD

Eunhyeok – Mais on l'aime comme ça. À part ça, rien de bien intéressant à signaler.

Jungyu – Ta thèse avance ?

Eunhyeok – Y a des questions qui font mal, tu sais... T-T

Le jeune garçon sourit à son écran et descendit du bus sans arrêter de taper :

Jungyu – Te connaissant, t'es simplement en train de te sous-estimer, hyung. ^^

Amusant que de tels mots viennent de lui alors que c'était continuellement ce que lui-même faisait : se sous-estimer, sous-estimer son travail, sous-estimer ses compétences, sous-estimer tout ce qui pouvait l'être, en fait. Rien de ce qu'il accomplissait ne lui semblait jamais assez bien.

Il soupira puis leva les yeux de son écran pour voir l'université se dresser devant lui. Depuis qu'il pouvait de nouveau se trouver du temps pour dormir suffisamment, Jungyu éprouvait la sensation que les journées passaient plus vite. Peu à peu ses examens allaient se rapprocher. Il était certain de réussir son année, mais lui la voulait avec la meilleure note possible.

Or, comme lui avait un jour rappelé Sangchan : « t'as plus de chances d'avoir ton diplôme avec de bonnes nuits de sommeil qu'avec des heures et des heures de révisions épuisantes et inutiles ». Il savait bien que c'était un conseil qu'il devait appliquer.

~~~

Lorsque Jungyu arriva au café, il avait le nez rivé sur son portable : il avait pu dormir un peu avant de prendre le bus et il était en train de répondre à quelques personnes qui avaient laissé des messages sous sa photo.

Il allait d'ailleurs devoir en refaire une bientôt s'il devait en poster régulièrement, et puis comme le lui avait enseigné Wonseok, mieux valait être, pour commencer, assez présent sur les réseaux. Ainsi les abonnés pourraient le découvrir rapidement et s'attacher à lui. Le but après tout restait qu'il les pousse à venir consommer. C'était de cette manière que Yeonu avait réussi à se constituer une clientèle fidèle.

Et puis… c'était agréable pour lui qui n'avait aucune confiance en lui de voir des gens s'intéresser à lui, de répondre à leur question. Il se sentait comme une petite star.

« Junie, justement je te cherchais, intervint Wonseok alors que le jeune performeur venait tout juste de revêtir sa tenue de travail et son badge.

— Oh, hyung, c-comment tu vas ? demanda-t-il en rangeant son téléphone.

— Moi ça va très bien, et j'espère que toi aussi : un groupe de clientes vient d'arriver. Grâce à notre site, nos habitués savent quels performeurs sont présents et là, ce qu'elles ont commandé, c'est un menu spécial douceur chocolatée avec en vedette Minwoo et toi.

— M-Moi ? blêmit Jungyu.

— Ouaip. J'avais espéré qu'on te réclamerait pas avant notre petit cours de ce soir, mais tu sais bien que le timide et le mec froid, ça fait vendre. Minwoo est en train de servir d'autres clients, reste là : je lui ai dit de passer te voir au plus vite pour que vous puissiez discuter. On fait toujours un petit débriefing entre nous avant une performance, histoire de savoir au moins sur quel genre de scène on part. »

Jungyu se contenta d'opiner doucement.

Oh mon dieu, sa première performance !

CHAPITRE 18

Jungyu était présentement assis dans la salle de repos des employés, en train d'attendre Minwoo. Ses mains ne cessaient de jouer nerveusement l'une avec l'autre et, outre les soupirs qu'il poussait à intervalles réguliers, on pouvait également entendre ses jambes s'entrechoquer : impossible de rester en place quand il se trouvait dans une situation trop stressante.

« Hey, Junie. »

Jungyu se tourna lorsque Minwoo referma la porte et vint s'asseoir près de lui d'une démarche tranquille. Il savait bien que le jeune performeur serait mort de peur, raison pour laquelle il avait décidé de se montrer plus serein que jamais.

« Wonseok t'a dit quel menu avait été pris ? s'enquit-il.

— L-La douceur chocolatée, murmura Jungyu qui avait honte du simple fait de prononcer ces mots qui lui paraissaient ridicules.

— Exact. En général, dans ce cas-là, on fait le coup du « t'as du chocolat sur les lèvres », ça t'irait ? »

Minwoo lui adressait un regard tendre, des gestes lents et un sourire très léger. Il parlait avec un débit moins rapide qu'à l'accoutumée et un ton un peu plus grave qui accentuaient encore la sensation d'apaisement qu'il dégageait.

Un vrai professionnel, aucun doute.

« Oui, m-mais ça va être gênant et... je sais pas si j'y arriverai, je veux pas... enfin, je veux pas te pénaliser : jouer avec quelqu'un comme moi, ce sera pas facile...

— Junie, ces clientes connaissent bien le café, elles savent que t'es nouveau et je suis sûr qu'elles seront satisfaites de ce que tu montreras. Écoute, t'as de la chance que ta première performance se fasse avec moi : généralement, dans une scène yaoi entre un jeune garçon excessivement timide et un autre de type badboy, c'est pas le timide qui prend les rênes, il est au contraire plutôt passif et se contente de réagir à ce que l'autre dit ou fait.

« Bien sûr tu t'en doutes, on voudrait quand même un minimum d'initiative venant de toi, mais pour aujourd'hui je vais tout contrôler et tu te contenteras de bégayer, de rougir et d'être mignon comme tu sais si bien le faire, d'accord ? Aucune pression, je prends tout en charge, ça te va ? »

Minwoo, tandis qu'il parlait, s'était légèrement penché vers son cadet. Ils étaient assis côte à côte mais l'aîné avait tourné sa chaise de sorte à lui faire face, et il avait posé une main bienveillante sur son genou dans l'espoir de le réconforter. Jungyu pouvait presque entendre son propre cœur battre : pour un garçon censé jouer un type froid, Minwoo lui apparaissait comme quelqu'un d'excessivement gentil et rassurant.

Timide comme il l'était, Jungyu aurait cru se sentir gêné que la paume de son collègue s'appuie là, sur lui, mais le geste demeurait si tendre et se voulait si innocent qu'au contraire, ça le réchauffait et l'apaisait. Ses jambes avaient cessé de trembler dès que Minwoo y avait posé la main. C'était agréable…

« Oui, ça me va, souffla Jungyu au terme de quelques secondes et de profondes respirations.

— Parfait, sourit Minwoo, Wonseok nous amènera un fondant au chocolat pour la scène. J'en prendrai un morceau pour te le donner et je ferai exprès de t'en mettre juste un peu au coin des lèvres. T'imagines bien la suite : je te fais remarquer que t'en as un peu et je te l'enlèverai à ma manière. Toi, essaie simplement de pas être trop crispé ou statique. Si tu flippes, regarde-moi dans les yeux et ignore le reste. C'est la première fois que tu performeras vraiment, je te guiderai du début à la fin : il est hors de question de t'abandonner directement et de te demander la lune. Je sais bien que t'as du potentiel, mais il faut du temps pour être à l'aise devant les clients. Tu me fais confiance ? »

Convaincu, le cadet acquiesça. Puisqu'il avait gardé les yeux baissés, il ne put voir s'agrandir le sourire de son collègue : Minwoo avait été comme lui – à ce détail près que Yeonu et Wonseok l'avaient considéré non comme un lapereau effrayé mais comme un chaton terrifié. Ça revenait au même.

Et c'était Wonseok qui, une main sur son genou, l'avait rassuré avant sa toute première performance et l'avait soutenu ensuite en répétant avec lui chaque fois que le café fermait ses portes. À l'époque où il était encore très renfermé, ça l'avait énormément aidé que son ami lui montre qu'il pouvait se fier à lui et se reposer sur lui. Il n'était jamais seul.

« Oui, approuva donc Jungyu une fois de plus, je te fais confiance.

— Parfait. Wonseok nous fera signe quand les clientes en seront au dessert, en attendant faut retourner bosser. Tout va bien, t'as des questions ?

— Si je bégaie trop ou que je rougis, je fais quoi ? demanda le jeune garçon d'une petite voix.

— De ton côté, t'essaieras de te concentrer pour garder un air calme et pas trop tendu, moi je prendrai la scène en charge. Concentre-toi sur toi-même pour commencer, ensuite, quand t'en seras capable, tu pourras te concentrer réellement sur la performance.

— Merci… merci beaucoup, Minwoo-hyung.

— C'est normal, répliqua l'aîné en se redressant, je vais quand même pas te laisser dans l'embarras dès ta première performance. »

Jungyu lui rendit le sourire qu'il lui offrit alors et les deux garçons repartirent en salle.

Bien évidemment, se concentrer fut, pour le plus jeune, quelque chose de particulièrement difficile. Il n'arrêtait pas de tourner et retourner la scène à venir dans son esprit, impossible de penser à autre chose. Il était à ce point obnubilé par son propre stress qu'il ne se rendait pas compte que ce même stress, Minwoo le ressentait lui aussi de plus en plus : il n'était plus du genre à se sentir anxieux avant une performance, c'était devenu un jeu d'enfant, mais voir Jungyu à ce point effrayé le préoccupait. D'une part il craignait une immense bourde de la part de son cadet, et d'autre part ça le renvoyait à son passé, quand c'était lui-même qui supportait cette insoutenable boule d'angoisse peser sur sa conscience.

Or, il avait promis de prendre toute l'inquiétude de son collègue en charge, alors s'il fallait que cette fois il se mette un peu plus la pression que d'habitude, il survivrait. Il avait déjà connu pire, ce n'était pas cette petite scène qui allait le déstabiliser.

~~~

« Prêt ? s'enquit Minwoo.

— Oui, j-je pense. »

Les deux garçons se trouvaient en cuisine avec Wonseok qui s'apprêtait à amener le dessert à son petit groupe de clientes. Minwoo passa la main dans le dos de son cadet et y effectua une légère caresse pour l'encourager, toujours aussi bienveillant. Wonseok quitta le premier la pièce, suivi finalement par les deux autres qui adressèrent un sourire à Shino, seul cuisinier présent à cette heure creuse du milieu d'après-midi.

Arrivés à la table où ils étaient attendus, les deux collègues saluèrent le trio de filles et leur demandèrent s'ils pouvaient s'asseoir pour se joindre à elles. Les demoiselles, dont l'une avait le rouge aux joues, acquiescèrent et se décalèrent pour laisser les deux garçons s'installer sur la banquette, face à elles.

Jungyu pouvait presque entendre son propre cœur battre à ses oreilles. Comme le lui avait demandé Minwoo néanmoins, il concentrait tous ses efforts sur sa façon de se tenir, afin de ne pas sembler trop inquiet. Jusque-là, il avait simplement soufflé un « bonjour » pratiquement passé inaperçu, et désormais le voilà à côté de son collègue. Un petit fondant au chocolat se trouvait juste devant lui, il jeta un œil étonné à son ami qui afficha un sourire, espérant visiblement cette réaction de sa part.

« Eh bien, Junie, tu veux pas le manger ? » s'enquit-il avec un air moqueur.

La scène avait commencé, Jungyu prit son courage à deux mains.

« J-Je… »

Ça commençait mal : qu'est-ce qu'il devait dire ?

« Laisse, je vais le faire. »

Le jeune garçon souhaita lui demander de quoi il parlait quand Minwoo prit la petite cuillère argentée qui bordait l'assiette, coupa le fondant en son cœur, là où il était coulant, et jeta un regard malicieux à son cadet.

« Allez, Junie, ouvre la bouche.

— C-C'est gênant, souffla Jungyu en affichant une moue adorable.

— Alors tu veux pas goûter ? »

Jungyu releva les prunelles sur la cuillère que Minwoo avait menée devant lui pour l'inciter à obéir. Il finit par baisser les armes et s'exécuta, entrouvrant les lèvres. De cette manière, il était certain que son collègue pourrait plus facilement lui en mettre à côté.

Son aîné justement se passa la langue sur le pourtour de la bouche et, sans quitter celle de son cadet des yeux, il lui donna le petit bout de gâteau. Jungyu rougit lorsque la pâtisserie encore chaude lui caressa le palais. C'était bon, vraiment bon, et il pouvait d'emblée sentir un peu du coulant chocolaté au coin de ses lèvres. Il veilla à ne pas l'en retirer.

« Oups, s'excusa alors Minwoo en reposant la cuillère, je suis maladroit, t'as un peu de chocolat sur la bouche.

— Ici ? s'enquit innocemment Jungyu en frottant doucement au mauvais endroit.

— Non, juste un peu plus à droite... attends, je vais le faire. »

Jungyu sentit aussitôt ses joues déjà pourpres s'enflammer. Minwoo enroula un bras autour de sa hanche pour le tirer tout contre lui, de sorte que leurs deux cuisses s'entrechoquent.

« Bah alors, mon Junie, on est timide ?

— Non… c'est pas vrai…

— Tu mens autant que tu rougis. »

Jungyu ne sut pas quoi répondre, mis une nouvelle fois en difficulté, et se contenta de garder le silence pendant quelques secondes, quelques secondes qui suffirent à Minwoo pour poser l'index sous son menton et l'obliger à relever légèrement la tête. Il glissa ensuite, dans des gestes presque envoûtants, la main jusqu'à la lèvre de Jungyu sur laquelle il passa consciencieusement le pouce.

« Voilà, murmura-t-il tout à coup plus bas, mon petit Junie est tout propre.

— Je suis pas ton petit Junie, protesta Jungyu d'un ton boudeur. Je suis pas à toi…

— Oh vraiment ? Pourtant ces jolies rougeurs continuent de te trahir… mon petit Junie. »

Ces derniers mots, Minwoo les avait soufflés tout près de son oreille après s'être approché lentement de lui. C'était… perturbant. Il n'était décidément pas habitué à une telle proximité avec quiconque – à part Sangchan. C'était étrange, mais… pas déplaisant.

C'était tout ce qu'il avait rêvé de voir chez Sangchan, jamais on ne l'avait dragué avant son arrivée dans ce café. Il avait beau se sentir gêné qu'on fasse attention à lui à ce point et qu'on le couve autant de douceur, ça faisait naître en lui un agréable brasier qui lui réchauffait le cœur. Minwoo était un garçon magnifique, impossible de nier, et ce magnifique jeune homme avait présentement son visage si près du sien qu'un seul mouvement d'un des deux permettrait à leurs deux bouches de s'unir.

Jungyu se surprit à envisager ce scénario, même si embrasser un autre performeur était interdit. C'était les hormones qui parlaient, ces pulsions qu'il devait sans cesse taire et qui, maintenant que Minwoo lui caressait la lèvre à l'aide de la pulpe du pouce, refaisaient surface plus que jamais.

Alors il allait vraiment s'agiter... juste pour ça ? C'était ridicule, non ? Il était pathétique... Minwoo faisait simplement son travail – en plus de quoi il assumait également en partie le travail de Jungyu – et lui, il l'imaginait l'embrasser.

Inévitablement, le regard du garçon tomba doucement sur la bouche de son aîné. Fine, sans doute plus que celle de Sangchan. Elle semblait délicate, idéale pour ce genre de baisers réputé pour vous donner des papillons dans le ventre : des baisers chastes et innocents.

Le jeune homme releva les yeux pour croiser ceux de Minwoo qui recula de quelques centimètres seulement.

« T'as perdu ta langue, tu voudrais que j'aille la chercher ? le taquina encore Minwoo.

— C-C'est ridicule, arrête de me gêner.

— Pourtant t'as pas l'air de détester ça, hein ? »

Jungyu baissa la tête, honteux, et ne reporta son regard sur Minwoo que lorsque ce dernier l'y força une fois de plus en prenant son visage en coupe.

« C'est injuste, mon Junie, souffla-t-il tout contre ses lèvres desquelles il s'était de nouveau approché, t'as pas le droit de faire ça à mon cœur...

— De... de faire quoi ?

— Tu le sais très bien. Tu me donnes envie... de te protéger, de te chérir... j'ai jamais ressenti ça avant. C'est pas comme ça que je fonctionne.

— Alors... tu pourrais peut-être changer... pour moi.

— T'accepterais de m'aimer si je changeais ?

— M-Moi, hyung… j-je t'aime déjà, t-tu sais… »

Jungyu se mordit la lèvre avec un sourire timide, trop humilié de sortir une phrase aussi bateau.

« T'es beaucoup trop craquant, Junie. »

Minwoo lui embrassa avec douceur le bout du nez puis le front, provoquant chez son cadet des rougeurs plus franches. Les mains de Minwoo sur ses joues lui permettaient de se concentrer uniquement sur lui et l'obligeaient à se focaliser sur cette scène au point qu'il en avait presque même oublié les trois spectatrices. Il était simplement… emporté par tout ça, submergé de sorte que jeu et réalité se confondaient.

Une performance. Pas de texte, pas de directives, tout devait venir instinctivement pour sembler naturel. C'était sans doute pour ça que ça paraissait si réel à Jungyu. Il n'existait pas ici les artifices du théâtre. Ça donnait une impression de sincérité.

Un dernier baiser fut déposé sur son front et Minwoo se recula avant de se rasseoir correctement, rapidement imité par Jungyu qui se racla la gorge en passant une main gênée sur ses vêtements qui n'avaient pourtant pas besoin d'être défroissés.

« Nous espérons que ce petit moment vous a plu, sourit Minwoo, profitez bien de vos desserts. »

Il donna un léger coup de pied à Jungyu qui souhaita un bon appétit aux filles avant de se redresser et de s'incliner. Les adolescentes gloussèrent, ravies du spectacle : familières des lieux, il leur arrivait de choisir le menu spécial, et la photo postée par Jungyu avait aussitôt éveillé leur intérêt. Il paraissait avoir leur âge et dégageait cette fragilité délicate qui les avait fait craquer. Elles devaient bien admettre que constater que le jeune homme s'avérait un peu plus grand que Minwoo les avait étonnées, mais... étant donné qu'il avait cette adorable habitude d'avoir le dos faiblement courbé et la tête rentrée dans les épaules, il semblait malgré tout plus petit une fois assis.

Il était à croquer, elles étaient d'emblée tombées sous son charme.

Les deux performeurs s'éloignèrent, Minwoo prit avec douceur le poignet de son cadet qu'il attira jusque dans le vestiaire des employés après un rapide « faut qu'on parle ». Sans en comprendre la raison, Jungyu, inquiet, sentait son cœur palpiter contre ses côtes.

CHAPITRE 19

Minwoo referma la porte derrière eux. La salle de repos était vide et le ventre de Jungyu se tordit. L'air sombre et sérieux de son aîné disparut lorsque ce dernier le prit dans ses bras avec un large sourire.

« C'était nickel, Jun, t'as géré de fou, je suis fier de toi. »

Étonné mais tout à coup envahi d'une profonde sensation de soulagement, Jungyu ferma les yeux et s'abandonna à cette étreinte amicale qu'il rendit à son aîné.

« Merci beaucoup, hyung. C'est toi qui as été génial. »

Il le relâcha finalement et les deux s'écartèrent. Minwoo posa un regard empli de tendresse sur le maknae et alla chercher une petite bouteille d'eau qu'il avait laissée sur la table de la salle. Il but rapidement avant de sourire à nouveau :

« Au début, admit-il, j'ai cru que tu serais pas capable d'aligner une suite de mots cohérents. Ça a pris un peu de temps mais j'étais heureux de voir que tu te détendais. Tu t'es pas senti trop mal à l'aise, ça allait ? J'espère que je t'ai pas trop brusqué.

— Non, non, t'inquiète, répliqua Jungyu gêné de tant de considération. Je te dois beaucoup, t'as été parfait, je… je me suis vraiment senti en confiance, t'en fais pas.

— Génial, j'en suis heureux… mon Junie. »

Et sur ces mots, il frotta énergiquement la tignasse de son cadet qui éclata d'un rire sincère.

« D'ailleurs, reprit-il, la prochaine fois que t'auras envie de m'embrasser, regarde-moi plus discrètement. Là ça crevait les yeux.

— M-Mais q-qu'est-ce que tu racontes ! s'empourpra aussitôt Jungyu.

— T'inquiète, c'est normal : être aussi proches ça laisse pas indifférent.

— J-J'ai pas voulu t'embrasser ! riposta-t-il encore.

— Je sais pas ce qui te contredit le plus : tes joues rouges ou tes soudains bégaiements ? »

Jungyu baissa les yeux, honteux, et souhaita partir. Il eut cependant à peine esquissé un mouvement que déjà Minwoo lui attrapait le poignet pour le tirer à lui. Son cadet s'effondra pratiquement contre son torse et ne fut secouru que par ses bras maigres enlacés autour de lui.

« Hyung !

— Je te taquinais, sourit Minwoo. Et si ça peut te rassurer, moi aussi quand je suis dans ce genre de situation, aussi près d'un magnifique jeune homme, j'ai parfois tendance à avoir un petit regard pour ses lèvres en me demandant quel goût elles peuvent avoir.

— C'est vrai ? »

C'était exactement ce qu'il avait ressenti. Alors Minwoo avait eu les mêmes pensées que lui ? Il n'avait pas à en avoir honte ?

« L'attirance physique est naturelle, ça veut pas dire que t'es amoureux de moi ou que je le suis de toi, ça veut juste dire que physiquement, on se plaît. Mais ça c'est pas un scoop : on a tous les deux été recrutés ici en partie pour notre physique. Et puis on passe nos journées à se draguer les uns les autres, y a forcément un moment où on a cette petite voix en nous qui nous dit « ça ferait quoi si c'était vrai ? ». Sérieux, faut pas en avoir honte. Je voulais pas te vexer, je suis désolé. »

Jungyu, que son collègue avait relâché sans pour autant libérer son poignet, opina.

« Je me suis senti stupide, confia-t-il tout bas. Je m'en suis voulu de te regarder comme ça…

— Ça me flatte plus que ça me gêne, déclara Minwoo, t'as pas à te sentir humilié de regarder un garçon qui te plaît.

— T'es sûr ?

— Ouaip.

— Sûr de chez sûr ? »

Minwoo soupira et attrapa avec douceur le menton de son cadet entre le pouce et l'index. Jungyu ouvrit des yeux ronds comme des billes lorsqu'il le vit se rapprocher. Il resta immobile, Minwoo l'embrassa juste au bas de la joue, tout près de ses lèvres vierges.

« Oui, souffla l'aîné en s'écartant finalement, sûr de chez sûr. T'en es convaincu maintenant ?

— Hyung…

— Quoi ?

— C'était super bizarre, rigola Jungyu.

— Exactement, sourit à son tour Minwoo. Faut en rire, on est entre potes, on est des performeurs, y a aucun sentiment entre nous alors éclate-toi sans t'inquiéter du reste. On fait juste semblant, c'est pour s'amuser. Tu vois bien. »

Jungyu hocha vigoureusement la tête, un sourire enjoué toujours scotché aux lèvres. Alors qu'il s'avérait timide, l'acte de Minwoo l'avait, en quelques sortes, détendu. Il lui avait prouvé qu'il avait le droit de ressentir de l'attirance sans que pour autant ça signifie quoi que ce soit. Et il avait complètement raison : à ce baiser si proche de sa bouche, Jungyu avait senti son cœur sursauter... pourtant c'était bien loin d'être aussi puissant que quand Sangchan effleurait simplement ses doigts du bout des siens. Un seul minuscule contact avec celui qu'il aimait se révélait pour Jungyu bien plus fort que tout ce que Minwoo pourrait lui offrir.

Ça le rassurait. Son aîné décidément avait un don pour le réconforter.

« Allez, retournons en salle, termina ce dernier avec un signe de tête en direction de la porte, les autres vont pas tout gérer seuls, ils ont besoin de nous. »

Une fois de plus, Jungyu acquiesça rapidement et ils sortirent de la pièce après un ultime remerciement que le jeune homme adressa à son collègue.

Il ne s'était plus senti aussi bien entouré depuis longtemps, c'était agréable de compter autour de lui tant de personnes qui semblaient dignes de confiance. Pourvu que tout se poursuive en ce sens...

~~~

« Assieds-toi, te dérange pas. »

Jungyu obéit à son supérieur et s'installa sur la chaise qu'il lui montrait. Wonseok referma la porte et passa de l'autre côté du bureau pour s'asseoir également.

« Tu peux te reposer un peu avant qu'on commence à bosser, y a un canapé juste là si tu veux être tranquille. Je finis un peu de paperasse et on pourra s'y mettre, ça te va ?

— D-D'accord. »

Jungyu déglutit et tourna les yeux pour découvrir que, comme Yeonu, Wonseok possédait un petit sofa dans un coin de son bureau, vers les bibliothèques. Il se redressa et alla s'y installer confortablement avant de tirer son portable de sa poche pour réactiver le wifi, offert ici.

Les notifications se mirent à pleuvoir et un sourire attendri orna son visage tandis qu'il les faisait défiler lentement.

Il était vingt heures vingt-cinq très précisément. Le restaurant était fermé depuis bientôt une demi-heure et tout était désormais rangé et propre. Jungyu était resté aider Wonseok de sorte à pouvoir après suivre ce fameux cours de théâtre avec lui. Il avait hâte autant qu'il était anxieux. Avoir performé pour la première fois un peu plus tôt dans l'après-midi lui avait permis de mieux appréhender ce cours et à prendre du recul vis-à-vis de la façon dont il devait se comporter au café. Jusque-là, il avait peiné à se détacher de Jungyu pour incarner Junie. Désormais, il comprenait de mieux en mieux ce qu'on attendait de lui.

Au sujet de la théorie, donc, ça devenait plus clair. En revanche, au sujet de la pratique, il allait falloir encore pas mal de travail…

Ce ne fut qu'au terme d'un bon quart d'heure que Wonseok, après s'être excusé auprès de son employé, éteignit son ordinateur et concentra son attention sur le jeune garçon qui, quant à lui, rangea son téléphone dans sa poche. Jungyu était allé se changer un peu plus tôt, il avait remis son t-shirt à manches longues et replacé son polo dans son casier au vestiaire.

« Bon, Jungyu, dis-moi tout : comment s'est passée cette scène avec Minwoo ? J'aurais bien voulu pouvoir vous regarder de loin mais j'étais trop occupé. Tu t'en es sorti ? Comment tu l'as vécue ?

— E-Eh bien… au début j'étais vraiment gêné, admit Jungyu, mais ensuite ça allait mieux et… c'était pas si mal en fait.

— Ça t'a plu ? s'étonna Wonseok avec un sourire bienveillant.

— Je crois… oui, je crois que ça m'a plu. Enfin… c-c'était vraiment gênant, heureusement que hyung était là pour m'aider. Mais il a dit que je m'en étais bien sorti.

— C'est aussi ce qu'il m'a dit, approuva Wonseok.

— Ah bon ?

— Bien sûr. J'ai eu son point de vue, je voulais vos deux avis : j'avais peur que t'essaies de me cacher tes impressions, alors j'ai d'abord demandé à Minwoo comment ça s'était passé.

— Pourquoi ? Enfin… je comprends pas.

— Je veux être sûr que si tu te sens mal à l'aise ici, tu me le diras. Je voulais m'assurer que tu sois honnête.

— Oh… je vois…

— De ce côté-là au moins je suis rassuré, tu m'as pas menti, je peux te faire confiance pour me dire si quelque chose ne va pas. Minwoo m'a dit que t'avais même dialogué un peu avec lui à la fin, n'est-ce pas ?

— Oui, acquiesça Jungyu en baissant les yeux sur ses mains. J'ai essayé… de répondre un peu… comme il me l'avait demandé.

— Et donc ça t'a bien plu ?

— Oui, je crois.

— Tu crois ?

— J'ai beaucoup stressé, alors… enfin, c'est pas la faute de Minwoo, hein, mais je…

— Je comprends, le coupa Wonseok qui lui offrit un sourire sincère. Tu penses avoir bien aimé mais t'as pas vraiment pu profiter du moment, t'étais encore trop focalisé sur ton angoisse. »

Jungyu acquiesça et se pinça les lèvres, ne sachant pas quoi dire de plus.

« Bon, reprit son aîné après un court silence, tu te sens prêt à essayer des cours avec moi ?

— Je crois…

— T'es jamais sûr de rien, hein ? s'amusa Wonseok d'un ton attendri.

— J-Je veux dire que… je ferai de mon mieux mais… je suis pas sûr d'y arriver.

— Mais Jungyu, je ne t'ai pas demandé d'y arriver tout de suite, je t'ai demandé d'essayer et de t'entraîner. La vie serait trop facile si on savait tout faire avant même d'avoir eu le temps de galérer un peu, tu crois pas ? »

Son ton espiègle rassura le jeune garçon qui opina.

« Dans ce cas, affirma-t-il, je suis prêt à essayer, oui.

— Super. On va y aller tranquille, par étape : d'abord, il faut que tu sois à l'aise avec ton partenaire. Que ce soit Doyeong, Minwoo ou moi, ça fait aucune différence. Tu dois pouvoir te sentir en confiance avec nous trois. Je sais que tu t'es pas mal rapproché de Minwoo puisque vos horaires coïncident, mais hésite pas à prendre du temps pour discuter avec Doyeong et peut-être même un jour déjeuner ou dîner avec lui : plus vous serez complices, meilleures seront vos performances. C'est pour ça qu'aujourd'hui on va essentiellement travailler sur ton aisance. Ça se voit que t'es pas quelqu'un de tactile, ta posture à elle seule trahit que t'es fermé.

— Comment ça ? s'étonna le jeune performeur.

— Jambes croisées, bras croisés, tête dans les épaules, énuméra Wonseok en le toisant rapidement. T'es pas à l'aise, même physiquement t'es complètement replié sur toi-même. »

Jungyu baissa les yeux sur ses jambes pour se rendre compte qu'effectivement, ses pieds se croisaient de sorte que ses tibias le faisaient également. De même, il avait naturellement enroulé les bras autour de son corps et, comme à son habitude, il avait la tête rentrée entre les épaules.

Il poussa un soupir de dépit qui tira un sourire à Wonseok.

« C'est rien du tout, affirma ce dernier. Commence par te détendre puis décroise les jambes et pose simplement les mains sur les cuisses. Et tiens-toi un peu plus droit, la tête haute. Le dos voûté, c'est bien pour quand tu veux sembler timide, mais c'est pas bon d'être toujours assis comme ça.

— Je suis pas supposé avoir l'air timide ? s'interrogea Jungyu en suivant les conseils de son aîné.

— Si, en avoir l'air, souligna Wonseok. T'es timide alors tu peux jouer ce rôle, mais c'est pas pour autant que t'as pas le droit d'être à ton aise devant les clients. Ça risquerait de finir par te dégoûter de ce travail. »

Jungyu hocha lentement la tête et Wonseok s'assit à côté de lui.

« Premier cours, sourit le jeune homme en sortant son téléphone de sa poche, s'habituer au contact et faire ses premiers pas dans la peau de son personnage. »

Jungyu fronça d'abord les sourcils et vit que Wonseok allait sur un site d'animés en streaming. Le jeune homme en sélectionna un puis, se rapprochant de Jungyu pour se trouver tout contre lui, il passa un bras autour de ses épaules.

« Les jambes, lui reprocha Wonseok aussitôt que Jungyu les eut croisées de nouveau.

— D-Désolé…

— Pour aujourd'hui, on va simplement regarder les premiers épisodes de cet animé, un yaoi qui a pour personnage principal un garçon avec une personnalité similaire à la tienne. Ça te donnera des idées de répliques, de mimiques et de réactions. Faut que tu t'inspires de ces personnages si tu veux pouvoir t'en imprégner. Et pendant tout le temps qu'on regardera ça, interdiction de croiser les jambes, les bras ou de rentrer ta petite bouille dans tes épaules. Je veux que tu te détendes. Je sais que c'est pas facile d'être à l'aise avec quelqu'un de tactile quand on n'aime pas le contact, donc il va bien falloir t'habituer.

— Je vois…

— Le programme de la séance te va ?

— Oui, approuva Jungyu, j'avais un peu peur de ce qu'on allait faire mais… je suis rassuré. »

Il avait craint que Wonseok ne tienne à essayer de performer directement une scène avec lui. Pour sûr, ça l'aurait aussitôt mis extrêmement mal à l'aise. Alors constater que son aîné avait anticipé ça et lui apprenait d'abord à avoir plus confiance en son partenaire, ça lui semblait… rassurant, comme tout ce que Wonseok faisait toujours. Il avait beau paraître assez extravagant, il demeurait quelqu'un de particulièrement réfléchi qui comprenait ses employés.

Ainsi, le jeune garçon, malgré sa timidité maladive, tenta de se décontracter dans cette étreinte amicale. Il concentra son attention sur l'animé et essaya d'aller contre son instinct qui lui réclamait de croiser les jambes et de se fermer à Wonseok. Bien qu'il ne parvienne pas à se sentir complètement à l'aise, il fit néanmoins en sorte de ne rien en montrer.

Wonseok quant à lui, un bras autour de son cadet, avait bien remarqué les muscles crispés de ce dernier et son corps raidi contre le sien qui s'avérait parfaitement détendu. Il faudrait du temps à Jungyu pour apprendre, certes, mais au moins il s'y efforçait, preuve qu'il était habité par la volonté de réussir.

C'était ça, le plus important et, en vérité, c'était également ça qu'il désirait vérifier lors de cette première leçon dont il ferait un compte-rendu détaillé à Yeonu dès le départ de Jungyu. Leur maknae en effet pourrait progresser uniquement s'il s'en donnait les moyens, s'il acceptait de se fier à Wonseok et ses autres collègues.

Visiblement, ça, c'était une chose acquise. Ne restait plus qu'à être à l'aise avec eux et être capable d'improviser comme ils le faisaient au quotidien.

CHAPITRE 20

Lorsque midi arriva, le professeur libéra ses étudiants après avoir rappelé à un groupe qu'ils seraient les prochains à présenter leur travail. Jungyu rangea en vitesse ses affaires et balança son sac sur ses épaules avant de filer.

« Hwang Junie ! Ralentis ! »

L'appelé obéit immédiatement et fit volte-face pour voir Sangchan lui faire signe et venir à lui. Jungyu, se rendant compte de la façon dont l'avait interpelé son aîné devant tout le monde, rougit de gêne et rejoignit rapidement son ami.

« Hyung, je croyais qu'on devait se retrouver devant le distributeur du hall…

— On a pu sortir avant alors j'y suis déjà passé, sourit Sangchan dont Jungyu remarqua qu'il tenait un sandwich et une canette de soda à la main.

— Oh… d'accord.

— Allez, viens, mon coca me fait de l'œil depuis tout à l'heure, j'ai la dalle ! »

Sangchan partit d'un pas assuré, rapidement imité par son cadet qui le rattrapa en quelques enjambées. Il s'étonna d'ailleurs qu'ils n'aillent pas dans les couloirs dans lesquels ils avaient l'habitude de traîner au déjeuner. Sangchan répliqua qu'il n'avait simplement pas cours cet après-midi-là.

« Du coup, je me suis dit qu'on pouvait aller manger chez moi, expliqua-t-il.

— Bah alors pourquoi t'as pris un sandwich ?

— Flemme de cuisiner, t'as cru quoi ? »

Un sourire s'étira sur les lèvres du plus jeune qui leva les yeux au ciel. C'était mardi aujourd'hui et il savait déjà à quoi s'attendre une fois qu'ils seraient seuls dans la chambre de Sangchan.

« Alors, sourit ce dernier une fois la porte refermée derrière eux, comment se sont passés les cours de théâtre avec hyung ? »

L'heure de l'interrogatoire. C'était couru d'avance...

« Il m'a pris dans ses bras et on a regardé un animé, résuma Jungyu certain que sa réponse étonnerait son ami.

— T'es pas sérieux...

— Si, je te jure, le but c'était juste que je me sente à l'aise avec lui, alors je devais rester contre lui pendant les trois épisodes qu'on a mis.

— C'est pas ce que j'avais imaginé, râla l'autre.

— J'ai aussi fait une performance avec Minwoo-hyung dans l'après-midi... C'était ma toute première. »

Le regard de Sangchan s'arrondit de surprise. Lui qui, assis à la table, s'apprêtait à croquer son sandwich, il laissa tomber son déjeuner et déplaça aussitôt sa chaise pour s'approcher le plus possible de Jungyu qui mangeait tranquillement son repas, un sourire malicieux aux lèvres.

« Bon, Junie, je veux savoir le menu qui a été commandé, la scène que vous avez faite, le temps qu'elle a duré, le ressenti des clients, le tien, celui de Minwoo, la température qu'il faisait, le taux d'humidité de l'air, ta fréquence cardiaque et la couleur de tes joues de lapin.

— Euh... j'ai pas tout saisi, répondit Jungyu en plissant les yeux avec une moue dubitative.

— Junie… question primordiale : est-ce que Minwoo-hyung sentait bon ?

— Hein ?

— Bah quoi ? C'est important, imagine il a traîné en cuisine et il sent le gras. Ça donne pas envie de jouer une scène romantique. Alors ?

— I-Il portait une vague odeur de parfum, je crois… Il sentait bon. C'était agréable de jouer avec lui…

— Intéressant… C'était quel menu ?

— Chocolat.

— Oh, je vois, je vois, et ça s'est bien passé ?

— Je trouve que oui, j'ai… j'ai eu beaucoup de mal au début, mais au bout de quelques instants je me suis senti plus à l'aise… Hyung est quelqu'un de rassurant. »

Sangchan sourit en acquiesçant vivement.

« Ils sont tous vraiment très gentils, dans tous les cas tu risquais pas d'être abandonné. T'as réussi à être un minimum à l'aise pendant la performance, du coup ?

— Oui, j'ai même parlé un peu, » opina Jungyu d'une voix timide.

Aussitôt, il regretta sa réponse : c'était ridicule, non ? Il était fier d'avoir parlé, lui qui était supposé pouvoir performer sur commande et rester dans son rôle une fois la scène achevée. C'était une bien pathétique victoire…

« Eh, c'est quoi ce petit minois tout triste ? ronchonna Sangchan en faisant la moue. T'as dit n'importe quoi devant les clients ?

— N-Non mais… j'ai pas été capable de faire mieux que quelques phrases. »

L'aîné fronça les sourcils et pencha la tête sur le côté, visiblement étonné. Jungyu détourna le regard pour se concentrer sur son repas dont il enfila un important morceau entre ses lèvres. Ça lui offrait un bon prétexte pour ne pas discuter.

« Mais Junie, qu'est-ce que tu racontes comme connerie ? »

Il aurait pu s'étouffer s'il n'avait pas par miracle avalé sa bouchée juste avant l'intervention de Sangchan.

« Comment ça ? souffla-t-il.

— Mais enfin, t'étais devant des gens, y avait un mec qui t'étais inconnu deux semaines plus tôt et qui était en train de te draguer sans doute bien lourdement, et toi malgré ta timidité t'as réussi à agir et parler. Pour certains c'est peut-être anodin, mais toi, t'as raison d'être fier d'avoir accompli ça. T'as quand même pas cru que signer le contrat de Yeonu allait tout à coup te donner un superpouvoir ? Devenir performeur, ça s'apprend, ça se travaille, ça se répète. C'est pas en un claquement de doigts que les choses vont se faire. Moi, Junie, je suis vraiment fier de toi, tu sais. Et je suis sûr que Minwoo-hyung aussi. »

Le cœur de Jungyu se serra de façon agréable lorsque celui qu'il aimait posa la main sur sa cuisse dans un geste qui se voulait rassurant. Le jeune garçon se rappela aussitôt ce que Minwoo lui avait prouvé la veille : ce minuscule contact… ce n'était rien pour Sangchan, habitué à être tactile. Pourtant, pour Jungyu, c'était toujours si fort… Dans son torse se développait une chaude douleur qui se propageait depuis son cœur jusque dans chaque fibre de son être. Un plaisir qui comprimait son âme et créait une souffrance délicieuse dont il raffolait.

Chaque fois qu'il avait le moindre rapprochement avec Sangchan, c'était la même chose.

« Si tu le dis, fut simplement en mesure de prononcer Jungyu.

— J'en suis certain. Il a dû te le dire aussi, hein ?

— Plus ou moins, ouais…

— Alors il te faut quoi de plus pour y croire ? »

De la confiance en lui, peut-être ?

Jungyu haussa les épaules et se concentra sur son plat, décrochant à son ami un nouveau soupir. Sangchan tendit la main pour attraper son sandwich abandonné depuis de trop longues minutes et le déjeuner se poursuivit sur un sujet plus banal : le déroulement de la matinée de l'un et de l'autre.

« Dis-moi, reprit Sangchan, t'aurais du temps pour aller faire un peu de shopping ce weekend ? J'ai envie de refaire ma garde-robe pour le printemps et je veux pas y aller seul.

— Bah… j-je sais pas trop… Les examens se rapprochent et…

— Junie… »

La moue de chien battu. Sangchan lui faisait la moue de chien battu. Est-ce que son cadet était réellement supposé pouvoir résister à ces lèvres appétissantes qui s'avançaient pour former un visage adorable, et ces yeux tristounets qui le suppliaient de céder ?

« Samedi je travaille à quinze heures, céda Jungyu, on pourrait se voir à treize heures.

— Et pourquoi pas à onze, comme ça on mange ensemble ! proposa Sangchan avec entrain.

— Désolé, je peux vraiment pas. J'ai des trucs à faire.

— Je comprends, deux heures c'est déjà bien. On en profitera au maximum, faudra les rentabiliser ! »

Jungyu opina, l'air amusé. De toute façon, tout moment passé avec Sangchan, si court soit-il, ne pouvait pas être considéré comme du temps perdu. Et puis maintenant que ses horaires s'avéraient beaucoup plus aérés, il n'avait plus besoin de courir partout et d'essayer sans cesse de voir comment il pourrait tout intégrer à son emploi du temps.

Il ne regrettait pas d'avoir accepté ce nouveau travail.

~~~

« Minwoo, j'ai un souci avec ton emploi du temps, tu peux venir dans mon bureau ? »

Le jeune performeur jeta un regard à la salle : l'heure du déjeuner était passée, il restait peu de monde et, de toute façon, Euijin et Insoo étaient là pour s'occuper des potentiels clients de ce début d'après-midi. Minwoo donc acquiesça et, se frottant les yeux dans un bâillement, suivit Wonseok.

Un frisson courut le long de sa colonne vertébrale : son supérieur n'avait pas changé son emploi du temps depuis des lustres, celui que Minwoo avait lui correspondait parfaitement. Il nourrissait sans le moindre doute bien d'autres projets.

Et l'idée de Minwoo se vérifia lorsque Wonseok referma d'un geste tranquille la porte derrière lui puis la verrouilla avant d'aller s'asseoir sur le canapé de la pièce, lui faisant signe de venir près de lui. Minwoo, comme s'il n'avait plus que des cœurs dans les yeux, obéit bien docilement. Aussitôt, une main taquine se faufila sous son polo pour caresser sa peau diaphane.

« Tu veux quoi ? demanda-t-il fébrilement à son cadet.

— Tu m'as chauffé tout à l'heure… j'ai juste besoin de te toucher. Je peux ?

— Tu peux toujours, tu le sais bien. »

Une étincelle de malice illumina les prunelles sombres de Wonseok qui lui prit les hanches et l'attira à lui de sorte à l'asseoir sur ses genoux, face à lui. La pièce était peu éclairée, les rideaux étaient en partie tirés afin que le soleil ne brûle pas le dos du jeune patron lorsqu'il travaillait sur sa chaise. Minwoo pourtant, malgré cette clarté tamisée, jurerait que le regard de son cadet brillait plus que jamais.

Wonseok était magnifique, même si ça, ça ne changeait pas vraiment. Minwoo y était habitué.

Les deux garçons avaient présenté quelques minutes plus tôt une performance dont Wonseok devait admettre qu'elle l'avait excité. Enfin… ce n'était pas tant leur chaste scène qui l'avait excité que Minwoo qui, avec le simple fait de poser les mains sur ses épaules, lui avait rappelé leur récente partie de jambe en l'air.

Et ce souvenir avait vaguement émoustillé le jeune homme qui n'avait désormais qu'une envie : profiter du corps de porcelaine de son aîné. Déjà ce dernier, agenouillé sur ses cuisses, avait enroulé les bras autour de sa nuque et lui adressait ce sourire innocent qui cachait en réalité une perversité inouïe.

Et de l'amour, aussi. Mais ça, Wonseok n'était pas capable de s'en apercevoir.

Minwoo, si proche de son cadet dans l'intimité de son bureau, éprouvait cette éternelle sensation que les palpitations de son cœur risquaient de se faire entendre et de le trahir. Pourtant, il prenait volontairement le risque, là, sur le corps de Wonseok.

« Hyung, tu veux bien enlever ton haut ? »

Minwoo s'exécuta sans lâcher son collègue du regard. Il aimait tellement se noyer dans les nuances sombres des iris de celui pour qui son cœur battait. Wonseok était si beau, c'était à peine croyable. Et la façon dont ses pommettes saillaient quand il souriait... ça lui paraissait irréel.

Après avoir retiré son t-shirt, Minwoo s'installa plus confortablement sur les cuisses de son cadet qui posa les mains sur sa taille maigre.

« Tu sais que t'as le droit de prendre du poids, hein ? le taquina Wonseok.

— Toi aussi.

— Mange plus.

— Je mange assez, rétorqua Minwoo avec désinvolture. Touche-moi, fais ce que tu veux faire au lieu de dire des conneries. »

Wonseok haussa les épaules et, attrapant la taille de son amant avec plus de fermeté, il le rapprocha davantage de lui pour aller lui grignoter d'abord la clavicule. Minwoo se mordit la lèvre sans pouvoir s'empêcher de pousser un soupir de plaisir qu'il tenta de taire. Wonseok avait beau ne jamais l'embrasser, il aimait néanmoins laisser traîner la bouche sur son corps et le regarder se consumer sous cette chair très légèrement humide qui rendait Minwoo complètement fou.

Incapable de se retenir, ce dernier prit le visage de son collègue en coupe et écrasa ses lèvres fines sur les siennes.

Rapidement, les mains de Wonseok se mirent à lui caresser les côtes tandis que le baiser s'approfondissait. Minwoo ne s'en lassait pas, du manège des langues, et si en plus il ajoutait à ça la sensation des paumes brûlantes de son cadet sur sa peau, il était prêt à parier qu'il entrait au paradis.

Un paradis qui, pour exister, se nourrissait d'espoirs sans cesse déçus et d'un cœur qui, malgré les blessures, se relevait toujours pour se donner généreusement et tout abandonner à quelqu'un qui n'en avait même pas conscience.

Le baiser devint plus vorace, c'était comme si à travers ces gestes sauvages, Minwoo tentait de capturer son amant et le faire sien, le temps d'un instant évanescent qui lui échappait trop rapidement.

Wonseok ne l'embrassait jamais le premier, et il ne l'embrassait jamais bien longtemps non plus. Il ne tarda pas à laisser sa bouche tracer plutôt la mâchoire de son ami pour ensuite s'attaquer à son cou, sa gorge et finalement son pectoral qu'il butina. Minwoo quant à lui plongeait les mains dans sa chevelure, le dirigeant ainsi vers les endroits où il voulait sentir s'activer les lèvres du jeune garçon.

Son cœur battait si vite, c'était à la fois si bon et si douloureux... Tout se confondait, Wonseok exerçait cet étrange pouvoir sur lui, celui de lui faire perdre tous ses moyens pour qu'il ne puisse plus se concentrer que sur lui. Tout était brouillé, Minwoo ne se voyait pas même capable de réfléchir correctement quand Wonseok le gardait si puissamment contre lui en s'occupant de cette manière de sa peau.

Il l'aimait tellement, il se détestait tant pour ça.

Wonseok entrouvrit les lèvres pour sortir le bout de sa langue et le laisser traîner lentement sur cet épiderme de lys dont il ne se lassait pas. Qu'est-ce qu'il aimait avoir le contrôle sur Minwoo, le tenir entre ses bras pour le serrer contre lui : son aîné s'avérait plus petit, plus pâle et plus mince que lui, et malgré son caractère au premier abord plutôt froid, Wonseok lui trouvait un charme fou. Un charme innocent. Il aimait la sensation de le choyer, de le protéger. Il aimait autant être dominé par lui que le dominer.

Et là, ce qu'il souhaitait, c'était le dominer complètement, tracer de ses mains le moindre contour de son corps de jeune éphèbe.

« Putain, hyung, j'ai envie de te faire tellement de choses, souffla-t-il contre sa peau.

— Je suis fatigué, murmura Minwoo qui avait enfoui le visage dans le creux du cou de son amant, j'ai eu une longue journée... »

Il n'était même pas trois heures de l'après-midi...

« Dans ce cas, laisse-moi juste te permettre de te détendre, » suggéra Wonseok.

Minwoo acquiesça faiblement : il ne se sentait pas capable d'aller jusqu'à la pénétration aujourd'hui, mais si Wonseok se proposait de lui offrir un simple petit plaisir, il n'allait pas refuser...

Son cadet donc le prit avec douceur par les hanches et le manipula délicatement de sorte à l'étendre sur le dos, sur ce canapé dont la taille obligeait Minwoo à plier les jambes s'il ne voulait pas qu'elles dépassent des accoudoirs. Ainsi installé, si confortablement, il ferma les yeux. Wonseok se tenait entre ses cuisses écartées toujours recouvertes par le tissu de son jean – mais ce détail, il ne s'en formalisa pas pour le moment. Il se positionna à quatre pattes au-dessus de son amant et abaissa le visage vers son torse pour reprendre sa tâche là où il l'avait stoppée.

Abandonné à sa merci, le corps de Minwoo lui paraissait plus désirable que jamais. Il comptait bien n'en faire qu'une bouchée…

CHAPITRE 21

« Vous en avez pas marre de baiser absolument partout ? râla Yeonu. Euijin et Insoo étaient seuls en salle. Et si un client avait commandé un menu spécial ?

— Alors il aurait eu droit à quelque chose de vraiment très spécial, sourit Wonseok de manière espiègle.

— T'es pas possible… »

Alerté par des soupirs étouffés qu'il avait entendus en quittant son bureau pour aller aux toilettes, Yeonu avait attrapé Wonseok lorsque celui-ci était sorti de son propre bureau. C'était rare que les deux amants aillent jusqu'à se faire plaisir sur leur lieu de travail – du moins, ils se montraient assez discrets pour que Yeonu croie que ça l'était –, si bien qu'il avait préféré mettre rapidement les choses au point. Les deux co-directeurs se trouvaient présentement dans la pièce du plus jeune, assis face à face et séparés par le bureau parfaitement rangé de Yeonu.

Celui-ci leva les yeux au ciel, les bras croisés, avant de finalement soupirer :

« Et Minwoo, il est passé où ?

— Il dort sur mon canapé, répondit Wonseok avec nonchalance.

— Non mais je rêve… Tu le baises et en plus tu lui permets de dormir ici sur ses heures de travail ?

— Il avait pas l'air en forme, réfuta l'autre, et je l'ai sucé, c'est tout. Je crois qu'il avait besoin de se détendre et de dormir un peu.

— D'une part, y a des choses que j'ai vraiment pas besoin de savoir, et d'autre part... il va bien ? T'es sûr ? »

Le ton de Yeonu s'était fait naturellement plus doux. Il ne pouvait pas cacher qu'il était inquiet pour celui qui, au fil des années, était devenu son ami.

« Oui, je pense que ça va, mais... je sais pas, il a dû mal dormir. Ces derniers jours il a l'air fatigué, il a prétendu qu'il avait eu une longue journée et il avait l'air absent.

— Du coup tu t'es dit que t'allais lui tailler une pipe, résuma Yeonu dépité.

— Exactement. »

Wonseok fronça les sourcils avec une moue songeuse avant d'ajouter :

« Dit comme ça, ça paraît pas très logique...

— Je confirme.

— Ouais mais il est toujours cramé après une bonne pipe : au moins il dort, objectif atteint. »

Yeonu se pinça l'arête du nez : ne venait-il pas de dire à son aîné qu'il y avait des détails qu'il ne voulait pas savoir ? Enfin... c'était aussi sa faute, il avait relancé le sujet.

Bref.

« Quand il se réveillera tu lui diras qu'il peut demander à ce que son emploi du temps soit plus léger, indiqua Yeonu en consultant rapidement les horaires de ses différents employés. Maintenant qu'on a Jungyu, il peut prendre un peu plus de repos.

— T'inquiète, d'habitude il carbure toujours à fond, c'est juste un petit coup de fatigue. Je lui en toucherai deux mots, mais le connaissant, il refusera. »

Yeonu acquiesça doucement dans un soupir.

~~~

Lorsque Minwoo ouvrit les paupières, il se crut d'abord bien confortablement installé chez lui, dans son lit. Il se rendit cependant compte de deux choses : d'une part il était allongé sur le sofa du bureau de Wonseok, et d'autre part il était vêtu de son seul caleçon avec, pour le couvrir, le long manteau de son cadet.

Il remua un peu avant de finalement fermer les yeux de nouveau. Il avait mal dormi et, léthargique, il n'arrivait pas à trouver la force de se redresser tout de suite. Un bref instant, l'inquiétude que ces heures ne lui soient pas payées pour le punir lui traversa l'esprit, toutefois cela ne suffit pas à le convaincre de se relever. Déjà recroquevillé pour tenir sur le petit canapé, il rapprocha plus encore les jambes de son torse en poussant un soupir de bien-être.

« Chaton avait besoin de sommeil ? » s'enquit une voix malicieuse.

Minwoo eut un sursaut de surprise. Instinctivement, il voulut ouvrir les yeux et se redresser, or une main voila son regard et l'en empêcha, l'obligeant à garder à la fois les paupières closes et sa position actuelle.

« Wonseok, à quoi tu joues ? J-Je dois aller travailler. »

Minwoo sortit les bras du vêtement qui lui servait de couverture. Il s'apprêtait à retirer de son visage la paume de son ami lorsque celui-ci lui saisit les poignets de sa main libre en faisant claquer la langue contre son palais, signe de désapprobation.

« Hyung, il est vingt heures passées, Yeonu et moi on vient juste de fermer le café.

— Hein ? fut simplement capable de lâcher Minwoo qui ne s'attendait sûrement pas à avoir dormi si longtemps. M-Mais... pourquoi tu m'as pas réveillé avant ? D'ailleurs pourquoi tu m'as laissé m'endormir ? T'es con ou quoi ? »

Wonseok sourit à la dernière question et replaça correctement son manteau de sorte que de nouveau les bras nus de son collègue en soient recouverts.

« T'avais l'air plus fatigué que d'habitude, j'ai préféré te laisser dormir. »

Il retira finalement la main qu'il avait posée sur les yeux de Minwoo. Ce dernier les ouvrit doucement, clignant des paupières pour s'habituer rapidement à la semi-obscurité de la pièce.

« C'est sympa de ta part, souffla Minwoo, mais j'ai pas envie d'avoir des heures à rattraper, j'ai déjà...

— T'as rien à rattraper, lui assura l'autre en le coupant, contente-toi de bien dormir cette nuit et d'être en forme demain. Ça marche ? »

Minwoo hocha la tête, retenant de toutes ses forces le sourire qui voulait poindre sur ses lèvres. Cet idiot de Wonseok était décidément toujours aussi adorable, comment pouvait-il espérer un jour qu'il ne ferait plus battre son cœur ? Il prenait excessivement soin de lui, à croire que son statut de supérieur lui conférait celui de hyung.

C'était loin de déplaire à Minwoo qui trouva finalement la force de s'asseoir. Le manteau de son cadet glissa de son corps, dévoilant une peau pâle sur laquelle figuraient quelques jolies traces du passage récent de Wonseok. Habitué à ce que ce dernier le voie, Minwoo ne se soucia pas du regard avide posé sur lui et attrapa son t-shirt et son pantalon, correctement repliés et laissés juste au pied du canapé.

« Tu me le dirais si quelque chose allait pas, hein ? »

L'aîné releva les yeux et son regard se fit interrogateur lorsqu'il se posa sur Wonseok qui, quant à lui, semblait très sérieux.

« Bien sûr, affirma Minwoo, je te l'ai toujours dit, non ?

— Je sais bien.

— J'ai juste aidé Yunhee avec ses devoirs, admit-il finalement en enfilant son t-shirt, elle avait du mal avec une disserte. Ils en font presque jamais, c'est clairement pas un exercice habituel à leur âge, mais leur prof tient à ce qu'ils s'y essaient. Autant quand c'est des maths, je la laisse se débrouiller, j'y comprends rien, mais quand je peux aider…

— Vous y aviez passé du temps ?

— Une bonne partie de la nuit : elle comprenait pas le sujet alors d'abord on a essayé de l'analyser ensemble puis je l'ai aidée à constituer un plan correct. Tant qu'on était lancés, autant avancer, et puis elle avait un prof absent aujourd'hui alors elle pouvait se permettre de se coucher plus tard. On a rédigé l'intro ensemble et comme il était deux ou trois heures, on a décidé d'aller dormir.

— Je vois. »

Minwoo avait quitté le domicile familial à sa majorité des suites de problèmes personnels. Après avoir résidé quelques mois avec sa grand-mère, il avait à son décès repris son appartement qu'il habitait toujours aujourd'hui et qu'il partageait avec sa petite sœur, Yunhee, actuellement en dernière année de lycée. Ils étaient extrêmement proches et Minwoo se réjouissait d'avoir sa cadette auprès de lui. Ils s'entendaient bien et le salaire du jeune homme leur permettait de vivre confortablement.

« Allez, fais pas cette tête, ricana Minwoo. Quand tu fais la moue, tes lèvres forment un cul de poule, t'as l'air con.

— N'importe quoi, qu'est-ce que tu racontes !

— Je te jure, c'est tordant !

— Toujours là pour faire chier, Kang Minwoo.

— Tu me le rends bien.

— Bah encore heureux. Allez, remets ce foutu pantalon avant que ça me donne des idées inappropriées.

— Une idée salace n'est jamais une idée inappropriée, sourit de façon espiègle l'aîné en enfilant son jean devant son collègue qui se trouvait assis au bord du canapé. C'est pour ça qu'on passe notre temps à baiser. »

Wonseok ricana à ces mots et se redressa. Il se planta devant son ami et le détailla un bref instant.

« Dis pas ça, souffla-t-il, t'imagines même pas ce que j'ai envie de te faire.

— Au lieu de l'imaginer je préfère encore que tu me le montres, répliqua l'autre sans se départir de son rictus.

— Ça c'est une idée qui me plaît beaucoup… »

Et sur ces mots, Wonseok passa une main sur la hanche de son aîné. Il reprit cependant :

« Mais pas aujourd'hui. Rentre chez toi et va te reposer, t'en as besoin. »

Minwoo baissa la tête avec une expression amusée avant de hausser les épaules : tant qu'il pouvait soit coucher avec Wonseok soit dormir, il n'allait pas se plaindre, les deux programmes lui convenaient. Il voulut se détacher de son cadet, or celui-ci réaffirma la prise qu'il avait sur sa hanche, le gardant près de lui.

« Bah alors, tu veux pas me laisser partir ? se moqua Minwoo.

— Pas sans ça. »

L'autre était sur le point de demander ce que « ça » signifiait quand il reçut un baiser délicat sur les lèvres. Surpris, il se laissa néanmoins aller et rendit à son ami ce doux contact qu'il lui accordait et que, pour une fois, il se décidait lui-même à initier.

Comme toujours, Minwoo éprouvait la sensation que son cœur était en fête – et plus encore étant donné les circonstances de ce geste. Wonseok voulait lui témoigner son affection de cette manière dont il savait qu'elle plairait à son amant.

Seules leurs lèvres se trouvèrent, ni l'un ni l'autre ne souhaitait approfondir ce baiser – Minwoo espérait qu'il demeure chaste, quant à Wonseok il craignait d'en désirer plus s'il devenait plus sensuel. Pourtant... pour Minwoo, c'était déjà énorme : plus son cadet agissait de manière tendre avec lui, plus l'explosion de bonheur qui meurtrissait son âme s'intensifiait. Et puis Wonseok possédait des lèvres fines mais d'une douceur incomparable. Il ne se lasserait jamais de les embrasser.

Les bras du jeune performeur avaient trouvé refuge autour de la nuque de son supérieur qui, quant à lui, lui caressait les hanches dans un geste qui se voulait plus rassurant que lascif. Les bruits de ces petits baisers mouillés firent sourire Minwoo contre la bouche de son amant. Il sentait son souffle tout contre son visage, ses mains puissantes sur son corps et qui le rapprochaient du sien.

Alors il se lova un peu plus encore contre Wonseok, appuya ses lèvres plus franchement contre les siennes dans l'espoir que peut-être ainsi leur goût exquis s'en trouverait plus prononcé.

Chaque infime mouvement que les doigts de son cadet esquissaient sur lui donnait au jeune garçon une sensation de longue traînée brûlante dont la chaleur se répandait dans ses veines pour ensuite se concentrer dans son cœur. Il naviguait incessamment entre amour et désarroi, entre passion et regret, sur un océan au milieu duquel il se savait à la dérive depuis des années mais dont il continuait de chercher le rivage.

Il le trouverait forcément un jour, non ?

En attendant il succombait avec plaisir, se noyait avec le sourire, et s'abandonnait sans hésiter. Il lui semblait que le seul mauvais choix qu'il puisse prendre au sujet d'un baiser avec Wonseok, c'était d'y mettre fin.

De toute façon, il ne pourrait jamais se décider à y mettre fin, il y était devenu bien trop accro…

~~~

Comme il en avait désormais l'obligation, Jungyu s'en alla discrètement de sa salle de cours un quart d'heure avant la fin, récoltant en guise de salut un sourire encourageant de son professeur, conscient du travail de l'étudiant.

Après une dizaine de minutes au pas de course, le jeune garçon se tenait devant le Boy's love Café qui s'apprêtait à ouvrir. Il faisait beau et le soleil brillait au point que les températures remontaient doucement depuis le début de la semaine, un vrai bonheur pour Jungyu qui commençait à se lasser de la fraîcheur hivernale.

Il grimpa les marches en vitesse et se stoppa lorsqu'il arriva sur la terrasse.

« Hey, Jungyu, sourit Yeonu en relevant les yeux, tu peux m'aider à installer ça ? D'habitude, je demande un coup de main à Wonseok-hyung mais il est occupé à ranger le bordel qu'on a laissé hier soir par flemme de laver… »

L'étudiant toisa rapidement son supérieur : Yeonu portait un t-shirt noir à manches longues ainsi qu'un jean bleu nuit avec des baskets. Comment, même habillé si simplement, Jungyu pouvait-il le trouver si… parfait ? Sans doute était-ce ses cheveux de jais coiffés de manière à lui donner cet air sauvage, ou bien était-ce la faute aux tatouages qu'on voyait sur ses mains, aux piercings qui brillaient à ses oreilles, à ses lèvres qu'un gloss discret mettait pourtant tant en valeur. Ou peut-être était-ce la faute à tout ça à la fois.

« O-Oui, j'arrive. »

L'employé abandonna son sac contre la rambarde, sur le sol de pierre de la terrasse, et approcha de Yeonu qui s'était stoppé dans son mouvement pour l'attendre. Il avait les mains posées sur les rebords d'une table dont il n'arrivait pas à ouvrir le parasol. Wonseok se moquait sans cesse en prétendant que c'était parce qu'il lui manquait deux centimètres qu'il ne réussissait pas à enclencher le mécanisme. Yeonu avait toujours nié, même si c'était vrai…

Jungyu se planta en face de lui et l'interrogea du regard.

« Fais remonter ça comme ça, indiqua Yeonu en lui montrant comment faire. Moi, j'arrive jamais à ouvrir complètement le parasol. Ensuite, t'entendras un « clic » qui signifiera que c'est bon et que tu peux lâcher. »

Comme prévu, Jungyu fut en mesure de l'installer, pour le plus grand soulagement de Yeonu qui n'aurait pas à subir les remarques humiliantes de son aîné.

« Tiens, tu peux ouvrir les autres ? Maintenant que le soleil revient, les gens sont plus disposés à manger en terrasse. On n'y fait pas de performances alors c'est aussi un endroit tranquille pour ceux qui veulent simplement profiter en toute quiétude du beau temps. »

Jungyu jeta un œil autour de lui : effectivement, pas de larges bancs, ici il n'y avait que des chaises.

« En fait, y a un coin pour chaque chose, résuma le jeune garçon avec une mine pensive.

— Exactement, approuva Yeonu dans un sourire tandis qu'il déplaçait une table. Là, c'est le coin pour ceux qui veulent bavarder entre amis sans être dérangés, les tables intérieures avec les banquettes c'est pour les groupes assez nombreux ou ceux qui veulent les menus spéciaux, et au fond c'est le coin lecture. C'était une idée de Sangchan de permettre à chacun d'avoir un espace précis où s'installer selon son envie, en plus comme ça, ça nous permet de savoir ce que les clients attendent de nous. D'ailleurs, ça a rien à voir, mais j'ai appris pour ta première performance. Félicitations, je suis heureux que ça se soit bien passé.

— M-Merci, moi aussi, s'empourpra subitement Jungyu.

— Trop mignon. J'espère qu'un jour on aura l'occasion de performer ensemble, je suis curieux de voir de près ces petites rougeurs sur tes joues.

— Tu performes aussi ? s'étonna-t-il sans prêter attention au reste.

— Bien sûr, chaque semaine. Mais j'aime pas rester debout trop longtemps, alors je suis plutôt du genre à rester dans mon bureau pour gérer la compta et les trucs chiants que Wonseok a la flemme de faire. »

Jungyu opina, ouvrant le dernier parasol pour cacher son air troublé. Performer avec Yeonu... pourquoi cette simple idée le perturbait-elle autant ?

CHAPITRE 22

« D'ailleurs, j'y pense, se rappela Yeonu, j'ai vu que t'avais posté une nouvelle photo hier soir. »

Jungyu faillit s'étouffer… à bien y réfléchir, il aurait sans doute préféré ça.

« O-Oui, j'étais a-avec Sangchan e-et…

— Du calme, Junie, ricana son patron en s'asseyant à une chaise de la terrasse. Elle était nickel, t'étais à croquer dessus. »

Jungyu acquiesça doucement : c'était Sangchan qui, la veille, l'avait invité à venir faire ses devoirs chez lui et dîner ensuite. Il n'avait pas réussi à dire non et, une fois son travail achevé, il s'était fait piéger par son aîné, contraint à une séance photo sous prétexte que « je suis les comptes du café, à moi tu la feras pas, je sais que t'as rien publié cette semaine ».

C'était comme ça qu'ils s'étaient retrouvés à passer une bonne demi-heure à enchaîner les photos. Cette fois-ci, pas de selfies, c'était Sangchan qui les avait prises. Sur celle finalement choisie, le jeune étudiant arborait un visage concentré, les lunettes rondes de son ami sur le nez, assis en tailleur sur le lit avec autour de lui quelques bouquins dont un qu'il semblait lire.

Avec le don que possédait Sangchan, pas étonnant que ce nouveau cliché ait fait un malheur sur les réseaux sociaux. L'éclairage tamisé offrait une impression d'intimité et tout avait été mis en scène pour montrer une sérénité illusoire.

Jungyu en effet avait passé l'essentiel de la séance droit comme un piquet à s'efforcer de poser aussi correctement que possible. On ne pouvait au moins pas lui reprocher de ne pas avoir essayé : il avait tenté encore et encore, enchaînant les photos dans l'espoir d'en prendre au moins une satisfaisante.

Par conséquent, savoir que son acharnement avait payé au point que Yeonu l'en complimentait, ça lui réchauffait le cœur.

« Merci, souffla-t-il.

— T'as bien aimé te faire photographier ?

— J'ai toujours un peu de mal, confia Jungyu en plaçant les chaises devant les tables, mais Sangchan m'aide à être plus à l'aise. Même... même quand ça commence à s'éterniser, il reste très patient.

— C'est tout lui.

— Alors ça dérange pas s'il m'aide pour les photos ?

— Tant qu'on a des photos régulièrement sur le compte du café, franchement je vois pas pourquoi j'aurais quoi que ce soit contre l'idée que Chan t'aide à les prendre. Pour toi, bien sûr, ce serait bien si t'arrivais à les prendre seul, mais si t'es pas à l'aise pour l'instant, te forcer serait la pire des idées.

— D'accord, merci... »

Yeonu observa silencieusement son employé s'affairer à installer correctement la terrasse, un léger rictus aux lèvres : Jungyu était adorable, il n'osait jamais croiser son regard et gardait constamment les yeux rivés sur ses pieds. Pas étonnant qu'il plaise à leurs abonnés.

« Bon, termina-t-il une fois la terrasse prête, moi je vais dans mon bureau. Va voir Wonseok et Minwoo, ils auront peut-être quelque chose à te faire faire.

— J'y vais. »

Et sans un mot de plus, le maknae fila.

Décidément, il était vraiment très intéressant…

~~~

« On se fait chier là un peu, non ? soupira Minwoo en jetant des regards sur la salle vide.

— On a ouvert y a dix minutes et on est jeudi, tu t'attendais pas non plus à un raz-de-marée, si ? rétorqua Wonseok, adossé au bar.

— Laisse-moi me plaindre si j'en ai envie.

— Au temps pour moi, mais fais-le moins fort si tu veux pas que je réponde.

— Mais quel emmerdeur. »

Jungyu, assis sur un des tabourets, observait d'un œil rieur les deux jeunes performeurs en train de débattre depuis dix bonnes minutes. Chaque fois qu'un sujet de dispute semblait clos, l'un des deux trouvait de quoi râler auprès de l'autre. C'était hallucinant, pas étonnant qu'ils témoignent d'une telle alchimie en tant que performeurs : dans la vie réelle, ils étaient comme chien et chat, à cela près que c'était affectueux. Wonseok en effet affichait un rictus malicieux dont il ne cherchait pas à se départir, quant à Minwoo, on pouvait voir briller dans ses prunelles l'amusement qu'il éprouvait à taquiner son cadet.

« Et tu veux savoir le pire ? ricana Myeongtae qui se tenait près de l'étudiant, en train de préparer son bar. C'est que c'est comme ça tous les jours.

— Sérieux ? sourit Jungyu.

— Je te jure, un régal de les regarder se chamailler. »

Parce qu'il ignorait quoi répliquer, le jeune homme acquiesça simplement dans un sourire. Le barman donc reprit :

« Tu fais des études de quoi, au juste ?

— Littérature, indiqua-t-il, et toi ? T'es étudiant ?

— Lycéen, le corrigea Myeongtae. J'ai seize ans.

— T'es jeune… »

Le garçon haussa les épaules avec une petite moue.

« Dis, hésita Jungyu. Pourquoi… pourquoi vous semblez tous n'être même pas majeurs… je veux dire, à part les autres performeurs… enfin, t'es pas obligé de répondre, hein, je voudrais pas que…

— T'inquiète, répliqua le barman avec douceur. C'est pas un secret ou un truc du genre qu'on essaie de garder à tout prix. En fait… on avait tous des difficultés avant que Yeonu et Wonseok ne nous prennent sous leur aile. Pour ce qui est des autres, ils t'expliqueront pourquoi s'ils en ont envie. Pour ma part, j'ai rencontré Yeonu à l'hôpital, en salle d'attente : ma mère a des problèmes de santé et j'ai jamais connu mon père. Elle peut pas travailler, du coup on a un revenu très faible, trop pour les dépenses qu'implique son traitement. J'avais arrêté les cours dans l'espoir de pouvoir l'aider financièrement. J'avais trouvé un boulot minable de livreur, mais ça me rapportait un peu alors je m'en plaignais pas.

« Ce jour-là, dans la salle d'attente, j'ai discuté avec Yeonu. J'étais au bout du rouleau, il s'en est rendu compte et il m'a proposé de tout lui raconter à lui qui n'était qu'un simple inconnu. Finalement, j'ai craqué, je lui ai dit tout ce que j'avais sur le cœur – après tout, quelle importance ? Il me connaissait pas. Pourtant... il m'a écouté, et plus encore, il m'a proposé de venir bosser dans son café. J'ai trouvé ça stupide : j'avais jamais bossé dans la restauration, qu'est-ce que je pourrais bien foutre dans un café ? Mais il m'a convaincu en me faisant miroiter un bien meilleur salaire que celui que je recevais. Il m'a proposé de passer le voir à son bureau. Je l'ai fait, et la semaine d'après je commençais à travailler pour lui à la suite d'une rapide formation dont Wonseok s'était chargé puisque je ne m'occupe que des boissons et un peu du service. Finalement, Yeonu m'a proposé de reprendre mes études et d'essayer de décrocher un diplôme dans la restauration. Ça m'obligeait à me payer des cours par correspondance, alors je voulais pas travailler et étudier... mais Yeonu a dit que c'était pas un souci et qu'il les prendrait en charge pour me les offrir. »

Les yeux du jeune garçon, perdus dans les limbes de ses souvenirs, brillaient de reconnaissance et d'émotion.

« Grâce à lui, je vais avoir un diplôme, et il m'a dit qu'une fois que je l'aurai, ce diplôme, il cherchera à m'obtenir une formation pour me spécialiser, de sorte que je puisse avoir de meilleures qualifications et demander un salaire plus élevé. Mais... il a déjà tellement fait, je ne lui en demanderai jamais plus, même avec mille spécialisations. Quand j'ai arrêté les études j'étais désespéré, je ne savais plus quoi faire pour aider ma mère. Désormais, je peux l'aider et peu à peu on rembourse nos dettes. J'aime venir ici tous les jours parce que venir, ça signifie n'avoir aucune inquiétude quant aux jours à venir. »

Jungyu acquiesça, touché de voir sur le visage de son cadet cette expression de profonde sincérité et de bonheur simple. Jamais Myeongtae n'oublierait ce jour où un parfait inconnu avait commencé à discuter avec lui pour, à peine une heure plus tard, lui proposer de travailler pour lui. C'était inespéré – sans doute cela tenait-il de ce qu'on appelait le destin.

Le jeune lycéen sembla revenir doucement à la réalité et, passant un ultime coup de chiffon sur son bar, il adressa un sourire rayonnant à Jungyu.

« Aujourd'hui je suis heureux et j'ai confiance en l'avenir, termina-t-il.

— C'est vraiment beau, appuya l'étudiant. J'ignorais que Yeonu était... comme ça, aussi généreux.

— Il l'est. Il ne se met simplement pas en avant. La générosité dans ce qu'elle a de plus pur... du moins c'est comme ça que je le perçois. Wonseok et lui sont deux personnes d'une gentillesse incomparable. Je leur dois tout, je ne sais pas ce que je serais devenu si je les avais pas rencontrés. »

Jungyu opina doucement et voulut répondre quand un client entra, mettant là un terme à cette conversation. Myeongtae se concentra de nouveau sur son bar, déjà occupé à couper des fruits en tranches pour les smoothies qui, de plus en plus, revenaient à la mode à mesure que le printemps approchait. Il tenait absolument à remercier Yeonu en faisant toujours de son mieux. Il s'appliquait avec une rigueur quasi militaire à préparer chaque boisson commandée et régulièrement, avec les deux jeunes cuisiniers, il cherchait à élaborer de nouvelles recettes pour conquérir la clientèle.

« Junie, tu peux te charger du client ? s'enquit Wonseok qui espérait en vérité qu'il prenne simplement ses marques.

— Oui, hyung, bien sûr. »

~~~

Wonseok haussa les épaules avant de répondre :

« Je sais pas, un type tout seul, je l'avais jamais vu. C'est Jun qui l'a servi.

— Il a essayé de le draguer ? s'enquit Minwoo.

— Je pense pas, on l'aurait vu rougir à des kilomètres si un client avait tenté quelque chose.

— Ouais, sans doute…

— Pourquoi il te dérange tellement ? s'étonna alors Wonseok.

— Je sais pas trop. C'est pas souvent qu'un super beau mec se pointe seul ici et repart presque sans avoir lâché un mot. Et puis… j'avais l'impression qu'il arrêtait pas d'essayer de regarder Jungyu de façon vaguement discrète.

— Hyung, tu te fais des idées, c'est rien du tout. »

L'aîné haussa les épaules dans un soupir. Wonseok avait sans doute raison. Mais… l'essentiel de leur clientèle était féminin, ou bien composé d'adolescents et de jeunes adultes fans de yaoi et qui venaient en groupe. Ceux qui venaient seuls, ils venaient pour lire, pas pour rester assis pendant plus d'une demi-heure à une table à siroter un coca avec à côté une part de tarte.

« T'as peur pour Jungyu, hein ? » demanda doucement Wonseok.

Les deux garçons étaient en pause : il y avait encore peu de monde et ils se trouvaient présentement dans la salle des employés, près de la fenêtre qu'ils avaient ouverte pour profiter de la fraîcheur de l'extérieur.

« Ouais, un peu, admit Minwoo en croisant les bras contre son torse sans quitter le ciel bleu des yeux. Je voudrais pas qu'il lui arrive quelque chose.

— Y a rien à craindre, t'inquiète. On veille tous sur lui. »

L'aîné acquiesça doucement, peu convaincu néanmoins. En tant que performeurs, ils s'exposaient beaucoup sur les réseaux sociaux, et afin que les clients puissent choisir le couple qu'ils désiraient voir, le site du café donnait leurs heures de présence. Pour les abonnés, c'était pratique, cependant ça réservait aux employés quelques mauvaises surprises : un soir où c'était à son tour de s'occuper de la fermeture, Minwoo avait eu affaire à un jeune homme qui avait attendu qu'il sorte de son travail pour l'aborder et lui demander ses coordonnées. Il lui avait proposé de boire un coup et avait très explicitement insinué qu'ils pourraient terminer la soirée chez lui. C'était un garçon beau, vraiment beau, mais il était évident que Minwoo refuserait.

Le client avait continué à insister jusqu'à ce que Minwoo trouve un moyen de filer rapidement pour le semer. Dès qu'il était rentré chez lui, il avait appelé Yeonu pour le prévenir. Il avait bien fait : le lendemain soir, Minwoo s'était de nouveau retrouvé nez à nez avec ce client sans scrupules. Yeonu était aussitôt intervenu et, avec tout le charisme dont il était capable de faire preuve, il lui avait vivement conseillé de laisser ses performeurs tranquilles, sinon quoi il contacterait la police. Ses ardeurs calmées par la menace, le garçon n'avait plus jamais remis les pieds ici.

Minwoo le savait, ça aurait pu se terminer bien plus mal. C'était depuis cet incident que la fermeture se faisait par deux employés et non plus par un seul. D'autres du même genre s'étaient produits par la suite, peu nombreux mais marquants pour les performeurs. Par chance, chaque fois ils étaient plusieurs, ils pouvaient donc empêcher le pire d'advenir à leur collègue.

Ces derniers temps, peut-être à cause de l'hiver, rien ne s'était passé. Or, avec l'arrivée de Jungyu, le café avait fait parler de lui sur les réseaux, et au vu de la popularité immédiate qu'avait acquise le petit nouveau, ce ne serait pas étonnant que parmi ses fans se cachent quelques personnes moins bien intentionnées que d'autres.

Minwoo s'inquiétait simplement pour Jungyu : il était si timide que souvent il en restait passif voire tétanisé. Si un client venait à se montrer trop insistant et qu'il n'y avait personne dans le coin, il craignait d'imaginer comment ça pourrait se terminer pour le jeune étudiant...

~~~

Il était deux heures de l'après-midi, les performeurs avaient fini de courir partout. Doyeong, arrivé en fin de matinée, avait relayé Wonseok, et à présent il se trouvait avec Minwoo et Jungyu. Les trois jeunes gens, épuisés après le service de la mi-journée, se séparèrent : les deux cadets allèrent en salle de repos, laissant l'aîné seul avec Euijin en salle.

À peine entré, Jungyu s'effondra sur l'une des chaises, enfonçant la tête entre ses avant-bras posés sur la table devant lui.

« J'suis mort, se plaignit-il, je pensais pas qu'un café yaoi attirait autant de monde.

— Le pouvoir de la cuisine maison de qualité, sourit Doyeong avec malice en venant s'asseoir près de lui. Tu l'as bien vu, on n'a pas fait de performance à midi : les gens viennent là pour manger, c'est plutôt le matin ou en fin d'après-midi que les vrais fans de yaoi viennent. Le reste du temps, ce sont simplement des personnes qui veulent être servies par des beaux mecs populaires sur les réseaux sociaux. »

Jungyu ronchonna une fois de plus en fermant les yeux : la matinée s'était avérée tranquille, mais midi arrivé, ils avaient assisté à un véritable déluge de clients. La salle et la terrasse, tout avait été pris d'assaut. Un instant, Jungyu trouva ça étrange : la semaine dernière à la même heure, il n'avait pas vu autant de monde... en même temps, la semaine dernière à la même heure, il faisait beaucoup plus froid.

Épuisé, il resta immobile malgré le bruit produit par Doyeong quand il se releva. Jungyu se demanda s'il était réellement endurant au point de terminer sa pause alors qu'elle venait de commencer, si bien qu'il fut surpris en sentant son aîné poser les mains sur ses épaules raidies. Debout derrière lui, Doyeong entama un agréable massage qui fit perdre ses moyens au jeune étudiant. Après avoir une seconde songé à s'écarter de ce contact gênant, Jungyu dut admettre l'évidence : c'était exactement ce dont il avait besoin pour se détendre avant de finir son service et de retourner à l'université.

« Hyung, pourquoi tu fais ça ? murmura-t-il sans bouger pour autant.

— Je sais pas, répondit simplement l'autre en s'assurant de ne pas appuyer trop puissamment ses mouvements, on se connaît pas super bien alors je me suis dit que ça pourrait nous aider à nous rapprocher. »

CHAPITRE 23

Jungyu afficha une moue dubitative.

« On peut aussi bien se contenter de discuter, affirma-t-il sans pour autant chercher à s'écarter des mains de son collègue.

— C'est ce qu'on fait… pendant que je te masse les épaules. Deux en un : on fait connaissance et on s'entraîne pour le cas où on devrait faire une performance ensemble. Tôt ou tard, faudra bien que tu t'habitues à avoir un contact physique avec les autres.

— Comment ça ?

— Tu te tiens jamais trop près de nous quand on discute, tu as une manière de te tenir qui prouve que t'es très renfermé, et chaque fois que quelqu'un pose une main sur toi, t'as le réflexe de la regarder avec un visage qui montre que ça te met mal à l'aise. T'es pas du genre à aimer les contacts, ça se voit direct. Et puis pendant les interactions, tu gardes toujours tes mains tenues l'une dans l'autre pendant que tes doigts s'entremêlent : t'oses pas non plus toucher les autres. »

Tandis qu'il énumérait ce qu'il avait pu remarquer au cours de leurs quelques services communs, Doyeong appuya plus franchement à la jonction entre l'épaule et la nuque du jeune garçon qui poussa un soupir de bien-être, penchant instinctivement la tête de côté. Doyeong sourit à ce geste qui l'incitait silencieusement à poursuivre ses mouvements.

« Je suis désolé, murmura Jungyu, je sais que j'ai des progrès à faire, Wonseok-hyung m'a dit la même chose…

— T'excuse pas d'être imparfait, Jungyu, c'est pas un tort. Au contraire c'est une bonne chose : si on était parfait, on n'aurait aucun moyen d'évoluer. Alors que nous, on est en constante progression. C'est cette progression qui compte à nos yeux. On veut te voir t'épanouir.

— C'est… c'est mignon de t'entendre dire ça, je trouve.

— J'avais jamais vu des patrons aussi bienveillants que Yeonu et Wonseok, expliqua Doyeong d'un ton songeur, leur café leur est extrêmement précieux et tout cet amour qu'ils ont pour cet établissement, ils nous le donnent à nous aussi. Je sais que tu dois trouver que je dis des sacrées conneries, mais… si, c'est comme ça que je le ressens. Yeonu est un patron extrêmement doué en affaires, il sait comment attirer le client et ne se prive d'aucun moyen pour ça – en témoigne notre notoriété sur les réseaux. Pour autant, si t'as le moindre souci, ce sera le premier à accepter de passer une demi-heure à appeler tous les performeurs pour savoir si l'un d'eux peut te remplacer, histoire que tu puisses décaler tes horaires à un autre jour et te reposer un peu. Wonseok, lui, il sera toujours prêt à te proposer de passer du temps avec toi pour t'aider et te soutenir. Je crois qu'ils s'en rendent pas compte, mais ils font sans aucun doute partie des personnes les plus bienveillantes que j'aie eu l'occasion de rencontrer dans ma vie.

— À ce point ?

— Je te l'assure. Cet endroit est à leur image : convivial, chaleureux et tranquille. On s'y sent chez soi et on aime y venir.

— Tu travailles ici depuis combien de temps ?

« — Environ un an et demi je dirais. Avant toi, j'étais le dernier performeur à être arrivé.

— En un an et demi il n'y a pas eu de nouvelle embauche parmi vous ?

— En un an et demi il n'y a presque pas eu de nouvelle embauche tout court, répondit Doyeong en haussant les épaules. Insoo est arrivé il y a un an et depuis on a la même équipe.

— Sérieux ?

— Bah ouais. Pourquoi changer une équipe qui gagne ? » sourit malicieusement le jeune homme.

Jungyu ne sut que répliquer, à la fois étonné et ému de la confiance que Doyeong plaçait en cet endroit et ceux qui le dirigeaient. Pour l'étudiant en effet, petit job rimait avant tout avec argent, il aurait été prêt à accepter la proposition de n'importe quel café si ça lui permettait de pouvoir dormir sans s'inquiéter de son compte en banque – d'ailleurs, c'était ce qu'il avait choisi, il avait pris la seule offre disponible.

Il était donc surpris de s'apercevoir que ce que lui considérait comme un banal gagne-pain soit perçu par Doyeong comme un véritable refuge de paix et de sérénité. C'était fantastique qu'il se sente si heureux à son travail, pour autant le jeune homme devait bien admettre qu'il éprouvait encore des difficultés à le comprendre. Sans doute était-ce parce qu'il débutait tout juste.

Bien sûr, il devait avouer que Wonseok et Yeonu dégageaient quelque chose de profondément agréable et rassurant, mais… Jungyu soupira : lui-même n'était pas capable de terminer cette phrase. Wonseok et Yeonu se montraient tout simplement adorables avec lui, il ne trouvait pas de « mais », rien à rajouter. Ils prenaient soin de lui comme d'un petit frère à qui il fallait tout apprendre – et leur rôle d'aînés, les deux garçons le tenaient à la perfection. Jungyu se sentait choyé ici, et il devait admettre que même lors des rushs, il était beaucoup moins stressé que lors de ceux qui avaient lieu les midis à son ancien poste.

« Et ça t'a jamais dérangé de travailler dans un tel établissement ? demanda encore Jungyu – cette fois-ci en baissant la tête pour offrir à son collègue un parfait accès à sa nuque nouée.

— Pas vraiment, répondit le jeune homme avec une moue pensive. Depuis toujours j'assume parfaitement ma sexualité, alors pouvoir en jouer pour draguer des mecs à longueur de journée, c'est top, surtout si les mecs en question sont des personnes avec qui je m'entends aussi bien.

— Ta sexualité ?

— J'suis bi. Je n'ai eu qu'un mec dans ma vie, mais je me sens également attiré par les femmes. Et toi, si c'est pas trop indiscret ?

— Oh non, t'inquiète. Moi... bah j-je suis jamais sorti avec personne mais... je crois que c'est que les garçons qui m'attirent.

— Tu crois ?

— Bah je suis... enfin j'ai jamais eu personne... alors... j'imagine que je peux pas trop savoir...

— Ta sexualité n'est pas quelque chose que tu dois prouver, c'est quelque chose que tu dois ressentir. »

Entre ses regards sur les garçons et son amour inconditionnel pour son meilleur ami, Jungyu finit par affirmer :

« Dans ce cas... je sens qu'il n'y a vraiment que les garçons qui m'attirent.

— Et hop, un point de confiance en soi de gagné. C'est bien, mon Junie, on avance. »

Sur ces mots, Doyeong recula, perdant brièvement une main dans la chevelure de Jungyu qu'il ne se gêna pas pour ébouriffer. L'autre râla malgré le sourire sur son visage. Il se releva après avoir lentement bougé la tête et les épaules, constatant de cette manière qu'elles n'étaient plus endolories.

« Merci beaucoup, hyung !

— C'est normal. Je suis content qu'on ait pu discuter un peu tous les deux. On devrait y retourner, tu crois pas ? »

Jungyu approuva d'un acquiescement.

~~~

Cent vingt-sept notifications. C'était là-dessus que Jungyu avait ouvert les yeux en ce paisible samedi matin. Réveillé depuis une demi-heure, il était en train de manger son petit déjeuner après avoir mis le point final à une nouvelle réponse d'un commentaire sur son roman. Depuis, il était resté songeur : son lectorat attendait de l'action, de l'amour, des baisers fiévreux et sans doute plus... mais il était complètement bloqué.

La veille, il avait souhaité écrire, néanmoins il s'était retrouvé à produire la même chose que ces trois dernières semaines : des passages sans réelle importance, qui faisaient avancer l'histoire si doucement qu'on pourrait croire qu'elle stagnait. Pourtant il les aimait bien, lui, ces passages, il avait aimé les rédiger et il était heureux de les partager. Les réactions traduisaient une impatience grandissante, une impatience que Jungyu comprenait parfaitement – il était après tout un lecteur passionné lui aussi, il savait ce qu'il voudrait lire ou non… et ce qu'il avait posté récemment, ça ne faisait pas partie de ce qu'il voudrait lire.

Or, ses protagonistes, il ne désirait pas les pousser à se rapprocher trop rapidement – lui qui s'avérait timide, il était du genre à s'identifier plus facilement à des personnages qui prenaient leur temps sans brûler les étapes et progressaient à leur rythme. C'était comme pour sa vie, il lui suffisait de trouver le bon équilibre.

Dans un soupir, le jeune garçon délaissa son portable pour aller s'occuper de sa vaisselle, après quoi sa matinée, il la consacra à son travail : il lui restait un exposé à finaliser et il éprouvait une peur bleue à l'idée de passer devant toute sa classe.

Il allait lui en falloir, du courage…

Ce fut ainsi qu'après un rapide déjeuner, il s'apprêta du mieux qu'il le pouvait, toujours soucieux d'être un minimum présentable devant Sangchan. C'était pourtant inutile de chercher à lui plaire puisqu'il serait définitivement perçu comme son simple petit frère – mais peut-être d'une certaine manière continuait-il d'espérer. Dans ses romans, il suffisait d'un instant, d'une seconde pour que se déclenche le coup de foudre. Deux personnages aussi étroitement liés qu'eux finiraient nécessairement par se rendre compte qu'était née une attirance particulière.

Alors pourquoi est-ce que dans son histoire à lui, sa vie, ça ne fonctionnait pas ? Pourquoi Sangchan, que Jungyu savait susceptible d'aimer à la fois les hommes et les femmes, ne l'avait-il jamais regardé, lui ? Est-ce qu'il ne le trouvait pas à son goût ? Est-ce qu'il le trouvait trop timide, ou ridicule quand il rougissait ?

Jungyu soupira, la tête contre la vitre du bus dans lequel il se tenait, en direction du centre-ville. Il se sentait stupide : Sangchan l'aimait énormément, il ne ressentait simplement pas d'amour pour lui. Inutile de chercher à tout prix à l'expliquer. Il se faisait du mal pour rien. Personne n'était fautif, ni lui ni son ami.

Pourtant, une petite voix en Jungyu ne pouvait s'empêcher de lui murmurer que s'il s'était montré plus entreprenant, il aurait sans doute pu conquérir celui qu'il chérissait. Et cette petite voix, le jeune étudiant ne parvenait pas à la faire taire.

Une fois descendu du bus, Jungyu se rendit à leur lieu de retrouvailles habituel. Il consulta alors sa montre : huit minutes d'avance. D'un geste, il attrapa son smartphone dans sa poche et se connecta au wifi avant d'aller tranquillement sur internet. Il eut à peine l'occasion de répondre à un seul de ses lecteurs que déjà, relevant brièvement la tête pour surveiller la rue, il vit son ami arriver.

Il rangea aussitôt son portable, leur après-midi shopping put commencer après une rapide étreinte. Ils entrèrent dans une première boutique pendant que Sangchan racontait en détail sa journée de la veille qu'il avait passée chez lui à jongler entre ses études, son ordinateur et sa cuisine. C'était quelque chose de bien peu intéressant, pourtant Jungyu l'écoutait attentivement, opinant parfois. Tant que Sangchan parlait, peu importait ce qu'il disait, Jungyu se sentait heureux.

« Et toi ? lui demanda son aîné en tirant d'un rayon une chemise noire. Quoi de neuf ?

— Pas grand-chose, souffla Jungyu qui se tenait un peu en retrait. Je bosse à fond mon prochain exposé.

— C'est pour quand ? Dans trois mois ? le taquina son ami en lui jetant un regard espiègle.

— C'est... pour lundi.

— Lundi ? »

Sangchan, armé cette fois-ci d'un cintre auquel pendait un t-shirt bariolé, fit volte-face pour toiser son cadet avec étonnement.

« C'est pas ton genre de faire des trucs à la dernière minute...

— Je sais, acquiesça Jungyu, mais... c'est une matière que j'avais encore jamais eue, je voulais être sûr de faire les choses bien alors j'ai emprunté pas mal de bouquins à la bibliothèque et ça a été long de trouver quoi dire. Mais j'ai pu avancer ces derniers temps, j'ai plus qu'à rédiger.

— T'as pas à t'en faire, tu t'en sortiras comme un pro, comme d'habitude.

— Je sais pas. Je le sens pas.

— Junie, tu répètes constamment que tes exposés, tu les sens pas. C'est quand tu les sentiras qu'il faudra te faire du souci. »

L'autre haussa les épaules. Ennuyé à l'idée de l'avoir mis mal à l'aise – et surtout de ne découvrir que maintenant qu'il pompait un temps précieux à Jungyu simplement parce qu'il voulait faire du shopping avec lui –, Sangchan décida de changer de sujet.

« Et au café ? Ça va toujours ? »

Bon, ça ne risquait pas de mettre son cadet tellement plus à l'aise, mais au moins ça avait le mérite de changer de sujet...

« Oh... euh oui, j'imagine, répondit Jungyu en sentant sa voix faiblir en le suivant aux cabines d'essayage.

— Pas de nouvelles performances ?

— Hyung, c'est gênant d'en discuter ici…

— T'arrives encore à être gêné d'en parler alors que quand t'es là-bas, tu laisses les gars te câliner et t'appeler Junie ? se moqua gentiment Sangchan qui se trouvait désormais derrière un épais rideau pour s'habiller.

— Je… c'est pas pareil.

— Tu voudrais que je te câline, moi aussi ? »

Jungyu était sur le point de répondre quand son ami rouvrit sa cabine d'un geste, lui attrapa le poignet et l'attira à l'intérieur. Son regard était teinté de malice, à peine Jungyu avait-il été entraîné ici que son aîné avait refermé le rideau derrière eux.

Étonnamment, ça ne surprenait pas tellement Jungyu – Sangchan était du genre à ne pas se déranger pour faire n'importe quoi en public, il avait fini par avoir l'habitude de se faire traîner dans des situations embarrassantes… mais jamais aussi embarrassantes que celle-ci. Le jeune étudiant avait littéralement atterri contre le torse (heureusement encore vêtu) de son ami qui enroula aussitôt les bras autour de sa taille avant qu'il n'ait le temps d'esquisser le moindre geste de recul.

« Reste contre moi, Junie.

— H-Hyung…

— C'est bien ça qu'ils diraient, non ? Je les ai souvent vus faire. Ils sortent toujours des phrases bateaux comme ça. Tu leur répondrais quoi ? Je veux voir, Junie, montre-moi comment tu joues ! Tu répondrais quoi ? »

Des phrases bateaux… c'était vrai. Mais c'était des phrases que Jungyu rêvait de l'entendre prononcer avec honnêteté.

« Tu rougis, c'est à cause de moi ? »

Un éclat amusé brillait dans le regard du jeune garçon qui prenait un malin plaisir à taquiner son cadet et tenter de reproduire les comportements des performeurs, parlant d'une voix plus grave qu'à l'accoutumée. Pourtant Jungyu, lui, ça ne l'amusait pas vraiment. Sangchan le tenait si puissamment que son cœur allait exploser, et puis… il ignorait pourquoi, mais il se sentait vexé. Sans doute était-ce de constater que Sangchan se moquait de quelque chose que lui considérait comme sérieux. Ou bien était-ce la sensation qu'il jouait avec ses sentiments ? Peut-être, finalement, était-ce tout simplement sa faute à lui, parce qu'il était à ce point amoureux de Sangchan que le voir faire semblant de le draguer lui faisait profondément mal.

CHAPITRE 24

« Arrête, hyung, c'est pas drôle, marmonna Jungyu.

— Oh mais allez, joue le jeu, on est tous les deux, c'est rien ! Je viens pas te voir au café mais je voudrais tellement savoir à quoi tu ressembles quand tu joues ! S'il te plaît, fais-le pour moi ! insista Sangchan avec son immense sourire innocent.

— N-Non… j'ai pas envie, ça me gêne. »

L'aîné, qui semblait jusque-là enthousiaste, fit la moue en constatant que le visage de Jungyu trahissait un profond malaise.

« Bah mon Junie, faut pas réagir comme ça, je voulais pas te vexer. Je suis désolé si c'est le cas, d'accord ? Tu me pardonnes ?

— C'est rien, c'est pas toi… c'est moi, soupira Jungyu. T'inquiète, un jour je te montrerai, mais… ça me gêne. J'ai honte… »

Sangchan s'apprêtait à répondre, néanmoins son cadet ne lui en offrit pas le temps : il se défit de son étreinte et sortit de la cabine après avoir jeté un bref coup d'œil pour s'assurer que le petit couloir était vide. Par chance, il faisait beau aujourd'hui, entrer dans un magasin n'était pas au programme des gens qui se baladaient à l'extérieur.

Le jeune garçon donc retourna dans la boutique, laissant son ami se débrouiller avec ses essayages. Sangchan ne s'était jamais aperçu de l'amour qu'il ressentait pour lui… si au moins il avait pu le rejeter, sans doute Jungyu se serait-il senti mieux. Avec un gros « non » catégorique, il aurait pu espérer aller de l'avant… mais il ne s'imaginait pas demander à son aîné de sortir avec lui, et il ignorait quoi faire pour que Sangchan s'en rende compte. Ses sentiments devenaient de plus en plus douloureux.

Si seulement Sangchan pouvait savoir, lui offrir un bon vieux râteau et qu'enfin il puisse se concentrer sur autre chose. Jungyu éprouvait la sensation de ne pas se montrer honnête avec lui. Et puis… un goût amer lui titillait les papilles : le garçon qu'il chérissait et admirait tant ne le draguait que pour jouer, comme il venait de le faire. Pour une fois, le cœur de Jungyu avait battu plus fort que jamais, pour une fois il avait entendu cette voix profonde de son aîné, cette voix qui pourrait lui ordonner n'importe quoi.

Et ça n'avait été qu'un jeu.

Pourquoi continuait-il même d'espérer qu'un jour Sangchan puisse tomber amoureux de lui ? C'était ridicule, il devrait passer à autre chose, tenter de trouver n'importe quelle distraction pour l'oublier.

Commencer un nouveau roman ? Pourquoi pas, ça lui occuperait l'esprit de chercher des idées de scénarios et de personnages. En attendant, il préférait aller noyer son chagrin sous l'habituelle vague de notifications qu'il recevait chaque fois qu'il laissait un peu trop longtemps son smartphone en mode avion – et particulièrement les weekends.

Ce ne fut qu'au terme d'une dizaine de minutes que Sangchan, les bras chargés des articles qu'il avait apportés en cabine d'essayage, vint s'asseoir auprès de son ami qui avait trouvé refuge sur un banc destiné à ceux qui voulaient essayer des chaussures.

« Je sens que je vais dépenser plus que prévu, sourit Sangchan. Je pensais que tu resterais devant la cabine pour que je puisse te montrer chacun de ces merveilleux vêtements sur moi. C'est dommage, t'aurais peut-être pu me dire lesquels ne m'allaient pas, parce que là j'ai juste envie de tout acheter.

— Tout te va toujours, » répliqua Jungyu en haussant les épaules tandis qu'il rangeait son téléphone dans sa poche arrière.

Un bref instant Sangchan demeura muet, cherchant visiblement ses mots avant de froncer les sourcils, geste inconscient qui lui donna un air peiné.

« Je t'ai pas vexé, hein ? demanda-t-il à son cadet. Tu me fais pas la tête, si ?

— Est-ce que je t'ai réellement déjà fait la tête ?

— Euh… non, je crois pas. Mais… je pensais pas que ça te mettrait aussi mal à l'aise. Enfin je sais pas, j'imaginais peut-être que t'avais un peu plus confiance en toi et j'ai cru… que ça te gênerait pas.

— C'est juste bizarre que ce soit toi, admit Jungyu d'un soupir. Avec les autres performeurs, je me sens un peu plus à l'aise dans ce genre de situation. Je suis désolé, c'est entièrement ma faute. Je voulais pas te faire de la peine, mais… c'est gênant. Et puis…

— Et puis… ? l'encouragea l'autre alors que Jungyu se murait dans le silence.

— Je… j'ai beaucoup de mal, tu sais, avec ça. Performer devant des gens. Alors… si tu pouvais juste éviter… enfin, juste éviter de te moquer, je…

— Me moquer ? le coupa Sangchan. Non, non, tu te trompes ! J'ai aidé Yeonu et Wonseok à monter cette affaire, j'ai passé un weekend entier à les aider à tout agencer dans leur salle. C'est pas ensuite pour me moquer de toi qui as le même travail qu'eux. Au contraire, je suis tellement content ! J'aurais juste voulu te voir jouer, et comme tu veux pas que je vienne te regarder au café, j'ai cru que puisqu'on était très proches ça t'aurait pas dérangé. Je suis désolé. »

Jungyu allait parler quand il baissa les yeux sur sa main, désormais recouverte par celle de son ami. Ce dernier lui accorda un sourire et entremêla leurs doigts avec une moue adorable.

« Du coup tu m'en veux pas ? »

Jungyu se dérida tandis qu'un rose attendrissant colorait doucement ses joues enfantines. Il hocha négativement la tête, récoltant un sourire radieux de son aîné qui reprit ses articles avant de se lever, mettant par la même occasion fin à cet affectueux contact tant apprécié de Jungyu. Ils se dirigèrent à la caisse et l'après-midi put continuer, du moins jusqu'à ce que Jungyu ait à filer au travail.

« On se voit lundi midi, de toute façon ! lança Sangchan en le regardant quitter le petit café dans lequel ils étaient attablés.

— Ouais, à lundi ! »

Ce fut ainsi qu'ils se séparèrent. Ils s'étaient par chance stoppés à quelques rues du Boy's love Café, autrement dit Jungyu l'atteignit rapidement. Il se rendit aussitôt dans le vestiaire des employés et enfila son t-shirt de performeur sur lequel il ajusta son badge. Un coup d'œil sur sa montre lui permit de se rendre compte qu'il était parfaitement à l'heure. Il ne fut donc pas surpris lorsque la porte s'ouvrit pour laisser entrer Wonseok qui la referma derrière lui et alla se changer lui aussi. Il venait de terminer son service et semblait lessivé.

« Longue journée ? s'enquit Jungyu.

— Je te le fais pas dire. Heureusement que t'es pas là les samedis midis. Putain, c'était ingérable... Je veux mourir, Junie.

— Fais pas ton dramatique, rigola le jeune étudiant. T'as survécu, tu vois bien.

— Mais pour encore combien de temps ? Va savoir si la semaine prochaine j'arriverai encore à tenir le rythme... Enfin bon, c'est terminé, c'est tout ce qui compte.

— Tu vas pouvoir aller te reposer.

— Oh putain, oui, je vais en profiter pour être en forme pour ce soir.

— Ce soir ?

— Je suis de service les samedis soir, ouais. De huit heures à onze heures. »

Jungyu acquiesça ; il avait déjà oublié qu'effectivement, les vendredis, samedis et dimanches, le café restait ouvert quelques heures de plus pour accueillir ceux qui voulaient y dîner.

« Bon, je file me reposer, conclut Wonseok une fois changé. Travaille bien, Junie, à bientôt ! »

Le jeune garçon hocha doucement la tête avec un sourire avenant et salua rapidement son supérieur qui ne tarda pas à s'en aller. Jungyu quant à lui s'assura de son apparence dans le miroir et, après une expiration qui lui permit de se donner un peu de courage, il alla en salle retrouver ses collègues.

À cette heure, il restait peu de monde, Jungyu donc ne fut pas étonné de trouver Doyeong et Minwoo en train de flirter près de l'entrée du café, sous les yeux intéressés de plusieurs clients qui profitaient du spectacle.

« J'ai vu comment tu me regardais, déclara Minwoo d'un ton froid et les prunelles plantées dans celles de Doyeong. Si t'as quelque chose à me dire, sois honnête, j'ai autre chose à faire.

— Je veux t'appartenir, hyung, je veux être tout à toi. On sait tous comment tu regardes Wonseok et Junie. Pourquoi est-ce que tu tiens à eux alors que moi je serais prêt à tout pour te satisfaire ?

— Doyeong, dis pas de connerie. Je tiens à chacun de vous.

— Mais pas de la même façon.

— J'aime personne, j'suis pas du genre à être amoureux, c'est pas pour moi.

— J'ai vu ce truc briller dans tes yeux quand t'as regardé Junie. C'est parce qu'il est plus timide, c'est ses rougeurs ? Et Wonseok, lui qui est toujours si bruyant comparé à toi qu'on n'entend jamais, lui avec qui t'agis comme s'il t'appartenait. Hyung, auquel de nous est-ce que tu tiens le plus ? Et pourquoi j'ai pas le droit à ces attentions que t'offres aux autres ? Putain, pourquoi ça me fait si mal ? Hyung… est-ce que… est-ce que mes sentiments sont réciproques ?

— J'ai aucun sentiment, Doyeong, ni pour toi ni pour personne.

— T'es si cruel… »

Susurrant ces mots assez forts pour leur public, Doyeong posa la tête sur l'épaule de son collège qui, quant à lui, abandonna une main dans ses cheveux qu'il caressa d'un geste tendre.

« Pourquoi être aussi sévère avec moi et te montrer ensuite aussi doux ? Est-ce que t'es pas conscient que ça me fait encore plus de mal ?

— Et toi, est-ce que tu crois vraiment que cette situation ne me fait pas souffrir ?

— Hyung... »

L'attention de Jungyu fut détournée de la conversation par une cliente qui venait d'arriver avec trois amies – du moins il supposa qu'elles devaient être amies. Il les observa s'installer à une table et attraper les cartes qui y étaient disposées. Chaque fois, son cœur palpitait dangereusement à l'idée qu'on pouvait potentiellement réclamer un menu spécial duquel il serait une des vedettes.

C'était son job et il en était effrayé... il lui restait encore un sacré travail sur lui-même à fournir...

« Quoi de neuf, hyung ? »

Jungyu se tourna pour adresser un sourire à Myeongtae, occupé comme d'habitude derrière son bar.

« Rien de bien spécial, et toi ? s'enquit l'étudiant. Pas trop dur d'enchaîner les heures de travail ?

— Je bosse pas les dimanches, les mardis et les vendredis, indiqua le jeune garçon. Je fais pas non plus les soirs après huit heures, alors ça va, j'ai toujours pas mal de temps pour moi.

— Oh, ça va encore, alors.

— Ouais, franchement je me plains pas. Et toi à la fac, ça se passe bien ? »

La conversation s'avéra des plus banales, Jungyu malheureusement dut y mettre un terme pour des clientes qui attendaient désormais qu'on prenne leur commande. Doyeong et Minwoo étaient retournés à leur activité de serveur et, pour le plus grand bonheur de Jungyu, des suites de la tendre démonstration des deux collègues, ce fut eux qui furent choisis pour un menu spécial « douceur chocolatée ».

Il l'avait échappé belle, cette fois-ci…

~~~

Dans son bus, contrairement aux lundis matins habituels, Jungyu n'était pas affalé et à moitié endormi contre la vitre. Au contraire, il se tenait droit, une mine inquiète sur le visage, en train de lire et relire son exposé.

Ça n'allait pas du tout.

Certes, il avait voulu bien faire, mais avec les autres travaux qu'il avait accumulés à côté, il lui semblait avoir bâclé ce devoir. Pire que tout : plus il le relisait, plus il se rendait compte qu'il n'avait absolument pas préparé ce que son professeur attendait de lui.

Il avait envie d'aller se pendre pour éviter d'être interrogé et de se ridiculiser devant tout le monde…

Et dire qu'en plus, son enseignant avait été ravi du sujet qu'il avait choisi, convaincu donc qu'il ne pouvait que présenter quelque chose de parfait. Il allait être déçu, non ? Et ses parents, que leur dirait-il lorsqu'il allait leur annoncer cette note catastrophique qu'il voyait venir à des kilomètres ?

Il alla en cours comme on allait à l'échafaud et, lorsqu'arriva le moment de passer, Jungyu perçut une sensation bien connue lui tordre l'estomac : le stress. Même devoir performer devant des clients lui paraissait actuellement plus agréable.

Il se planta néanmoins devant la classe, un groupe d'une trentaine d'étudiants de sa filière qu'il connaissait depuis trois ans, parfois moins – enfin, uniquement de visage, car il n'avait pas pris la peine de retenir chaque prénom.

Il déglutit et, dans un geste anxieux, se mordit la lèvre en ordonnant correctement ses feuilles devant lui. Déjà sa chaleur corporelle grimpait en flèche, indiquant de cette manière son état avancé de nervosité. Son organisme se préparait à fuir, si seulement il pouvait accéder à sa volonté plutôt que de se forcer à rester ici face à ses camarades qui allaient sans doute le juger, le regarder de travers, le critiquer...

« Vous pouvez commencer, » annonça le professeur qui lui avait laissé son bureau pour s'installer quant à lui à une place vide du premier rang.

C'était un homme d'une quarantaine d'années, rasé de près et qui semblait plus jeune. Il était quelqu'un de posé et qui n'hésitait pas à plaisanter avec ses élèves les plus téméraires, ceux qui s'amusaient à lui envoyer de temps à autre quelques boutades qu'il savait de bonne guerre.

Jungyu acquiesça et entama ce qui se trouvait être une explication d'un texte anglais – il travaillait sur la traduction coréenne, bien évidemment : c'était un cours de littérature, pas de littérature étrangère.

Tout se passa bien pendant environ une minute et demie.

« Vous avez oublié de mentionner que le narrateur était également personnage, l'interrompit son enseignant.

— Je comptais le dire par la suite, » balbutia Jungyu.

Il en était à la moitié de son introduction. À peine un paragraphe que son exposé avait débuté et on le coupait déjà...

Le jeune garçon, bien que déstabilisé, reprit. Ce fut approximativement vingt secondes après que...

« Ah, voilà, » approuva le professeur en entendant ce qu'il attendait – à savoir la présence de ce narrateur personnage.

Jungyu, dépité, lui adressa un sourire faux qui ne tromperait personne : si son enseignant le laissait un peu parler, ça l'arrangerait…

D'ailleurs, si seulement ça n'avait été que ce genre de remarques. Car plus Jungyu avançait, plus les interruptions s'enchaînaient : des questions auxquelles il comptait répondre plus tard dans son exposé, certaines en revanche auxquelles il n'avait pas de solution malgré ses recherches (et qu'il avait espéré qu'on ne lui pose pas), etc. C'était une catastrophe.

Chaque fois que son professeur prenait la parole, Jungyu lui servait un sourire qui sonnait un peu plus contraint encore que la fois précédente. Il n'avait qu'une envie désormais : fuir la salle pour aller pleurer dans les toilettes. Sa gorge déjà se serrait, et à un « alors vous n'avez rien trouvé ? Dommage », il crut même sentir des larmes tenter de se faire une place dans ses yeux. Il les réprima et poursuivit, entamant à peine sa troisième partie lorsque…

« Non, non, ça va pas du tout, monsieur Hwang. »

Pitié…

« Question méthode, vous êtes complètement à côté de la plaque, on dirait un méli-mélo d'informations prises au hasard. Les articles que vous avez cités sont trop anciens, aujourd'hui on ne les considère même plus comme pouvant servir d'arguments, et votre plan est bancal, on ne sait pas où vous voulez en venir. Vous montrez sans cesse les problématiques du texte, mais vous n'essayez même pas d'y apporter ne serait-ce qu'une piste qui vous est personnelle.

On dirait que vous avez cherché à entasser des informations sans vous inquiéter de dire des choses contradictoires. »

La lèvre inférieure férocement coincée entre ses mâchoires et les yeux humides, Jungyu acquiesça avec ce qui ne devait probablement plus ressembler le moins du monde à un sourire. Comment était-il supposé trouver le courage de terminer son exposé quand son professeur soulignait devant toute la classe à quel point c'était un torchon ?

Il ne s'était jamais senti aussi humilié…

CHAPITRE 25

Sans même savoir d'où il sortait un tel courage, Jungyu cligna à plusieurs reprises des yeux, contenant ses larmes tandis qu'il terminait son exposé d'une voix beaucoup plus faible qu'au début. Il fila à sa place avec un regard à sa montre : l'heure du déjeuner allait bientôt sonner, il avait parlé pendant près de trois quarts d'heure… enfin, pour dire vrai, il avait parlé une demi-heure et son professeur avait passé environ un quart d'heure en divers reproches, remarques et questions.

« Bon, bah c'était pas si mal, » conclut justement l'enseignant en retournant à son bureau.

Jungyu appuya un coude sur sa table et baissa la tête avant de poser une main sur son front pour la soutenir. Il retenait autant que possible ses sanglots. « Pas si mal », sérieusement ? Il s'était fait humilier comme jamais alors que son travail n'était « pas si mal » ?

Les dix minutes qui suivirent, Jungyu les passa à ravaler les larmes qui revenaient sans cesse taquiner le coin de ses yeux sombres dissimulés par sa main. Il recopiait studieusement ce que son professeur ajoutait à son exposé alors même que l'étudiant ressassait avec une amertume jamais égalée ces trois quarts d'heure qui venaient de s'écouler.

Lorsque l'enseignant indiqua que le cours était fini et qu'il quitta peu après la classe, Jungyu avait à peine terminé de ranger ses affaires. Il savait que l'homme n'était pas du genre à s'inquiéter de fermer les portes des salles derrière lui, et il avait préféré s'assurer qu'il s'en aille avant lui afin de ne pas risquer de le croiser.

Il avait sans le moindre doute les yeux rougis et humides, mieux valait qu'on ne le remarque pas. Installé au fond de la pièce, Jungyu songea qu'il pouvait attendre que tout le monde soit parti avant de s'éclipser à son tour. Pour s'occuper, donc, il attrapa son portable et ouvrit sa messagerie.

Jungyu – Salut hyung, j'ai des trucs à faire je pourrai pas manger avec toi à midi. On remet ça à demain ?

Sangchan – Pas de problèmes. Tu me diras tout, hein ?

Jungyu – Comment t'as su ?

Sangchan – Je suis devant ta salle et t'es toujours pas sorti...

Sangchan – Prends un peu de temps pour toi, repose-toi. Ça te tient trop à cœur. Peu importe ce que tes profs diront, t'es super doué.

Jungyu – Je sais bien que j'y attache trop d'importance... Mais merci.

Gêné pour son ami qui avait directement compris que son devoir s'était réellement mal déroulé, Jungyu soupira et se connecta à internet, jetant un rapide regard circulaire pour constater que presque tous les autres étudiants étaient partis. Il ne s'y trouvait que lui, là, au fond de la pièce, debout devant son sac fermé qu'il n'avait plus qu'à passer sur son épaule.

Une nouvelle fois, la porte de la salle claqua, indiquant que quelqu'un était sorti. Le jeune garçon leva alors les yeux et se rendit compte qu'il restait encore une personne. Bon, ça allait, il ne risquait plus de se faire remarquer par son enseignant ou par un groupe de ses camarades. Décidé, il mit son sac et s'apprêtait à partir quand une voix fluette s'éleva :

« Moi tu sais, Jungyu, je l'ai trouvé très bien ton exposé. »

L'appelé se mordit la langue : s'il parlait, il allait éclater en sanglots. C'était inévitable : chaque fois qu'il éprouvait une telle envie de pleurer, même des heures après il demeurait susceptible de fondre en larmes si le sujet était évoqué.

« Merci, se contenta-t-il de souffler en s'inclinant légèrement par réflexe.

— Est-ce que tu...

— Je dois y aller. »

La jeune fille, une petite brune mince au visage arrondi et aux traits doux, n'eut pas le temps de répondre que déjà Jungyu filait. Il ne voulait pas la vexer... mais sa voix cassée était chargée de trémolos.

Son trajet de bus, il le passa sur son téléphone, et une fois rentré il s'allongea sur son lit pour regarder des vidéos. Sangchan avait raison, il se mettait la pression jour après jour et c'était loin d'être bon pour lui.

Et puis... visiblement, il se mettait la pression pour rien. Quelle utilité de tout donner pour devenir le meilleur s'il se retrouvait ensuite avec des devoirs aussi médiocres ?

Sentant les larmes monter de plus belle, il se concentra sur son écran tandis qu'il allait se chercher un peu d'eau, l'estomac trop noué pour avaler quoi que ce soit. Ce ne fut que pour aller travailler qu'il quitta son lit avec l'impression que ça allait mieux.

Du moins tant qu'il ne ressassait pas ce qui s'était passé...

Une fois le trajet de bus terminé, Jungyu tenta comme il le put de se calmer, lui qui subissait de nouveau les assauts douloureux de son cœur. Et... étrangement, quand il arriva devant les escaliers menant au Boy's love Café, il ressentit en son âme une chaleur apaisante.

Pour la première fois depuis de longues heures, le sourire qui naquit sur son visage fut un sourire sincère et, malgré la peine qui brillait encore dans son regard, une inexplicable forme de soulagement s'y ajouta pour le rassurer.

C'était sans doute à ça que Yeonu pensait quand il déclarait fièrement vouloir faire de cet endroit un lieu où chacun se sentait chez soi.

Il grimpa lentement les marches et, comme à son habitude, fila aux vestiaires se changer. Malgré sa gorge serrée, il se forçait à garder une expression naturelle. Il s'arrêta plusieurs minutes devant la glace non pas pour vérifier sa tenue, mais pour s'assurer que ses lèvres ne formaient pas ce hideux rictus figé qui prenait toujours place sur son visage quand il avait envie de pleurer.

Il se donna du courage à l'aide d'une profonde inspiration qu'il sentit malgré tout tremblante et, constatant qu'il était l'heure, il alla en salle où il retrouva Wonseok et Minwoo. Le premier était occupé à nettoyer le sol vers l'entrée, le second prenait une commande. De même que tous les lundis après-midis, il y avait peu de monde et Jungyu resta dans la lune quelques instants avant que Minwoo ne passe près de lui en lui adressant un « bonjour » rapide accompagné d'un sourire.

Jungyu n'eut même pas le temps de le lui rendre que déjà l'autre retournait en cuisine. Il en ressortit peu après pour réclamer les boissons auprès de Myeongtae et il alla servir les clients. Lorsqu'il traversa de nouveau la salle, Minwoo ne put éviter de jeter un bref coup d'œil à Wonseok :

« Allez Wonseok, lança-t-il d'un ton moqueur, frotte un peu plus sérieusement, elles vont pas s'enlever comme ça, ces taches de soda.

— Au lieu de critiquer, viens m'aider, t'en dis quoi ? rétorqua l'autre.

— Tu salis, tu nettoies.

— Tu disais pas ça l'autre soir, murmura Wonseok si bas que personne ne put l'entendre.

— Bosse au lieu de marmonner. »

Wonseok grimaça et tira la langue à son aîné qui sourit en se dirigeant vers Jungyu.

« Alors Junie, quoi de neuf ?

— Oh, rien, répondit Jungyu qui sentit son nez le piquer tandis que remontait en lui le souvenir de sa matinée calamiteuse. Et toi ?

— Seok a fait tomber un plateau tout à l'heure, ricana son collègue. Il a pu enlever tout : les taches de chocolat, de sauce soja, mais alors le coca, il y arrive pas. C'est tout collant par terre, je me fous de sa gueule depuis un quart d'heure, c'est magique. »

Jungyu esquissa un rictus amusé. Il se détestait de ne pas réussir à mettre ses soucis de côté... Pour autant il se sentait un peu mieux, surtout en se rappelant sa maladresse passée, lorsqu'il travaillait encore dans son ancien établissement et qu'il avait pulvérisé le record du nombre de pièces de vaisselle cassées.

N'entendant pas de réponse de la part de son cadet, Minwoo tourna la tête vers lui avant de lui adresser un regard complice.

« Prêt pour ce nouveau service ? »

Jungyu répondit d'un acquiescement qu'il accompagna d'un léger sourire. Il crut sentir sa lèvre trembler et en fut convaincu quand Minwoo fronça les sourcils.

« T'es sûr que ça va, Jungyu ?

— Oui, oui, t'inquiète, » affirma-t-il en se maudissant pour sa transparence.

Quand il était gêné, il se lançait dans une compétition contre les tomates pour savoir qui arborerait le plus beau rouge ; quand il était heureux, il ne pouvait pas s'empêcher de sourire comme un idiot... et quand il était triste, c'était littéralement tous ses muscles faciaux qui s'arrangeaient pour que même s'il voulait le cacher, ça ne puisse pas passer inaperçu.

« Ok, c'est quoi le problème ? demanda d'un ton sérieux son collègue.

— Mais c'est rien, affirma encore Jungyu en sentant un nœud se former dans sa gorge.

— T'es vraiment sûr ? »

L'étudiant approuva d'un hochement de tête, néanmoins les larmes qui revenaient poindre au bord de ses yeux le trahirent sans le moindre doute. Minwoo posa les mains sur ses épaules et, d'un ton bienveillant, il reprit :

« Je vais te forcer à rien, mais tu sais que tu peux nous en parler, hein ?

— Mais c'est ridicule, murmura son cadet, laisse tomber. »

Et alors qu'il s'exprimait de cette voix brisée par la peine, il sentit finalement des larmes fugitives rouler doucement loin de ses yeux. Il se haïssait : pour un simple exposé, tout ça pour un simple exposé raté. C'était pathétique, et pourtant, pour lui, ça représentait tellement plus que ça...

Des jours à travailler d'arrache-pied, réduits à néant, piétinés par son professeur, et surtout ce profond sentiment d'avoir été publiquement humilié, d'avoir été la risée de ses camarades. Lui qui détestait se faire remarquer éprouvait l'impression que désormais on allait se moquer de lui et de son échec cuisant. Il savait que c'était stupide, complètement faux, et cette fille le lui avait prouvé : les autres étudiants étaient bienveillants. C'était simplement plus fort que lui, il se sentait mal.

Perdu pour perdu et parce que de toute façon il ne pouvait plus le cacher, Jungyu laissa finalement le dessus à ses émotions qui cherchaient à le noyer depuis des heures. Il avait lutté contre cet océan malveillant, il n'en pouvait plus, il était fatigué et découragé.

Alors, après s'être mordu la lèvre en sentant ses larmes glisser le long de ses joues, il finit par tout décharger et se mit à pleurer silencieusement, le corps aussitôt pris de sanglots.

« Eh, Jungyu… »

Ce murmure de son aîné fut aussitôt suivi de l'agréable sensation d'être enlacé par son collègue. Jungyu enfouit la tête dans son cou, s'agrippant à son polo tandis qu'il craquait complètement. Son cœur ressemblait à une éponge qui, après avoir empêché toutes ses larmes de couler, se faisait brutalement presser et laissait tout sortir. Son corps était secoué des spasmes de ses sanglots et il avait beau tenter de rester silencieux, sa respiration chaotique était loin de passer inaperçue.

« Jungyu, viens, on va en salle de repos. »

Minwoo adressa un signe à Wonseok qui, alerté par les pleurs de son collègue, avait relevé les yeux vers eux.

Comprenant qu'il lui intimait qu'il allait écarter Jungyu de la vue des clients, Wonseok acquiesça.

Minwoo passa une main autour des épaules de son cadet pour lui frotter doucement le bras tandis qu'il le poussait ainsi à le suivre. Une fois la porte refermée et les deux garçons dans le couloir en direction de la salle de repos, Jungyu ne chercha même plus à être discret et s'excusa mille fois alors qu'il essayait de calmer ses larmes qu'il jugeait absurdes.

Ils entrèrent dans la pièce et Jungyu put s'asseoir sur une chaise, enfouissant immédiatement le visage entre les mains.

« J'suis désolé, murmura-t-il encore entre deux sanglots, je voulais pas pleurer, je te jure.

— Mais enfin, pourquoi tu t'excuses ? demanda Minwoo qui, accroupi devant lui, lui prit le poignet pour l'écarter de son visage. C'est comme si tu t'excusais de respirer, idiot, t'y peux rien. Si t'as besoin de chialer, chiale un bon coup, ça ira mieux après. Tu veux en parler ?

— Non, c'est stupide…

— Plus que Wonseok en train de rager sur le sol collant près de l'entrée ? »

Malgré ses larmes, le jeune garçon esquissa un sourire en relevant doucement les yeux vers son aîné.

« Plus, affirma-t-il pourtant.

— Ça, c'est pas possible, tu l'as pas vu essayer de donner plus de puissance à ses gestes en cambrant le dos, c'était humiliant à souhait, un régal. J'avais jamais vu personne passer la serpillère comme ça. »

Après un nouvel éclat de rire que Minwoo fut soulagé de sentir sincère, Jungyu soupira.

« Tu sais, lui dit son collègue, si c'est juste un petit truc de rien du tout, c'est encore plus une raison pour en parler, comme ça hop, ça passe et on n'y pense plus.

— J'ai juste raté mon exposé ce matin, admit Jungyu d'une voix basse et timide. C'est tout. »

Minwoo fronça les sourcils : il savait Jungyu acharné du travail, mais de là à ce qu'un simple échec le mette dans un tel état… c'était étrange.

« T'es sûr ? s'enquit-il donc.

— J'avais passé un temps fou à le préparer… et le prof a pas arrêté de me couper, ajouta Jungyu tandis que ses larmes revenaient peu à peu et lui serraient la gorge. Au début, c-c'était juste pour un ou deux trucs que je comptais dire juste après, puis pour me poser d-des questions auxquelles j'étais incapable de répondre, e-et il a fini en me disant devant toute la classe que… que c'était mal construit, q-qu'on aurait dit un véritable bordel sans cohérence… Je… j'avais même pas terminé mon exposé et il voulait ensuite que je continue ? Q-Que je lise mon ramassis de merde devant tout le monde comme… comme s'il avait rien dit ? Putain mais ça se voyait pas assez que j'étais mort de honte ! »

Et sur ces mots, alors qu'il n'avait pas lâché le regard de son collègue de toute sa tirade, Jungyu enfouit de nouveau son visage ruiné de larmes dans ses mains. Minwoo devait sans doute se demander pourquoi il se mettait dans un état pareil pour si peu…

« Je suis désolé, sanglota donc le jeune garçon une fois de plus. J-Je sais que c'est super con… »

Il fut surpris quand la main de son aîné se posa dans sa chevelure, néanmoins il n'esquissa pas le moindre geste de recul, et son cœur bondit de soulagement quand finalement Minwoo se redressa puis se pencha pour l'étreindre.

« S'il y a bien une personne ici qui peut te comprendre, c'est moi, lui confia-t-il alors que ses doigts avaient retrouvé leur place dans les cheveux de l'étudiant. Je sais ce que c'est que d'être aussi angoissé. T'as pas à avoir honte, ni de ton exposé ni de tes larmes. Ton exposé, t'en soucie pas trop : même les meilleurs peuvent se planter, c'est pas interdit et je suis certain que c'est sûrement pas tes camarades qui vont te juger pour ça. Quant à tes larmes… dis pas que c'est ridicule. T'avais bossé à fond, t'es fatigué, stressé, c'est normal de tout lâcher. T'as réussi à aller jusqu'au bout de ton oral ? »

Un hochement de tête lui répondit.

« Bah tu peux déjà être putain de fier parce que, honnêtement, je sais pas si j'aurais été aussi courageux. »

Jungyu s'apprêtait à répondre quand il entendit la porte de la salle de repos s'ouvrir. Son visage larmoyant avait retrouvé refuge dans le cou de Minwoo et il n'eut pas le courage de le lever pour savoir qui venait d'entrer. Il ne voulait pas que quelqu'un d'autre le voie dans cet état.

« Minwoo, Jungyu, qu'est-ce qui se passe ? »

C'était Yeonu.

CHAPITRE 26

« Yeonie, qu'est-ce que tu fais là ? s'étonna Minwoo qui continuait ses agréables caresses dans les cheveux de son petit protégé prostré contre lui.

— Hyung, je vous entends aller en salle de repos accompagnés de sanglots, t'as quand même pas cru que j'allais rester tranquillement dans mon bureau, si ? Jungyu, tout va bien ? »

Le concerné acquiesça en reniflant piteusement, incapable de lever les yeux de peur de croiser ceux de Yeonu. Son patron. Et accessoirement un garçon avec un charisme tel qu'il ne voulait absolument pas se montrer ainsi devant lui. Yeonu ne s'avérait pourtant pas particulièrement imposant, il dégageait simplement ce quelque chose qui empêchait l'étudiant de le considérer autrement que comme son supérieur.

« Retourne en salle, je m'en charge, indiqua Yeonu avec douceur à l'adresse de Minwoo.

— T'es sûr ?

— Quand j'en viens à regarder des vidéos de chatons sur YouTube, ça veut dire que j'ai rien à faire de mon temps. Alors crois-moi, mieux vaut que de nous deux, ce soit moi qui le surveille...

— Wonseok t'envoie encore ces conneries ?

— Il peut pas s'en empêcher, je crois... Allez, retourne en salle.

— Jungyu, ça te va ? »

Surpris qu'on lui demande son avis, Jungyu se contenta d'opiner : il n'était pas franchement ravi d'être laissé avec Yeonu, mais il ne pouvait pas se résoudre à imposer à Minwoo de rester en sachant qu'il avait mieux à faire ailleurs. L'aîné donc s'écarta de lui qui passa un bras sous ses yeux pour en retirer les larmes. Même si elles continuaient silencieusement de couler, il se sentait plus paisible.

« Et t'inquiète, c'est rien du tout, lui souffla Minwoo tandis qu'il perdait une dernière fois la main dans sa chevelure. Je sais que c'est pas facile de relativiser, mais dès demain je suis convaincu que ça ira mieux. »

Dans un sourire peiné, Jungyu hocha la tête avant de murmurer un simple « merci ». Le performeur quitta la pièce après un regard entendu avec Yeonu qui, quant à lui, s'accroupit devant la chaise de son employé.

« J'imagine que t'as pas trop envie d'en parler, mais dans tous les cas on devrait aller ailleurs. Ici, c'est pas hyper confortable et j'ai des mouchoirs dans mon bureau, tu viens ? »

Le rictus innocent qui était apparu sur ses lèvres fit légèrement sourire à son tour le cadet qui souffla un « d'accord » à peine audible. Le visage de Yeonu s'illumina et il lui prit les mains avec douceur tandis qu'il se relevait, lui intimant par là de l'imiter.

Ils se rendirent au bureau de l'aîné qui referma la porte derrière eux et indiqua à Jungyu le petit canapé.

« Installe-toi, proposa Yeonu, fais comme chez toi. »

Jungyu obéit sans un mot, il s'assit avant de prendre une longue inspiration dans l'espoir de calmer ses larmes. Yeonu revint quelques secondes plus tard, après avoir trouvé son paquet de mouchoirs qu'il lui tendit. Il se plaça ensuite à côté de lui, tourné de sorte à pouvoir le regarder. Il le laissa se moucher et, une fois que Jungyu sembla apaisé, il lui offrit son plus doux sourire en posant une main sur sa jambe.

« Tu vas mieux ? Tu veux boire un truc ou manger quelque chose ?

— N-Non, merci. C-C'était rien, balbutia Jungyu atrocement gêné de toute l'attention qu'il générait depuis quelques minutes.

— Quand on craque comme ça, c'est jamais rien, répliqua l'aîné avec un air dubitatif. Ça me dérange pas que tu m'en parles pas – j'ai cru comprendre que tu avais pu en discuter un peu avec Minwoo –, mais tu ne retourneras travailler qu'une fois que je serai sûr que ça ira parfaitement bien. »

D'une part, voir Jungyu dans cet état fendait le cœur du jeune patron, et d'autre part l'étudiant se montrait déjà particulièrement timide devant les clients, mieux valait ne pas l'envoyer performer s'il risquait de fondre en larmes à nouveau. Ça ne serait agréable ni pour les spectateurs ni pour les autres garçons avec qui Jungyu jouerait.

« C'est rien, je t'assure, affirma le cadet avec plus de conviction. Minwoo a raison, demain ce sera oublié. J'imagine que je dois être… juste un peu fatigué.

— Je suis désolé de paraître curieux mais… tu dors bien ces derniers temps ?

— Mieux que d'habitude, oui, déclara Jungyu avec plus de timidité.

— Et t'as mangé quoi à midi ? »

Son interlocuteur baissa les yeux d'un air coupable avant d'admettre qu'il n'avait rien avalé depuis la veille au soir. En vérité, ce matin il s'inquiétait tellement de son exposé qu'il n'avait pas pris le temps de manger, et en rentrant chez lui ce midi, il avait la gorge nouée par les sanglots qu'il contenait. Impossible d'ingurgiter quoi que ce soit.

« Bon, je vais te chercher de quoi grignoter, décida Yeonu, je te laisserai pas enchaîner cinq heures de service le ventre complètement vide.

— Non, c-c'est pas la peine, le retint Jungyu en le voyant se lever, j'ai pas faim.

— Dans ce cas tu te forceras, tant pis. »

L'étudiant souhaita protester encore, mais Yeonu ne lui en offrit pas l'occasion : déjà il quittait le bureau duquel il laissa la porte ouverte. Jungyu poussa un soupir en cachant une fois de plus le visage entre ses mains. Il causait du souci à tout le monde, il n'avait jamais voulu ça... En plus, Yeonu se montrait si prévenant, c'était à peine croyable de la part de celui qui était pourtant le patron de cet endroit. Il témoignait d'une telle bienveillance...

Les minutes passèrent, silencieuses, et rapidement Yeonu fut de retour, un plateau avec lui. Il s'y trouvait un bol de riz accompagné de bœuf bulgogi, ainsi qu'un verre d'eau et une part de gâteau au chocolat avec une coupe de fruits frais.

« Jinwon avait des restes de riz, alors il a fait un peu de viande avec, sourit Yeonu en refermant la porte. Pour le dessert, je savais pas trop quoi prendre, mais je me suis dit que quand on se sentait pas très bien, un peu de sucre, ça pouvait pas faire de mal. Du moins, c'est ce que Sangchan dit toujours.

— Merci, hyung, c'est vraiment gentil...

— C'est normal voyons, t'es dans notre petite famille maintenant. Allez, mange. »

Et sur ces mots, Yeonu posa le plateau sur ce qui ressemblait à une table de chevet, juste à côté du canapé. Il le décala ensuite pour la placer devant Jungyu auprès de qui il s'assit.

« Mange, l'encouragea-t-il en percevant son hésitation. Te sens pas gêné, ça nous fait plaisir. »

Rassuré de constater que Jungyu avait finalement vaincu ses larmes, Yeonu reposa la main sur sa cuisse dans le but d'attirer son attention. Ça fonctionna, puisque Jungyu coula son regard sur sa paume avant de le relever sur son visage. Son aîné afficha une moue peinée en voyant ses yeux entourés de rouge, signe qu'il avait pleuré récemment, et ses pommettes de la même couleur. Il n'ajouta cependant aucun commentaire et laissa le jeune garçon entamer tranquillement son repas. Afin de ne pas le gêner, il tira son portable de sa poche et s'occupa, surveillant toujours Jungyu d'un œil discret.

L'étudiant avait peiné à avaler les premières bouchées du déjeuner, néanmoins la saveur exquise des plats eut rapidement raison de son manque d'appétit. Il mangea avec plaisir. Lorsqu'il passa au dessert, il ne reniflait pratiquement plus et ses traits retrouvaient peu à peu leur sérénité habituelle.

« Merci beaucoup, déclara Jungyu une fois les assiettes vides. Je suis désolé de vous avoir inquiétés et de vous avoir obligés à prendre du temps pour moi.

— L'important c'est que tu te sentes mieux, affirma Yeonu. T'es prêt à retourner en salle ?

— Oui. »

Il consulta sa montre pour s'apercevoir qu'il aurait dû avoir commencé son service depuis presque quarante minutes. Ses joues rougirent aussitôt et il ajouta en bafouillant :

« Je rattraperai l'heure que j'ai pas faite, je pourrai venir plus tôt samedi après-midi.

— Je voulais pas t'en parler tout de suite, mais si effectivement tu pouvais arriver samedi avec une heure d'avance, ce serait parfait.

— J'y manquerai pas. »

Déjà Jungyu se relevait pour retourner en salle, il en fut néanmoins empêché lorsque son supérieur enroula les doigts autour de son poignet pour le retenir.

« Tu peux encore souffler vingt minutes si tu comptes venir avec une heure d'avance. Et vu ton visage, mieux vaut que tu restes encore un peu à l'écart des clients : ça se voit que t'as pleuré.

— Oh… d'accord, je suis désolé.

— Mais t'excuse pas, Jungyu, reste ici et repose-toi un peu. Et oublie pas que si tu veux parler, tu peux tout me dire, on n'est pas du genre à juger les autres ici. »

Jungyu acquiesça doucement : ses collègues le lui avaient répété, aujourd'hui ça se prouvait. Il se trouvait dans un environnement essentiellement constitué de bienveillance. Il posa les mains sur ses genoux en se rasseyant et tourna un regard hésitant vers son aîné :

« Hyung, je peux te poser une question ?

— Laquelle ?

— Comment tu fais… pour être aussi sûr de toi ? T'as jamais de doutes ?

— J'ai la chance d'avoir grandi avec une famille qui m'encourageait toujours à me donner à fond sans me soucier d'autrui. Si faire quelque chose qui me plaît déplaît aux autres, alors ils peuvent aller se faire foutre. Tant que je fais de mal à personne, je vois pas pourquoi mes actes seraient blâmables, et dans ce cas pourquoi douter ? Si tout ce qui compte pour moi est ma propre opinion, j'ai pas de raison de manquer de confiance en moi.

— Je vois…

— Et toi, Jungyu, pourquoi est-ce que tu te soucies à ce point des opinions de personnes que tu connais même pas ? »

La question, pourtant posée sur le ton de l'innocence, tira un soupir de dépit à Jungyu qui tenta de s'expliquer comme il le pouvait sans y parvenir. Sans doute était-ce la sensation d'être regardé de travers, la peur du mépris et des critiques. Il craignait le moindre faux pas.

« Et… c'est pour ça, hein ? demanda prudemment Yeonu. C'est parce que t'as la sensation d'avoir fait un faux pas que tu te sentais si mal ? »

Jungyu souffla et une œillade rapide à sa montre lui permit de constater qu'il lui restait un quart d'heure devant lui. Ainsi, d'un ton tremblant et peu assuré, il raconta dans les grandes lignes ce qui lui était arrivé ce matin-là. Yeonu l'écouta attentivement, passant un bras réconfortant autour de ses épaules lorsqu'il perçut la voix de son cadet mourir dans sa gorge. Jungyu, une fois sa tirade achevée, ne bougea pas de cette délicate étreinte qui lui réchauffait le cœur, et finalement il ne s'en écarta que pour conclure :

« C'est rien de plus que ça, mais j'imagine que c'était… juste trop. Dix, quinze ou vingt minutes, je l'aurais supporté, j'aurais juste été déçu. Mais trois quarts d'heure, c'était intenable. »

Comprenant que Jungyu n'avait pas besoin de grands discours de réconfort – discours qu'il ne saurait de toute manière pas faire –, Yeonu se contenta d'acquiescer lentement avant de lui sourire :

« Et pourtant, t'as tenu jusqu'au bout, et maintenant c'est fini.

— Oui, approuva Jungyu avec une mine soulagée. J'espère juste que ma note sera pas trop catastrophique. C'est la seule note qu'on aura en plus de celle des examens finaux…

— T'inquiète pas : que tu te morfondes ou non, ça changera rien. Essaie simplement d'oublier ça pour te concentrer sur l'essentiel, ce qu'il y a devant toi et pas derrière. »

Jungyu opina et regarda une fois de plus sa montre pour constater qu'il ne lui restait que quelques minutes : autant y aller dès maintenant.

« Merci encore de m'avoir écouté, dit-il en inclinant la tête, et aussi pour tout le reste. Je me sens mieux, je vais y retourner.

— Je suis content que ça soit passé. »

Avec un dernier sourire, le cadet fila retrouver ses collègues. Wonseok surveillait la salle et, lorsqu'il vit Jungyu y revenir, il l'approcha, rayonnant.

« Heureux de te voir, Junie, affirma-t-il simplement.

— Merci d'avoir été patient.

— C'est normal. Tu te sens toujours d'attaque pour la leçon de ce soir ou tu préfères qu'on la reporte ?

— Non, je préfère la faire ce soir. »

Ça aurait le mérite de lui changer les idées, et puis Sangchan avait raison, il devait penser à autre chose, à se détendre. Sans doute écrirait-il avant de se coucher plutôt que de réviser. Les examens n'allaient plus tarder, mais d'un autre côté, il se savait prêt et n'était pas particulièrement sous pression.

Les écrits le stressaient beaucoup moins que les oraux. Là il avait confiance en lui et ses capacités – d'autant plus qu'avec la catastrophe subie le matin même, un écrit lui paraissait fabuleux si ça pouvait lui permettre de ne pas se retrouver confronté à trente visages ennuyés de ce qu'il racontait.

Wonseok acquiesça, visiblement heureux de l'entendre parler ainsi, et laissa Jungyu seul pour aller prendre une commande. Un réflexe poussa le jeune garçon à chercher Minwoo ; il était sans doute à la cuisine.

« Jungyu, tu peux donner un coup de chiffon au bar ? »

L'appelé se tourna vers Myeongtae et s'exécuta aussitôt. Occupé qu'il était, il se rendit compte que peu à peu un sourire se dessinait sur son visage : il se sentait bien, délesté d'un poids qu'il aurait gardé s'il n'était pas venu travailler. C'était comme si avoir parlé et avoir été compris sans être jugé lui avait permis de se libérer de ses soucis.

Il était serein, désormais.

Il ne le resta cependant pas plus d'une vingtaine de minutes, car lorsqu'il dut aller prendre la commande d'une table à laquelle se trouvaient deux jeunes filles…

« Un menu spécial, demanda l'une d'elles. Euh… caramel sucré. Menu simple. »

L'autre choisit un gâteau à la pâte de soja – il était après tout quatre heures et demie – et finalement Jungyu reporta son regard sur la demoiselle qui avait commandé quelques instants de plus pour décider des performeurs qu'elle souhaitait.

« Minwoo et vous, ce serait possible ?

— Bien sûr, acquiesça Jungyu qui réussit à cacher son embarras derrière un charmant sourire. Ce sera tout ? »

Chacune opina et le jeune homme s'en retourna aux cuisines. Jinwon s'y trouvait, seul, en train de ranger et de nettoyer. Il releva les yeux et accorda un sourire à son collègue qui, déjà, se dirigeait vers le petit comptoir réfrigéré où attendaient les pâtisseries.

Il fut d'ailleurs soulagé de voir à ce même moment Minwoo entrer avec un plateau vide qu'il reposa.

« Hey, Jungyu, lança son aîné, tu vas mieux ?

— Oui, merci. Dis… on a une performance tous les deux.

— Pour bientôt ?

— Oui, elles n'ont commandé que des gâteaux.

— Quel menu ?

— Caramel. Vous faites quoi d'habitude avec ça ?

— Je dois t'avouer que, autant pour le chocolat et les fruits on fait toujours à peu près les mêmes choses, autant pour le caramel, on a beau se creuser la tête, on trouve pas, ricana Minwoo. Du coup, en général, on mise plutôt sur le « sucré ».

— C'est-à-dire ? »

Minwoo lui offrit une expression malicieuse avant de se rapprocher dangereusement de son cadet.

« Dis-moi, Junie, ça te dérangerait que je t'embrasse les joues devant nos clients ? »

CHAPITRE 27

Quelle question, bien sûr que oui que ça le dérangerait ! Or, conscient que ce n'était là rien de plus que leur travail, Jungyu essaya de relativiser. Minwoo l'avait pris dans ses bras un peu plus tôt dans la journée et lorsqu'ils s'étaient retrouvés seuls en salle de repos. Ce ne serait pas un petit baiser sur la joue qui lui poserait problème...

« Non, non, hyung, affirma-t-il en tentant de mettre ses appréhensions de côté. Et moi, je devrai faire quoi ?

— Improviser au mieux, c'est ton job. Mais t'inquiète, je te guiderai, comme la dernière fois.

— Merci beaucoup.

— C'est normal. On y va ? »

Le cadet approuva d'un hochement de tête et ils se rendirent tous les deux en salle. Jungyu servit sa table et s'inclina respectueusement devant eux avant que Minwoo ne passe un bras autour de sa taille.

« Mais dis-moi, Junie, cette demoiselle n'avait pas demandé un menu un peu... spécial ? l'interrogea-t-il avec malice.

— S-Si, bredouilla son collègue qui ne put retenir un regard vers la jeune fille en question qui les observait avec un intérêt passionné.

— Alors peut-être que nous devrions nous asseoir, qu'est-ce que t'en dis ? »

Jungyu se contenta d'opiner timidement et Minwoo s'installa sur la banquette, face aux clientes, après quoi l'autre l'imita pour se retrouver à ses côtés.

« Est-ce que ce sont eux ou bien est-ce que c'est moi qui t'intimide à ce point ? reprit l'aîné en appuyant avec nonchalance un coude sur la table.

— Tu m'intimides pas, hyung…

— Les deux petites tomates qui te servent de joues ne sont pas d'accord.

— M-Mes joues sont pas des tomates, protesta le cadet en posant les mains sur ses pommettes brûlantes de gêne.

— N'en aie pas honte, ricana Minwoo d'un ton espiègle, j'aime l'effet que j'ai sur toi. »

Jungyu déglutit : son aîné venait d'enrouler un bras autour de son corps et de l'attirer plus près de lui. Leurs deux cuisses entrèrent en contact et bientôt le visage de Minwoo fut proche du sien. Il fut si proche que Jungyu put sentir le bout du nez de son collègue lui effleurer la joue. C'était doux, pur.

« Tu me laisserais goûter à tes petites joues rougies ? demanda le performeur.

— Je… »

Jungyu resta muet, écrasé par ce trac mêlé d'embarras qu'il ressentait au plus profond de lui et qui le gelait sur place alors même qu'il faisait palpiter son cœur effrayé. Comprenant que son ami était incapable de répondre, lisant toute son anxiété sur son visage de poupon, Minwoo décida de changer ce qui était prévu. Il attrapa les hanches de Jungyu et, d'un geste franc qui surprit le jeune homme, il l'attira sur ses genoux pour l'installer de sorte qu'il lui fasse face.

Se positionner dos au client était une chose que les performeurs devaient à tout prix éviter, or Jungyu ne cessait pas de tourner son regard vers eux, cherchant par là à fuir implicitement la situation gênante qu'il vivait auprès de Minwoo. Ce dernier, donc, le confrontait en même temps qu'il le rassurait : impossible désormais pour lui de voir les yeux dirigés sur lui. Minwoo était le seul à lui faire face.

Et étrangement, ça fonctionna. C'était comme s'ils étaient enfermés dans leur petite bulle, sans les deux filles qui, à moins d'un mètre d'eux, les observaient avec admiration. Jungyu se sentit aussitôt plus serein, et lorsque Minwoo passa les doigts dans ses cheveux pour l'inciter à incliner légèrement la tête, il obéit. L'aîné alors ne se dérangea pas pour couvrir de baisers surfaciques la peau du cou du jeune étudiant qui en frissonna.

« Sensible ? le taquina Minwoo. Ça m'étonne pas de toi.

— Hyung…

— Je peux t'emprunter tes joues un instant ? »

Incapable de répondre par des mots – car ils demeuraient coincés dans sa gorge –, Jungyu se contenta d'acquiescer et ferma les paupières lorsque Minwoo prit son visage en coupe, les pouces sur ses tempes pour avoir accès à ses joues. Il approcha doucement la frimousse empourprée de son cadet qui se laissa faire et sentit finalement ces lèvres tendres appuyer sur ses pommettes. Le jeune homme avait incliné la tête de son ami très légèrement afin de permettre aux clients de voir correctement son profil à lui et donc la scène qu'ils jouaient. Tout se déroulait bien.

Jungyu, qui avait jusque-là les mains posées sur les clavicules de son ami, se résolut à lui agripper les épaules, exprimant silencieusement toute cette angoisse de laquelle il essayait de se débarrasser.

Minwoo quant à lui goûtait avec douceur les joues laiteuses de son collègue, y laissant de délicats baisers en les mordillant de temps en temps, comme affamé de ce corps tout contre lui.

« T'as la peau si douce, souffla-t-il, je pourrais la dévorer à longueur de journée.

— Hyung, s'il te plaît…

— Tu me réclames, maintenant ?

— C'est pas vrai ! réfuta Jungyu en cachant son visage rougi dans le cou de son aîné, conscient que c'était là quelque chose qui avait tendance à attendrir leurs spectateurs.

— Je vais finir par te trouver mignon si tu continues, et crois-moi, tu veux pas savoir ce que je fais aux gens mignons…

— Mais… hyung, tu me gênes… »

Minwoo se contenta de ricaner et finalement, après avoir rapidement passé la main dans ses cheveux, il le repoussa gentiment de sorte à l'inciter à s'asseoir de nouveau à côté de lui. Jungyu obéit, soulagé : la scène était terminée. Les deux garçons offrirent un sourire à leurs clientes et Minwoo expliqua d'un ton espiègle :

« Jungyu et moi avons quelque chose à faire à l'abri des regards ; on s'excuse, mais on va devoir vous laisser.

— Hyung ! gémit piteusement le jeune cadet qui venait de se relever et croyait être tiré d'affaire.

— Oups, pardon, je savais pas que ça devait rester secret. »

Minwoo quitta le siège à son tour et lui adressa un clin d'œil avant de souhaiter aux demoiselles un bon appétit. Ces dernières les remercièrent et les deux performeurs s'en allèrent. Jungyu récupéra son plateau puis se dirigea vers la cuisine, suivi de Minwoo qui allait sans doute lui faire quelques remarques.

Ce ne fut cependant pas le cas : l'aîné en effet préféra aller taquiner Wonseok qui, accoudé au bar, les avait observés et avait déjà en tête la liste de tout ce qu'il fallait que Jungyu corrige au sujet de ses scènes et de sa manière de se tenir et d'agir devant les clients. Par chance, la jeune fille qui avait commandé ce menu spécial paraissait comblée : sans que son large sourire la quitte, elle discutait avec son amie qui semblait dans le même état. La performance leur avait plu. C'était l'essentiel, heureusement que Minwoo avait été là pour rattraper le coup.

~~~

« Hyung, j'en ai fini avec la salle, t'as besoin que je fasse autre chose ? s'enquit Jungyu.

— Non merci, tu peux aller te changer, je suis à toi dans cinq minutes. »

Le jeune garçon acquiesça et quitta le bureau de Wonseok pour retourner en salle de repos. Il était bientôt huit heures vingt, l'établissement avait fermé et Jungyu s'était occupé de ranger ce qui ne l'avait pas encore été pour permettre à Wonseok de vérifier ses mails et terminer deux ou trois tâches administratives auxquelles il ne comprendrait sans doute rien.

Arrivé devant les casiers, l'étudiant ouvrit le sien pour en sortir ses vêtements habituels. Il se changea et attrapa son sac avant de repartir voir son aîné. Il s'installa silencieusement sur le petit canapé de peur de le déranger et, comme la semaine précédente, il passa quelques minutes sur son portable. Il alla d'abord laisser un adorable « Merci ^.^ » à ceux qui lui disaient sur les réseaux sociaux du café qu'il était mignon, et après quelques instants il bascula sur son compte d'écriture pour répondre à ses innombrables commentaires. Chaque fois, ils lui réchauffaient le cœur et lui permettaient d'avoir véritablement confiance en une chose : sa prose.

« Enfin fini, soupira le gérant soulagé. Bon, Jungyu, prêt pour le cours d'aujourd'hui ?

— Oui, sourit le jeune garçon en rangeant son téléphone.

— On va discuter de ta performance avec Minwoo pour commencer, tu veux bien ? demanda Wonseok en se redressant pour venir s'asseoir vers son collègue lorsque celui-ci acquiesça. J'ai pu vous observer de loin et rapidement, Minwoo t'a pris sur ses genoux. Tu sais pourquoi il a fait ça ?

— Parce que j'étais bloqué, admit-il d'un air penaud. Je savais plus quoi dire et j'arrivais plus à réfléchir.

— Pas seulement : t'arrêtais pas de jeter de petits coups d'œil aux clients, mais tu dois éviter : dans ces scènes, il n'y a que Minwoo et toi. Il faut imaginer que vous êtes cloisonnés, seuls dans votre petit moment. T'étudies la littérature, j'imagine que tu sais ce qu'est le quatrième mur, n'est-ce pas ? Tu dois faire comme si t'étais entouré non pas de trois mais quatre murs : si l'acteur de ton film favori se mettait tout à coup à regarder de temps en temps la caméra alors même qu'il parle à un autre personnage, ce serait déstabilisant, non ? Eh bien il en va de même pour toi dans tes performances : imagine un mur à la place de ces regards posés sur toi et fais comme s'ils n'existaient pas.

— Mais c'est difficile.

— Je le sais bien, c'est exactement ce que Minwoo me répondait toujours. T'as de la chance que les clients aiment bien vous mettre ensemble, il sait mieux que quiconque ce que c'est que d'être timide, il peut gérer ça sans problème. Quand il t'a pris sur ses genoux, c'était parce qu'il avait bien vu que ce quatrième mur, t'étais pas capable de le construire toi-même. Alors il a déplacé le problème et t'a mis dos aux clients. Mais t'imagines bien que c'est vraiment en dernier recours qu'il a agi ainsi : un performeur dos au client c'est pas top, tu penses pas ?

— Si… j'en suis désolé.

— T'as pas à l'être : cette idée de prendre l'autre sur ses cuisses pour l'obliger à se concentrer sur la performance, c'est moi qui l'utilisais avec Minwoo quand je voyais qu'il devenait trop statique et gêné. Je te l'ai déjà dit, tu pouvais pas tomber sur meilleur partenaire que lui : il a déjà vécu ça, alors il sait quoi faire pour te rassurer. »

Un instant, Jungyu imagina un Minwoo timide que Wonseok ferait grimper sur ses genoux pour lui permettre de focaliser son attention sur lui et lui seul. Adorable – même si ça avait dû être difficile pour Minwoo de se retrouver installé sur les cuisses de celui qu'il chérissait.

« Bon, songea Wonseok à voix haute, t'as encore du mal avec la gestuelle, mais question dialogue, tu t'es amélioré. De même, je te sens moins gêné d'être contre nous quand on te prend dans nos bras.

— Oui, je… je commence à m'y habituer, je crois.

303

— Ça se voit : tu ne bégaies presque plus quand tu discutes avec nous. Contrairement à la semaine dernière, j'aimerais que cette fois, maintenant que t'as eu l'occasion de participer à quelques performances et interactions, tu me montres ce que tu sais faire.

— C'est-à-dire ? s'inquiéta aussitôt Jungyu.

— On va commencer à s'entraîner avec les performances, il est temps d'entrer dans le vif du sujet. Si t'es d'accord, on va commencer par celle qui a le plus de succès, la douceur chocolatée, et ensuite je te donnerai un petit cadeau. Ça te va ? »

Jungyu approuva, il ne lui semblait de toute manière pas avoir le choix – et le « petit cadeau » le rendait curieux. S'il voulait proposer un travail satisfaisant, il fallait nécessairement qu'il répète. Les performeurs avaient beau improviser, les situations s'avéraient toujours similaires – si ce n'était identiques. S'il s'entraînait, il pourrait sans doute finir par se sentir à l'aise.

Du moins, il l'espérait.

« Alors je te mets dans le bain : imagine qu'on est devant les clients, sourit Wonseok en se tournant vers son collègue. Deux filles et deux garçons nous regardent, on est au beau milieu du café lors d'un après-midi ensoleillé et tu viens de te mettre un peu de chocolat sur le coin de la lèvre. Prêt ?

— Oui. »

Et sur cette réponse simplement soufflée, Jungyu plongea ses prunelles timides dans celles de son aîné qui laissaient transparaître toute sa sérénité. Un instant, Jungyu envia ce regard.

Les yeux de son supérieur se baissèrent pour observer ses lèvres, et quelques trop longues secondes passèrent avant qu'il ne prenne la parole :

« Mon Junie... t'as du chocolat, là, juste au coin des lèvres...

— O-Où ça ? Ici ? demanda Jungyu en passant la pulpe de son index au mauvais endroit, tentant d'entrer complètement dans son rôle.

— Non, juste... juste là... »

Wonseok avança la main vers lui et posa sa paume contre la mâchoire de Jungyu avant de glisser le pouce sur sa lèvre inférieure. Le cadet entrouvrit par réflexe la bouche à ce geste et, tandis que son cœur se mettait à cogner – preuve de son embarras –, ses joues se teintèrent d'un rose pâle peu voyant mais à croquer.

Wonseok balada un instant de plus ses prunelles sur la bouille angélique de son employé qui, les yeux baissés pour éviter de croiser les siens, reprit avec une timidité qu'il arrivait à contrôler :

« C'est bon, hyung ? J'ai plus rien ?

— Si, juste encore deux petites taches...

— Q-Quoi ? Qu'est-ce que tu veux dire ?

— Ici... et là. »

Et tandis qu'il prononçait ces mots, Wonseok posa un index sur la joue gauche de Jungyu et l'autre sur sa joue droite. Avec un regard malicieux, il reprit :

« Deux jolies taches rouges.

— Mais hyung, j'y peux rien, arrête de me taquiner... »

Jungyu fit la moue, l'air peiné, et aussitôt Wonseok afficha un visage compatissant.

« Oh mon Junie, je suis désolé, s'excusa-t-il en le serrant dans ses bras, c'est juste que t'es tellement mignon... Tu me fais fondre comme un glaçon en pleine canicule !

— L'expression, c'est pas « comme neige au soleil » ?

— Quand c'est pour corriger les autres, t'es tout à coup moins timide, hein ?

— Hyung, rigola Jungyu en se détachant de son étreinte pour le regarder ensuite avec une tendresse amusée, tu dis toujours n'importe quoi.

— Je révolutionne la langue, c'est différent. Mais pour dire vrai... s'il y avait bien une langue avec laquelle je pouvais décider de jouer en ce moment, c'est la tienne que je choisirais, mon Junie. »

Et ce faisant, il prit le menton de son cadet avant de l'obliger à tourner légèrement la tête de sorte à pouvoir abandonner un chaste baiser au bas de sa joue, près du coin de ses lèvres.

Chapitre 28

« T'as toujours été le meilleur et tu le seras toujours, que ce soit à mes yeux ou de façon complètement objective, affirma tendrement Sangchan. Je te le promets. »

Jungyu acquiesça doucement, bercé par l'étreinte que lui offrait son ami sur le lit de qui ils se trouvaient tous les deux assis.

« Du coup t'as bien dormi, cette nuit, tu te sens mieux ? reprit l'aîné.

— Oui, t'inquiète pas. Cet exposé, c'était hier matin. Entre-temps, les autres ont réussi à me faire relativiser au café. Et le cours avec Wonseok m'a fait oublier tout le reste.

— Il s'est bien passé ?

— Oui, très bien. On s'est entraînés à quelques performances, ensuite on a discuté de ce que je devais améliorer. Je sens que je suis moins timide avec les garçons, mais quand on est devant les clients, j'ai encore beaucoup de mal. J'imagine que ça viendra tôt ou tard, faut simplement attendre et travailler sur ça.

— Je suis heureux de te l'entendre dire. »

Sangchan offrit à son ami son plus chaleureux sourire, sourire que Jungyu lui rendit. Présentement, il était dix-neuf heures trente et c'était mardi. Jungyu avait passé une longue et agréable nuit de repos, décidant de se coucher le plus tôt possible et de se laisser l'occasion de profiter de son lit, conformément à ce que tous ses aînés lui avaient conseillé la veille. La journée donc s'était déroulée parfaitement et il avait été soulagé que ses camarades de classe ne lui fassent pas la moindre réflexion quant à son exposé massacré. Le cœur libéré de tous ses tracas, il s'était rendu chez Sangchan dans la soirée car ce dernier n'avait pas pu le voir le midi même.

Et les voilà qui discutaient tranquillement ; Jungyu venait de lui raconter à lui aussi toute l'histoire de son mal-être, et cela avec un détachement tel que Sangchan s'était réjoui de constater que ça ne l'affectait plus d'en parler. On sentait encore un peu d'inquiétude et de déception poindre dans sa voix, mais après tout c'était normal. L'important, finalement, c'était qu'il n'y attachait plus une importance particulière.

« J'ai vraiment été étonné, continua Jungyu avec un air distrait. Minwoo, Yeonu, tous les autres... ils se sont montrés si patients et si... je sais pas, mais ils m'ont énormément soutenu, c'est grâce à eux que j'ai pas passé ma soirée à broyer du noir.

— Yeonu laisserait jamais personne seul face à ses soucis, expliqua Sangchan avec un rictus attendri, et il choisit ses employés en se basant essentiellement sur leur personnalité : t'imagines bien que lui qui recrute, il voit passer beaucoup de candidats – le café est après tout très connu parmi les fans de yaoi et surtout grâce à leurs réseaux sociaux. Mais tous ces gens qui se présentent... ils ont pas ce quelque chose que Yeonu cherche. Tu sais, mon Yeonie il est super fort pour comprendre les autres. Il cherche pas le meilleur cuisinier ou le performeur le plus compétent, non. On peut tous être formés, et la volonté d'apprendre – l'humilité, donc – est avant tout ce qui fait un bon employé. Yeonu, lui, ce qu'il veut, c'est quelqu'un d'honnête, quelqu'un de simple et de juste, qui s'inquiète pour les autres autant qu'il s'inquièterait pour lui-même.

« Beaucoup de gens postulent pour être performeurs parce qu'eux aussi, ils veulent pouvoir s'afficher sur les réseaux sociaux du café. Ce sont des mecs qui veulent juste se montrer, qui veulent être populaires et qui s'en foutent des autres – du moins tant que les autres en question ne les admirent pas. C'est aussi pour ça que j'ai proposé ta candidature : toi, t'étais pas comme ça. Toi, t'es quelqu'un de tellement gentil que c'était obligé que Yeonu le comprenne dès le premier regard.

— C'est vrai ? souffla Jungyu en croisant ses prunelles comme s'il cherchait à y trouver cette sincérité qu'il y voyait toujours briller.

— Je te l'assure, ouais. T'es quelqu'un de bien, Junie.

— Merci, Chan... »

Par un réflexe que son cœur jugea absolument nécessaire, Jungyu se blottit contre son ami, enroulant les bras autour de sa nuque pour se retrouver tout contre lui. Adepte des câlins, Sangchan ne se fit pas prier pour rendre cette étreinte à son cadet, lui frottant le dos avec une moue attendrie. Quand Jungyu se sentait fatigué ou avait récemment traversé un moment difficile, il devenait toujours plus enclin à ces gestes affectueux qu'il retenait en temps normal.

« T'es sûr que ça va mieux ? lui demanda-t-il quand même une dernière fois.

— Oui, affirma Jungyu, beaucoup mieux. Je sais pas comment vous remercier, vous tous.

— Ah bah moi, tu sais, tant que je peux te faire des câlins... »

Jungyu lâcha un rire nerveux et se recula, prenant conscience tout à coup qu'il se trouvait depuis un peu trop longtemps dans ses bras. C'était gênant, Sangchan risquait de se douter de quelque chose, à la longue...

Quoique... si Sangchan s'avérait aussi naïf que Wonseok, aucun risque qu'un jour il devine ses sentiments. Il était si convaincu que Jungyu ne le voyait que comme un ami qu'il en était devenu aveugle. Exactement de la même façon que Wonseok l'était face à Minwoo. C'était dire, donc, s'il n'y avait aucune crainte à éprouver quant au fait que Sangchan puisse comprendre ce qu'il ressentait pour lui...

~~~

En rentrant chez lui, Jungyu porta un regard inquiet sur son étagère : il s'y trouvait les lunettes que lui avait offertes Wonseok la veille, après son cours de théâtre. Des lunettes à verres ronds, sans monture et aux branches fines, pareilles à celles que son meilleur ami lui prêtait pour ses photos, mais sans correction.

C'était ça le « petit cadeau » dont il lui avait parlé avant de commencer.

Wonseok l'avait encouragé à essayer de se photographier seul, quitte à ne pas publier les clichés après. L'important, c'était qu'il s'habitue à prendre des selfies et qu'il se sente de plus en plus à l'aise, jusqu'à pouvoir agir sans aide.

Ce fut de cette façon, donc, qu'après avoir terminé les quelques devoirs qui lui restaient, il se retrouva en pleine séance photo. Il portait son sweat favori, un short au-dessus du genou, et il s'était coiffé le plus correctement possible. Les images s'accumulèrent, insatisfaisantes aux yeux du jeune garçon qui les supprimait les unes après les autres dans un soupir dépité.

Jungyu – Hyung, j'arrive pas à prendre des photos, elles sont toutes ratées...

La réponse ne se fit pas attendre, néanmoins ce n'était pas ce que Jungyu espérait...

Wonseok – Désolé Junie, je suis occupé, on en reparle demain si tu veux. ^^'

Jungyu souffla : il avait un moment libre maintenant, raison pour laquelle il souhaitait en profiter. Certes, le lendemain étant un mercredi, il aurait très peu de cours. Pour autant, il avait chargé son emploi du temps dans l'espoir de pouvoir avancer aussi bien dans ses romans que dans ses cours – et, il fallait l'avouer, il avait cru pouvoir prendre deux ou trois heures pour s'installer dans la boulangerie qu'il fréquentait pas très loin de l'université et qui était toujours particulièrement calme.

En bref : il ne souhaitait aucunement s'imposer une séance selfie en plus. Un sourire naquit donc quand il entendit son portable vibrer à nouveau. Cependant...

Wonseok – Demande à Chan ou à Yeonu, bonne soirée, à jeudi !

Pour ce qui était de Sangchan, mieux valait oublier : quand Jungyu était parti de chez lui une heure auparavant, il semblait épuisé et lui avait confié qu'il irait sans doute se coucher tôt (sans même jouer à la console, c'était dire s'il devait être mort de fatigue). Hors de question de le déranger.

Quant à Yeonu... Jungyu ne s'imaginait simplement pas lui envoyer ses selfies pour lui demander conseil. C'était stupide pourtant, il avait bien vu que son supérieur n'était pas quelqu'un capable de se moquer de ses employés. Mais pour le petit performeur, ça paraissait si gênant...

Un nouveau regard sur les quelques images qu'il placerait dans la catégorie « pas si mal » fit soupirer Jungyu. Il devait se fier à ses collègues aussi bien qu'à ses deux patrons, sinon quoi il ne pourrait jamais réellement se sentir à l'aise à l'idée de travailler avec eux – surtout au vu du travail en question.

Jungyu – Bonsoir, hyung. Désolé de te déranger mais j'essayais de prendre quelques photos et j'aurais besoin d'aide…

Le message tapé, Jungyu hésita entre l'effacer et l'envoyer. La technique de Sangchan lui revint en mémoire ; il ferma les yeux.

« Un, deux, trois. »

Il envoya le message et s'en voulut environ quatre secondes plus tard. Qu'est-ce qui lui prenait de déranger Yeonu à cette heure pour quelque chose d'aussi futile que des selfies dont il n'était pas satisfait ? Pour quoi allait-il passer, sérieusement ?

Occupé à se morfondre sur son lit, Jungyu sursauta, surpris par les vibrations de son propre portable sur lequel il se jeta pratiquement pour voir la réponse de son aîné.

Yeonu – Salut Jungyu ! Pas de soucis, qu'est-ce que je peux faire ? :3

Ce smiley rendait clairement son message adorable. Le jeune performeur sourit et, sa confiance en lui retrouvée, écrivit plus sereinement :

Jungyu – Est-ce que je peux t'envoyer quelques photos ? Je trouve qu'aucune n'est bien mais je sais pas quoi faire pour m'améliorer.

Yeonu – Aucun problème, envoie-les-moi. ;)

Jungyu – T'es sûr que je dérange pas ?

Yeonu – Non au contraire, je me faisais chier… Alors, ces photos ?

L'étudiant prit une profonde inspiration et sélectionna une demi-douzaine d'images. Sur la bonne centaine qu'il avait capturée, seules celles-ci lui paraissaient à peu près passables. Il avait tout essayé pour les rendre plus belles : changer l'éclairage de sa chambre, changer de position, d'angle, etc. Tout y était passé. En vain, ça ne ressemblait pas à celles de Sangchan.

Yeonu – Ces selfies sont parfaits, tu leur reproches quoi ?

Jungyu – Non, c'est pas comme ceux que Chan m'aidait à faire, j'ai l'impression que ma tête est moche…

Yeonu – T'as l'air plus fatigué sur ces photos que sur celles prises par Chan, effectivement, mais si tu veux je peux corriger ça.

Jungyu – Sérieux ?

Yeonu – Tu prends jamais de selfies, toi, hein ?

Jungyu – Comment tu le sais ?

Yeonu – Avec toutes les applis qui existent, c'est super facile de modifier une photo. Je vais enlever un peu tes cernes et adoucir ton grain de peau. Attends deux secondes.

Ce fut à peine quelques instants plus tard qu'il reçut une première photo modifiée et…

Jungyu – Ouah, c'est impressionnant ! Elle est carrément mieux !

Yeonu – Ouaip, t'as vu ça ! Seulement une minute pour un résultat impeccable ! ^^

Jungyu, occupé à comparer le selfie original et celui retouché par les soins de son aîné, obtint dans les minutes qui suivirent ses cinq autres photos. Elles semblaient transformées ! Son visage était lisse, sans la moindre impureté : c'était parfait pour les réseaux sociaux.

Yeonu – Bon j'avoue, j'ai rendu tes yeux légèrement plus lumineux, aussi, comme ça on dirait qu'ils brillent, t'es beaucoup trop cute. ^.^

Jungyu – Merci beaucoup !

Jungyu – Enfin pour les photos je veux dire, merci pour les photos.

Yeonu – T'inquiète, je suis content d'avoir pu aider ! Y en a une que tu comptes poster ?

Jungyu – Je sais pas trop… tu trouves qu'il y en a une qui est bien ?

Yeonu – Elles le sont toutes, mais à mon avis tu devrais poster la quatrième : avec ta petite moue un peu fatiguée, t'auras qu'à laisser un message pour souhaiter bonne nuit de façon mignonne et hop, le tour est joué. ;)

Jungyu – D'accord je vois, merci encore.

Yeonu – C'est normal voyons, je suis content que tu te sois adressé à moi. Et en plus j'ai des selfies exclusifs du petit Junie, c'est beaucoup trop mignon, je suis aux anges, t'es à croquer ! ^^

Jungyu – Hyung, tu me gênes… T-T

Yeonu – Si j'ai pu faire naître sur tes joues ces petites rougeurs que j'y vois toujours, alors je suis pleinement satisfait de ma soirée.

Jungyu – Bon, je vais poster la photo, à jeudi !

Yeonu – T'es encore plus à croquer quand t'essaies d'esquiver une conversation. À jeudi !

Avec un soupir embarrassé, Jungyu se laissa tomber sur son lit à plat ventre, étendu sur son matelas comme une étoile de mer sur son rocher. À cette familiarité non plus, il n'arrivait pas à s'y habituer. Pas étonnant que Sangchan et Yeonu soient meilleurs amis, les deux se ressemblaient beaucoup.

Est-ce qu'ils ressentaient quelque chose l'un pour l'autre ? Ou bien est-ce que ça avait déjà été le cas ? Non, connaissant Sangchan, il le lui aurait dit. Il était si bavard au sujet de tout et n'importe quoi que ce n'était sûrement pas sa vie amoureuse qu'il lui cacherait.

Jungyu se recroquevilla, allongé sur le flanc, et jeta un coup d'œil à son téléphone. Avec un sourire, il alla sur les comptes du café et y posta sa photo, celle que Yeonu trouvait la plus appropriée, ajoutant comme légende un « Je suis fatigué... Bonne nuit tout le monde, j'espère que vous ferez de beaux rêves ! » accompagné d'un smiley arborant un léger rictus et des joues empourprées. Simple, mais efficace.

Les réactions ne tardèrent pas, toutes ou presque agrémentées de petits cœurs. Le jeune performeur sourit, touché de cette attention qu'on lui accordait et de toute cette bienveillance qu'il recevait. Bien sûr, il n'était pas naïf, il avait bien conscience que parmi ces gens qui commentaient ses publications, il y avait forcément des personnes qui le critiquaient... mais il n'avait pas de temps pour eux. Il était bien trop occupé à répondre à ceux qui lui souhaitaient de passer une bonne nuit et de faire de beaux rêves lui aussi.

~~~

Le ciel nocturne était sombre et sans le moindre nuage. Percé de nombreuses étoiles qui brillaient faiblement, il laissait entrevoir le dernier quartier de la lune qui formait un fin croissant au-dessus de Séoul. La ville était encore éveillée, vivante et illuminée. La capitale ne s'arrêtait jamais, on ne s'y accordait pas un seul instant de répit.

Les rues à l'écart du centre-ville pourtant s'avéraient plus calmes. On n'y entendait pas un bruit, si ce n'était le ronronnement solitaire du moteur d'une voiture qui passait par là de temps à autre. Les lampadaires éclairaient des trottoirs déserts et il semblait que tout y était endormi.

Difficile de croire, donc, face à cet absolu silence, que deux êtres étaient en train de s'unir sauvagement, dans une passion fébrile qui mêlait gémissements et cris de plaisir. L'un se sentait sur un nuage de luxure, les sens comblés par le désir qui lui serrait le bas-ventre. L'autre avait le cœur lourd d'un besoin d'amour qui y laissait un vide qu'il tentait de remplir en s'oubliant quelques heures dans les bras de celui dont il était profondément et désespérément amoureux.

CHAPITRE 29

Dans un nouveau gémissement de plaisir, Minwoo serra les poings et se cambra au point que son dos en devint douloureux. De petites larmes perlèrent au coin de ses yeux, rapidement absorbées par le bandeau qui lui recouvrait les paupières.

Entièrement nu, il avait les poignets attachés aux barreaux du lit de son amant, les avant-bras sur le matelas, le bassin relevé et les genoux, sur lesquels il s'appuyait, parfaitement écartés. Depuis une bonne dizaine de minutes à présent, Wonseok abusait de son intimité pour son plus grand bonheur. Minwoo se confondait en couinements, incapable de s'exprimer sous la déferlante de sensations qui le fouettait et le laissait pantelant, complètement soumis à son cadet.

Minwoo en effet, s'il adorait l'impression que Wonseok lui faisait l'amour, adorait également quand ce dernier, pour le dire en toute honnêteté, le baisait sauvagement et sans pitié. On pourrait croire que c'était parce que la brutalité du moment lui permettait d'oublier ses sentiments, mais il s'agirait là d'une grossière erreur.

Que Wonseok se montre doux ou non, Minwoo avait toujours aussi mal au cœur. Certaines choses ne changeraient jamais.

En revanche... quand Wonseok le malmenait, il prenait ensuite tant soin de lui que son amant se sentait comblé. Conscient que son aîné aimait être choyé, le jeune garçon, une fois ce genre de rapports intenses terminés, offrait à

Minwoo toutes les caresses, tous les baisers et toutes les attentions dont il raffolait.

Ça donnait à son ami la sensation d'être chéri – il s'était parfois surpris à y croire, à s'imaginer que Wonseok et lui sortaient ensemble. C'était pour ces petits moments où la réalité n'existait plus qu'il aimait tant que son collègue le prenne violemment et lui fasse enchaîner les orgasmes.

Minwoo poussa un cri de plus quand la paume de son partenaire lui claqua sévèrement la fesse droite. Wonseok le pénétrait toujours plus brutalement, agrippé à ses hanches, ne lâchant son corps de nymphe que pour lui infliger ces gifles auxquelles il était accro. La peau de Minwoo, si pâle, rougissait avec une facilité remarquable. Déjà son épiderme se teintait d'un charmant rose qui tirait par endroits sur le pourpre.

La douleur donnait à Minwoo cette sensation de brûlure si particulière, une brûlure à la limite entre souffrance et plaisir. Ça lui faisait agréablement tourner la tête, il se régalait et chaque gémissement de bonheur qu'il poussait encourageait son cadet à poursuivre ce traitement.

Parce que plus Wonseok le marquerait, plus il serait ensuite doux avec lui.

« Hyung, ta peau, elle est tellement belle…

— Wo-Wonseok… encore… »

Le jeune garçon agrippa avec plus de force la taille de son aîné et claqua son bassin contre le sien dans un bruit des plus sensuels. Minwoo s'accrocha avec véhémence aux draps tandis que ses hanches ondulaient pour suivre et approfondir les coups de reins sauvages que lui offrait celui qu'il aimait. Le sexe de Wonseok s'enfonçait si parfaitement en lui, comblant à merveille son intimité étroite. Il frottait chaque paroi de l'antre de Minwoo, titillait le moindre nerf qui les recouvrait jusqu'à cet endroit qui en était gorgé.

Un nouveau choc sur sa prostate fit hoqueter Minwoo dont le corps se crispa. Depuis le temps qu'ils couchaient ensemble, ils connaissaient par cœur les points faibles de l'autre. Ça ressemblait à un déluge de sensations qui se confondaient comme tout autant de sons qui servaient à former la plus délicieuse des mélodies. La poigne forte de Wonseok sur ses hanches lui laisserait d'importantes marques sur le corps... mais qu'est-ce qu'il les chérissait, ses marques ; il appartenait complètement à son cadet.

La pièce était emplie des bruits et des odeurs de leurs ébats. Déjà le lit était taché de pré-éjaculatoire et de sperme – car ce soir, Minwoo n'en était pas à son premier orgasme. La lumière tamisée donnait à l'endroit un air plus secret encore, chose que le jeune homme, parce qu'il portait ce fameux bandeau de soie, ne pouvait pas constater.

La mâchoire serrée, Minwoo entrouvrait parfois les lèvres pour soupirer et lâcher ces petits geignements que Wonseok aimait tant entendre. Dominer son aîné et sentir autour de son sexe l'intimité moite et accueillante de Minwoo, c'était un pur bonheur. Il grognait de plaisir chaque fois que son gland sensible s'écrasait sur la prostate de son collègue qui répondait par un gémissement lascif.

La chaleur augmentait dans la pièce comme au creux d'un volcan sur le point d'exploser – sans doute était-ce la sensation qui grondait dans leur bas-ventre. Le plaisir grimpait, grimpait.

Wonseok enleva l'une de ses mains de la hanche de son amant qui serra les poings, sachant pertinemment ce qui l'attendait. Le bras du cadet siffla et sa main s'abattit violemment sur la peau déjà rougie du performeur. Un instant, la douleur fut sourde, mais presque aussitôt elle se métamorphosa en une volupté exponentielle qui finit par déborder. Encaissant un nouveau coup de reins de Wonseok, Minwoo sentit cette sensation exploser pour se propager dans l'intégralité de son corps.

Le jeune homme éjacula en gémissant comme une douce litanie le prénom de son partenaire. Celui-ci néanmoins n'en avait pas terminé avec son magnifique amant au teint d'albâtre. Maintenant ses hanches pour garder son bassin en l'air, il continuait ses mouvements, prolongeant de façon intense la jouissance de son aîné. Les couinements de Minwoo s'affaiblirent à mesure que l'orgasme le consumait et qu'il se répandait en quelques traînées blanchâtres sur les draps, tremblant compulsivement à cette surcharge de plaisir à laquelle il ne s'habituerait jamais.

Son anneau de chair se resserrait de manière spasmodique autour de Wonseok qui se sentait comprimé dans cette étroitesse enchanteresse. Ses coups devinrent plus secs et brutaux qu'ils ne l'étaient déjà sans pour autant que la cadence ne change. Minwoo néanmoins, écrasé par ce pesant orgasme, se mit à gémir sous l'effet de la stimulation excessive qu'il subissait.

Pourtant qu'est-ce qu'il aimait ça, que Wonseok abuse pendant un temps fou de son corps et de sa boule de nerfs.

De nouvelles larmes humidifièrent son bandeau sombre alors que des sanglots de plaisir lui nouaient la gorge. Il était à Wonseok, tout à lui, complètement soumis à lui.

Ce dernier, obnubilé par la façon dont sa longueur disparaissait dans l'antre de son amant, se régalait de le voir ainsi comblé, l'accueillant toujours malgré le degré d'intensité de l'ébat. Minwoo ne cessait plus de trembler et de haleter, c'était tout simplement divin et ça donnait à son cadet l'envie de lui faire mille choses encore.

« Wonseok-ah ! »

Minwoo gémit brutalement lorsque l'autre relâcha sa hanche pour cette fois-ci s'attaquer à son téton qu'il faisait rouler entre ses doigts experts. Contraint pour cela de se pencher légèrement, il venait de cogner de plus belle la prostate du jeune garçon, ne diminuant pas le rythme de ses pénétrations. Minwoo enfonça plus profondément la tête dans les oreillers, couvrant ses cris devenus cassés.

Wonseok savait parfaitement à quel point ces petits bouts de chair étaient sensibles, raison pour laquelle il en maltraitait un durement. Chaque geste qu'il y effectuait tirait à son amant de délicieux sons de débauche qui lui caressaient agréablement les tympans.

L'instant cependant ne dura pas. Bien vite en effet, la main du jeune garçon cessa son activité pour effleurer le torse de son collègue, descendant lentement vers son ventre, son bas-ventre, puis son sexe qu'il attrapa et auquel il offrit des coups calqués sur ceux que Minwoo recevait déjà dans son intimité. Celui-ci s'accrochait désespérément aux draps, laissant couler des larmes de plaisir qui s'échouèrent sur ce bandeau qui, parce qu'il lui obstruait la vue, l'obligeait à se concentrer davantage sur ses autres sens.

Et pour le moment, c'était essentiellement sur le sens du toucher qu'il se concentrait.

« Putain… hyung, je vais bientôt venir…

— Ah… Wo-Wonseok, remplis-moi !

— Bordel ! »

Envoûté par ces mots soupirés par son ami, Wonseok eut à son tour droit à un orgasme foudroyant. Renversant la tête en arrière, il éjacula en Minwoo, couvrant de son sperme ses parois déjà si sensibles. Ses coups se poursuivirent tandis que l'aîné, sur un nuage à la sensation de la semence de son amant en lui, haleta avec au cœur l'impression d'être comblé.

La jouissance passée, Wonseok s'immobilisa quelques instants, toujours planté dans l'intimité de son partenaire qui esquissa un geste pour l'inciter à bouger : en quelques minutes, lui avait retrouvé toute sa vigueur et attendait une nouvelle libération. D'un mouvement, Wonseok se retira de lui.

Minwoo s'apprêtait à gémir de frustration quand il reçut une fessée qui le fit à la place hurler de plaisir. Un deuxième coup lui fut donné, puis au troisième son cri resta coincé dans sa gorge tandis qu'un hoquet de surprise lui échappait : Wonseok venait de lui enfoncer le sextoy sorti un peu plus tôt, avant qu'il ne lui bande les yeux. C'était un sexe coloré d'un noir mat et que Minwoo connaissait bien.

Il n'eut cependant même pas le temps de se préparer mentalement que déjà l'objet se mettait à vibrer intensément en lui, stimulant plus que de raison ses pauvres parois internes. Il se débattit faiblement quand Wonseok bougea le jouet, le plantant en lui jusqu'à la garde de sorte qu'il s'agite tout contre sa prostate.

« Wonseok-ah… continue ! Continue ! »

Ce fut tout ce qu'il fut en mesure de dire, perdu qu'il était dans ce labyrinthe d'émotions contradictoires.

Wonseok s'exécuta, faisant aller et venir ce sexe dans l'anus de son amant qui se déhanchait contre lui. Les coups étaient puissants, rapides, frappant sans pitié les tréfonds de son antre. Minwoo éprouvait la sensation que ses nerfs s'emballaient comme jamais, notamment quand Wonseok reprit de sa main libre les fessées qu'il avait cessé de lui donner.

Sa chair martyrisée, son intimité complètement noyée sous cet intense plaisir, son bassin était la seule partie de son corps encore capable de ressentir quoi que ce soit. Il se moquait bien de ses poignets qu'il blessait en tirant sur ses menottes, il se moquait des muscles de ses doigts crispés au possible sur les draps. Tout ce qui comptait, c'était ce vibromasseur entre ses cuisses et les claques qu'il subissait. Douleur et volupté se mêlaient, même sans attouchements sa verge avait repris un volume considérable et le jeune garçon se savait sur le point de venir une fois de plus.

Il était devenu bien trop sensible, stimulé à l'excès, et cette horreur qui s'agitait cruellement contre sa prostate en la percutant de plein fouet, il ne pourrait pas y résister longtemps. De même, il ne pourrait pas supporter plus longtemps ces claques entre lesquelles Wonseok lui malaxait délicatement, de ses grandes paumes chaudes, ses fesses abîmées.

À la recherche de son ultime orgasme, Minwoo ondula des hanches de manière plus franche, ce que Wonseok remarqua immédiatement. Sans pitié, il planta le sextoy au plus profond de l'antre de son amant et l'y garda enfoncé tandis qu'il augmentait la cadence des vibrations à leur maximum.

Minwoo se sentit aussitôt emporté, comme si ce trop-plein de sensations avait définitivement fait chavirer sa conscience. Dans un cri plus grave et rauque que ceux qu'il poussait à l'accoutumée – car sa voix avait elle aussi été durement malmenée –, il exprima tout son plaisir.

Des sanglots incontrôlés s'emparèrent de lui face à l'intensité folle de ces sensations et, alors que Wonseok massait agréablement sa peau tyrannisée, il vint dans un gémissement muet, éjaculant les dernières gouttes de sperme que son corps pouvait produire. Le jouet reprit ses mouvements de façon plus douce tandis que les vibrations se calmaient. Minwoo était complètement ailleurs, abandonné dans un abysse de passion qui lui volait ses forces pour les échanger contre cette ultime dose de volupté.

Prolongé par la main de son cadet sur sa verge, l'orgasme de Minwoo lui apparut comme une décharge électrique qui ne s'interrompit qu'au bout d'interminables secondes. Son corps cessa de trembler, ses muscles se détendirent. Seul son torse se soulevait encore à intervalle régulier, effet aussi bien de ses sanglots que de sa respiration hachée.

Agenouillé auprès de lui, Wonseok le relâcha, lui retira rapidement le sextoy, le bandeau et les menottes, puis il l'allongea avec douceur sur le ventre.

« T'as été incroyable, hyung, souffla-t-il d'une voix tendre. T'es tellement beau, si tu savais.

— M-Merci, haleta son collègue.

— Chut, du calme… je vais prendre bien soin de toi, d'accord ? »

Minwoo tourna la tête pour appuyer la joue sur l'oreiller et voir son ami dont le visage lui avait manqué pendant leur ébat. Il lui sourit faiblement, la mine fatiguée, et acquiesça avec lenteur.

« Tu te sens bien ? lui demanda Wonseok en lui essuyant ses larmes de la pulpe du pouce. J'y suis allé un peu fort, cette fois.

— Je vais bien, murmura la voix épuisée de Minwoo, j'ai beaucoup aimé. »

Wonseok se pencha et prit possession de ses lèvres. Le cœur de son amant bondit à ce geste et il s'abandonna à toute cette tendresse que son cadet lui offrait. Un soupir de plaisir mourut entre leurs deux bouches quand Minwoo sentit son ami lui caresser délicatement le dos. Chaque effleurement y semait de petits frissons et, exécutés du bout des doigts, ils lui prodiguaient une sensation de douce extase.

« Voilà, murmura Wonseok en lui faisant un bisou esquimau, détends-toi. Mon adorable chaton aime toujours autant les câlins, hein ?

— Moui, susurra l'autre en réclamant de nouveau ses lèvres pour un bref baiser.

— Tu voudras manger quelque chose ? Boire un truc ? T'as pas beaucoup mangé, ce soir, je peux te préparer des nouilles, ça te va ? »

Minwoo acquiesça.

« On va faire ça, alors. Je vais mettre l'eau à chauffer et chercher la pommade pour tes fesses. Je reviens dans deux secondes, d'accord ?

— Fais gaffe, je risque de compter, se moqua Minwoo dans un souffle.

— Repose-toi, ensuite tu mangeras un morceau. »

Une nouvelle fois Minwoo se contenta d'opiner. Il ferma les yeux et se laissa bercer par les pas de son collègue qui, une fois levé du lit, alla enfiler un jogging puis se rendit à la cuisine pour concocter le repas. Il lui restait des plats préparés de nouilles au poulet dans lesquels il suffisait de mettre de l'eau chaude et d'attendre un peu pour qu'ils soient prêts. Pratique pour pouvoir sustenter rapidement son amant. Il alla enfin à la salle de bains chercher la pommade qu'il y gardait pour leurs ébats les plus violents. Avant de retourner surveiller la bouilloire, il passa par la chambre pour s'assurer que Minwoo était toujours éveillé. En l'entendant entrer, son ami battit un instant des paupières et lui accorda un léger sourire.

« J'ai la crème, et l'eau va sans doute pas tarder à être chaude.

— T'es le meilleur, Seok-ah.

— Je sais. »

Une moue espiègle au visage, le jeune garçon posa le petit tube sur la table de chevet et, après un baiser de plus à son aîné, il se dirigea vers la cuisine. L'eau avait rapidement atteint la bonne température, il la versa dans l'emballage du plat et le referma avant de l'amener à la chambre avec un verre de soda, le tout sur un plateau.

Une fois de plus, lorsqu'il rejoignit Minwoo, ce dernier l'accueillit avec ce sourire adorable dont lui seul avait le secret.

CHAPITRE 30

« Tiens, chaton, dans deux minutes tu pourras manger.

— Merci. »

Minwoo, toujours sur le ventre, se redressa sur les avant-bras quand son amant posa le plateau devant lui, sur le lit. Un frisson lui parcourut le dos lorsque son cadet y traîna ses doigts taquins qui se contentaient de lui frôler la peau. Wonseok lui demanda d'écarter les jambes et l'autre obéit sans hésiter. Il y avait bien longtemps que ce genre de situations ne le mettait plus mal à l'aise.

« Attention, ça va être un peu froid, le prévint-il en s'agenouillant entre ses cuisses.

— Je sais. »

Wonseok se versa un peu de pommade et se frotta les mains pour l'étaler. Ceci fait, il posa les paumes sur les fesses de son aîné qui retint de justesse un gémissement de douleur, soufflant simplement un « putain » qui tira un rictus son supérieur.

« Je suis désolé, s'excusa Wonseok, je me suis laissé emporter, t'aurais dû m'arrêter.

— J'ai aimé, t'en fais pas. »

Wonseok ne répondit rien et se contenta de lui masser délicatement le postérieur, s'assurant de bien faire pénétrer la crème pour taire la sensation de brûlure qu'il savait que Minwoo éprouvait. Ses fesses avaient pris cette charmante teinte rouge pâle qui contrastait avec l'épiderme diaphane de son corps.

Sans plus pouvoir se retenir, Wonseok se pencha lentement et appuya les lèvres au creux des reins de Minwoo qui frémit et soupira de plaisir. Il raffolait de cette douceur.

Si Wonseok n'était pas un adepte des câlins et des baisers, il y avait cependant une chose qu'il ne négligeait jamais : l'aftercare. Chaque fois que les deux jeunes hommes couchaient ensemble de manière si brutale, Minwoo finissait en larmes, souvent avec la peau marquée. Hors de question donc pour Wonseok de le laisser dans cet état. Ça expliquait pourquoi il prenait le temps de lui parler, de le caresser, de l'embrasser, de lui offrir une petite collation, et surtout de soigner son corps abîmé.

C'était un moment qu'il appréciait lui aussi, une paisible transition entre ces puissants orgasmes qu'ils s'étaient prodigués et une réalité banale dans laquelle ils n'étaient que des amis.

Minwoo avait commencé à manger. Le plat était à la température parfaite et, en dépit de sa simplicité, c'était un régal. Quoique... ça l'était moins que les mains qui se baladaient actuellement avec douceur sur ses fesses si fragilisées. À la légère sensation de brûlure se mêlait celle, agréable, de la crème que Wonseok utilisait et qui soulageait ses douleurs. Son amant lui malaxait le postérieur sans insister de peur de raviver ses souffrances et c'était pour Minwoo un moment de pur bonheur.

Il se sentait toujours si heureux quand Wonseok lui accordait toute son attention et prenait à ce point soin de lui...

« Ça va un peu mieux ? s'enquit son ami.

— Oui, continue s'il te plaît, marmonna Minwoo.

— Je comptais pas arrêter maintenant, t'inquiète, chaton.

— Et avec ce surnom, tu comptes arrêter quand ?

— Jamais. »

Tant mieux, car même s'il feignait de le détester, Minwoo l'adorait, ce surnom idiot.

Wonseok passa les pouces au bas des fesses de son amant, à la jonction avec ses cuisses opalines, et y forma de petits cercles. Ses doigts s'activaient doucement sur toute la surface rougie et il avait parfaitement senti que désormais, Minwoo était complètement serein et apaisé.

Ce ne fut que quelques minutes plus tard, alors que l'aîné venait à peine de terminer de manger, que cet agréable massage s'acheva à son tour. Toute trace de crème avait pratiquement disparu. Wonseok se releva et rapporta le plat vide à la cuisine avant de revenir à la chambre. Minwoo, à présent allongé sur le flanc, s'était recroquevillé sur le matelas, la peau couverte de frissons qui témoignaient du fait que la température de son corps était considérablement redescendue.

« Je vais nous faire couler un bain, ça marche ? » proposa Wonseok.

L'autre répondit d'un hochement de tête sans même prendre la peine d'ouvrir les paupières. Le jeune garçon s'assit auprès de lui et posa une main bienveillante sur son épaule, remontant doucement le long de sa nuque pour terminer sa course sur sa joue. Minwoo rouvrit les yeux, pas longtemps cependant puisqu'il les referma lorsque la bouche de celui qu'il aimait effleura la sienne.

Le baiser resta chaste, leurs lèvres et rien de plus. Un simple moment de tendresse, ce genre de moments auxquels Minwoo aspirait avec tant d'ardeur. Wonseok le tira délicatement à lui et, prenant soin d'éviter ses fesses encore sensibles, il passa les mains sous ses cuisses pour le soulever. Minwoo était un véritable poids plume, Wonseok n'éprouva aucune difficulté à le porter – il y était après tout habitué.

Minwoo noua aussitôt les jambes autour de sa taille et les bras autour de sa nuque dans laquelle son visage trouva refuge. Wonseok ne l'en empêcha pas, un sourire attendri aux lèvres. Ils se rendirent ainsi à la salle de bains, Minwoo abandonnant parfois de petits bisous timides sur la peau de son cadet. Ce dernier le relâcha doucement une fois arrivé à la baignoire. Un instant il le soutint de peur que ses jambes tremblantes ne lâchent, néanmoins Minwoo lui assura que ça allait.

Le jeune performeur fit couler le bain et échangea un nouveau baiser avec son employé qu'il laissa y entrer seul avant de retourner à la chambre changer les draps du lit pendant que l'eau montait. Lorsqu'il revint, Minwoo était étendu dans la baignoire, les yeux fermés. Il s'était positionné de façon à ce que son bassin ne supporte pas tout son poids.

« Tu me fais une place, hyung ? »

Wonseok retira son jogging et se joignit à lui après avoir coupé l'eau, s'installant dans son dos pour le caler entre ses jambes. Minwoo se laissa faire et soupira de plaisir lorsque son amant enroula les bras autour de sa taille fine pour le serrer contre lui et obliger sa colonne vertébrale à épouser la courbure de son torse. Ainsi allongé dans l'étreinte de celui qu'il chérissait, l'aîné appuya la tête contre lui et la tourna de sorte à lui tendre ses lèvres. Wonseok n'hésita pas un instant à les lui voler délicatement, lui caressant en même temps le ventre.

Leur bouche, aimantée à celle de l'autre, se mouvait de manière sensuelle sans pour autant que les langues s'invitent dans l'échange. Ça demeurait chaste, c'était si agréable. Les mains posées par-dessus celles de son cadet, Minwoo s'accordait le plaisir d'imaginer un monde idéal dans lequel Wonseok se déclarerait à lui, lui avouant qu'il l'aimait profondément et qu'il désirait que leurs chemins s'unissent pour pouvoir continuer sa route avec lui.

Les baisers de Wonseok descendirent dans son cou puis sur son épaule. Ils cessèrent lorsque le jeune garçon attrapa le gel douche et s'appliqua à laver Minwoo de toute trace de leurs ébats. Celui-ci se laissa manipuler, appréciant le contact de ses mains puissantes sur l'entièreté de son corps. Quelques baisers furent échangés, réchauffant bien plus Minwoo que l'eau dans laquelle ils baignaient et dont la température couvrait le miroir de la pièce d'une épaisse buée.

Ils sortirent de longues minutes plus tard. Wonseok sécha Minwoo avant de le ramener dans le lit, retournant ensuite à la salle de bains se sécher lui-même et remettre son jogging.

« Hyung, tu dors ? » murmura-t-il une fois revenu à la chambre.

Minwoo ouvrit les yeux en guise de réponse. Bien sûr que non, jamais il ne s'assoupirait juste avant que Wonseok ne le rejoigne pour le prendre dans ses bras et lui offrir mille câlins dont il rêvait jour après jour. C'était dans ces moments-là que son cœur battait le plus vite, dans ces moments-là qu'il se sentait plus vivant que jamais. Leurs parties de jambe en l'air lui apparaissaient comme un véritable plaisir pour son corps, mais les heures qui les suivaient constituaient un bonheur sans égal pour son âme. Il voulait s'oublier dans ces étreintes trompeuses mais si merveilleuses.

Allongé sur le flanc sous la couette chaude, il s'écarta pour inviter son amant à le rejoindre. Wonseok lui sourit et s'approcha à pas feutrés. Il appuya un genou sur le matelas pour enfin se glisser auprès de celui qu'il enlaça aussitôt, les bras autour de sa taille. Minwoo se lova contre lui, entremêlant leurs jambes et posant les mains sur son pectoral finement sculpté. Un long instant ils restèrent là à se câliner sans esquisser le moindre mouvement, et finalement Wonseok abandonna quelques baisers sur le front de Minwoo.

Par réflexe, celui-ci leva la tête pour en quémander sur les lèvres, requête silencieuse à laquelle Wonseok accéda sans hésiter. Les gestes tendres se succédaient, Minwoo laissa échapper un soupir tremblant quand l'autre descendit doucement les mains sur ses fesses qu'il caressa de ses paumes à la chaleur apaisante.

« Tu vas mieux ? s'enquit-il. T'as pas trop mal ?

— Non, ça va. La crème a bien aidé.

— Dans ce cas c'est parfait. »

Il passa la main dans ses cheveux châtains et obligea ainsi Minwoo à abandonner une fois de plus son visage contre son torse. L'aîné ne résista pas, peu à peu somnolent face à tout ce bien-être qui affluait en lui. L'adrénaline était complètement redescendue, le laissant pantelant, et désormais son seul souhait était celui de se perdre dans les bras de Wonseok qui, à ses yeux, se confondaient de plus en plus avec ceux de Morphée.

Ce fut donc dans cette position qu'il s'endormit, l'âme enchantée des gestes de son cadet sur son corps qu'il ne cessait pas de caresser et dont il prenait plus soin que quiconque.

~~~

Minwoo ouvrit les paupières à l'agréable sensation de caresses sur la peau fine de son dos. Il croisa alors le regard de Wonseok qui lui adressa son plus adorable sourire.

« Bonjour hyung, le salua-t-il, comment tu vas ?

— Bien et toi ?

— Toujours bien quand j'ai mon chaton dans mes bras. »

Plutôt que de répliquer qu'il n'avait rien d'un chaton, Minwoo préféra fermer les yeux et se laisser toucher. Il s'occupa à butiner avec tendresse la gorge de son cadet qui, comme la nuit précédente, fit dériver ses mains peu à peu jusqu'au creux de ses reins puis sur son postérieur. Minwoo se cambra légèrement à ce contact ; il n'avait plus particulièrement mal, mais sa peau demeurait sensible, raison pour laquelle il raffolait des paumes de son ami sur cet endroit de son corps.

Constatant cela, Wonseok n'hésita pas à malaxer ses fesses qu'il aimait tant sentir entre ses mains, évitant néanmoins d'appuyer ses gestes. Minwoo soupirait doucement contre lui, s'accrochait à ses épaules. Wonseok les fit basculer de sorte à se retrouver sur le dos, Minwoo allongé sur lui.

« Wonseok…

— Laisse-moi prendre soin de toi, chaton. D'accord ? »

Le garçon acquiesça aussitôt, les paupières fermement closes et les doigts toujours crochetés à ses épaules. Il souleva les hanches, les tibias sur le matelas de part et d'autre du corps de Wonseok sur lequel il se trouvait à moitié affalé, la tête posée au creux de son cou. Déjà son entrejambe se raidissait.

Wonseok savait à quel point il aimait sentir ses mains à cet endroit qui le rendait si vulnérable – plus encore quand sa peau avait été maltraitée comme la veille. Le jeune homme, qui ne souhaitait pas fatiguer son amant, passa rapidement aux choses sérieuses. Il laissa une de ses mains contourner de son bassin pour attraper sa verge tandis que son autre paume demeurait occupée sur ses fesses. Minwoo ondulait faiblement des hanches, réclamant de cette manière un contact plus appuyé sur son sexe. Dans l'espoir de cacher ses gémissements, il entama un suçon sur la clavicule de Wonseok qui, pour sa part, commençait à lui titiller le gland du bout du pouce, insistant sur cette zone gorgée de terminaisons nerveuses.

La douceur de sa peau veloutée envoûtait Wonseok qui bougea pour capturer les lèvres de son amant une fois son suçon achevé. Il arborait désormais une délicate teinte de pourpre qui tirait sur une couleur bleu violacé ensorcelante. Cette fois-ci, le baiser était vorace, Minwoo se jetait à corps perdu dans ce moment d'union, conscient que Wonseok ne comptait pas faire durer les choses. Il comptait simplement lui accorder un peu de plaisir avant de commencer cette nouvelle journée – lui-même n'attendait rien en retour.

Minwoo tenta d'écarter un peu plus les jambes, ses déhanchements lui permettaient de sentir mieux encore la main de son cadet sur son sexe. Wonseok raffermit cependant la prise qu'il avait sur sa fesse, l'empêchant d'esquisser de trop amples mouvements. À cette main qui serra son postérieur, Minwoo gémit puissamment malgré le baiser qu'ils échangeaient.

La paume de Wonseok occupée sur sa verge descendit jusqu'à ses bourses qu'il malaxa, adoptant le même rythme que celui qu'il suivait sur ses fesses.

« Putain Wonseok… Ah… plus vite, bordel…

— Mon chaton serait-il impatient ?

— O-Oui, s'il te plaît… Encore… »

Haletant et déjà dans sous ses états, Minwoo mordit sans y prendre garde la lèvre de son amant lorsque celui-ci accentua ses caresses. Il raffolait du fait d'être touché, simplement touché, et son postérieur s'avérait chez lui sans le moindre doute une zone particulièrement érogène. Wonseok s'en était rendu compte dès leurs premiers rapports, et depuis il adorait lui procurer ainsi du plaisir.

Minwoo se cambra, les poings serrés autour des draps qui encadraient le visage de Wonseok. Ce dernier l'observait d'un œil lubrique, complètement fou de ses traits ravagés par la luxure. Minwoo avait été sur la retenue avec lui jadis, refusant de gémir bruyamment ou de permettre à ses expressions de le trahir de manière trop évidente. Aujourd'hui néanmoins, il n'hésitait plus à se laisser aller. Chaque fois que Wonseok le touchait, il s'abandonnait.

« J-Je vais venir !

— Déjà ? Alors chaton est si sensible, ce matin ? Est-ce que c'est parce que je le branle de mieux en mieux… ? »

Coupant sa phrase ici, Wonseok revint titiller le gland de son amant qui poussa un couinement lascif.

« Ou bien peut-être est-ce parce que ses fesses sont encore plus fragiles et vulnérables que d'habitude ?

— Ah ! »

Minwoo ne retint pas son cri quand la poigne de son cadet sur son postérieur s'accentua, lui envoyant des décharges d'un douloureux plaisir qui, combinées aux caresses qu'il recevait et à cet infini bonheur qu'il ressentait en son cœur, finirent par l'amener à la jouissance. Il éjacula sur le torse de Wonseok, pris de spasmes qui le firent trembler entre son étreinte protectrice.

Le jeune garçon éprouva un instant l'impression d'être déconnecté de la réalité, seul, perdu dans l'océan de volupté que ces orgasmes faisaient toujours gronder en lui. Il en fut cependant tiré plus rapidement que la veille malgré les coups de poignets que continuait de lui offrir son amant, et son corps jusque-là crispé lui échappa. Il s'effondra mollement dans les bras de Wonseok qui l'enlaça aussitôt et lui baisota la tempe.

« T'as été magnifique, hyung, le félicita-t-il tendrement, c'était tellement bon de te voir jouir dès le matin. La journée ne peut qu'être parfaite après ça, hein ?

— Si tu le dis, murmura Minwoo malgré son souffle court.

— Douche ?

— Ouais… laisse-moi juste deux secondes…

— On a tout notre temps, chaton, » sourit Wonseok en lui caressant le dos.

CHAPITRE 31

C'était jeudi matin. Jungyu était arrivé devant la salle de son unique cours où étaient déjà réunis quelques-uns de ses camarades de classe. Il alla s'asseoir un peu à l'écart contre un mur du couloir mais, avant qu'il n'ait pu sortir son portable de son sac, il vit venir à lui les trois jeunes gens qui discutaient ensemble jusque-là.

« Hey, Jungyu, » sourit l'un d'eux de manière avenante.

L'étudiant lui rendit son sourire dans un salut murmuré, preuve de son évidente timidité.

« On voulait juste te dire qu'on a tous trouvé que ton exposé de lundi il était cool, reprit l'autre, mais le prof a été un vrai connard. T'as été sacrément patient, moi je l'aurais envoyé chier au bout de cinq minutes. »

La remarque réchauffa le cœur de Jungyu en même temps qu'elle le fit doucement rire.

« Merci, répondit-il sans savoir quoi ajouter, c'est gentil.

— C'est sincère. »

Les deux amis de son interlocuteur approuvèrent et tous trois retournèrent un peu plus loin lorsqu'ils virent un quatrième étudiant arriver. Jungyu, même si l'échange s'était avéré bref, ne pouvait pas s'empêcher de se sentir soulagé : alors… ses camarades ne l'avaient pas jugé ? C'était au contraire leur professeur qui était, selon eux, en tort.

« Je te l'avais dit. »

Jungyu sursauta, il n'avait pas entendu arriver la jeune fille qui se tenait à présent devant lui. C'était celle qui lui avait adressé la parole lundi après son exposé. Habillée d'un jean banal et d'un t-shirt ample par-dessus lequel elle portait une chemise à carreaux noirs et gris trop large pour elle, elle arborait une apparence bien simple malgré son visage de poupée. Elle remonta d'un geste timide ses lunettes sur son nez ; avec du maquillage et des vêtements saillants, elle ne passerait assurément pas inaperçue comme c'était le cas aujourd'hui. Jungyu en effet la voyait souvent seule, aussi seule que lui. Elle n'était pas du genre à approcher les autres et restait accrochée à son téléphone, sauf en cours où elle s'installait toujours soit tout devant soit au centre de la classe.

« Pour ton exposé, expliqua-t-elle en jouant nerveusement avec la lanière de son sac à dos, je te l'avais dit que c'était bien.

— O-Oh, je vois... Merci beaucoup. »

Il hésita un instant avant de poursuivre, gêné :

« Et désolé d'être parti aussi vite, lundi, j'étais... je me sentais pas très bien. »

Sa camarade lui sourit et s'assit face à lui, contre l'autre mur de l'étroit couloir.

« T'en fais pas, opina-t-elle en posant son sac à ses côtés, j'avais remarqué. Y a bien que le prof qui a pas dû s'en rendre compte. Enfin... c-c'est pas grave, hein... moi aussi j'aurais réagi de la même manière...

— C'est rien. Il a eu raison. J-Je veux dire... ça me sera toujours utile d'apprendre à rester de marbre devant un prof ou un jury quand je me fais laminer.

— Oui sans doute, soupira-t-elle avant de reprendre malgré son regard désormais fuyant. Dis... en fait, j-je me demandais si... si t'avais commencé le devoir de stylistique.

— Celui que la prof nous a filé hier ?

— Ouais.

— Non, mais c'est pour la semaine prochaine, c'est ça ?

— O-Oui, mais elle a dit qu'on pouvait y réfléchir à plusieurs et... et du coup, je me disais q-qu'on réfléchirait mieux à deux... enfin, je pense.

— Oh... tu... tu voudrais qu'on le fasse ensemble ? »

La jeune fille acquiesça vivement malgré sa moue hésitante. La voir aussi timide donnait à Jungyu l'impression de regarder son propre reflet et, étrangement, il se sentait plus en confiance. Il opina de manière avenante.

« Ouais, pourquoi pas.

— Cool. On pourrait faire ça où ? J'aime pas trop la bibliothèque... y a beaucoup trop de monde.

— Moi non plus, approuva Jungyu en se frottant la nuque avec un air gêné. Y a un salon de thé pas loin d'ici, c'est toujours super calme, ça te dirait ?

— Oui, bien sûr. Mais je connais pas trop les alentours, on pourra se retrouver devant la fac ?

— Ouais t'inquiète. O-On pourra faire ça samedi matin, à neuf heures, ça t'irait ?

— Pas de soucis. »

Les deux jeunes gens échangèrent un sourire et le silence retomba entre eux jusqu'à ce que le professeur arrive pour leur seul cours de la matinée. Ce ne fut qu'après de longues minutes d'une intense réflexion que Jungyu se rappela le nom de cette fille à l'air timide qui l'avait abordé et avec qui il avait rendez-vous le surlendemain.

Lee Sarana.

~~~

Wonseok soupira de plaisir entre deux baisers. Il caressa le dos de son amant malgré le t-shirt bleu foncé qui l'empêchait de profiter de sa peau soyeuse, et récolta un son proche du ronronnement de la part de Minwoo. Ce dernier, alors que son cadet se trouvait tranquillement assis sur une chaise en salle de repos avec son portable entre les mains, était arrivé et lui avait pris son smartphone pour l'abandonner sur la table. Wonseok l'avait regardé avec étonnement puis Minwoo s'était tout simplement installé sur ses cuisses, face à lui et l'avait enlacé en posant la tête dans son cou. Son supérieur lui avait rendu son étreinte et, après quelques instants, l'aîné avait réclamé ses lèvres, entamant entre eux ces petits baisers timides mais si doux.

Lorsque Minwoo appuya de nouveau la tête contre le torse de son collègue, celui-ci passa avec tendresse les doigts dans ses cheveux châtains.

« Tu vas bien, hyung ?

— J'suis juste fatigué, souffla le jeune garçon, et y avait aucun endroit confortable où s'asseoir.

— Donc t'as décidé que c'était moi qui te servirais de chaise.

— Ouaip.

— T'as dormi correctement, cette nuit ? » s'enquit alors Wonseok.

Il savait parfaitement où se trouvait Minwoo dans la nuit de mardi à mercredi – avec lui, dans son lit –, mais il ignorait ce qu'il avait bien pu faire dans celle de mercredi à jeudi pour se sentir aujourd'hui aussi épuisé alors même qu'il n'était pas dix heures du matin.

« Yunhee avait encore des soucis en coréen, j'ai dû l'aider. Je suis mort...

— Tu devrais y aller mollo, quand même.

— T'inquiète, ça ira. Elle a tellement de potentiel, je veux pas qu'elle le gâche, ça me ferait trop mal au cœur. »

Il ne voulait pas que sa petite sœur finisse par devoir abandonner ses études simplement parce qu'elle n'était pas soutenue. Il ne voulait pas... il ne voulait pas qu'elle finisse comme lui. Mais ça, il ne l'avouerait jamais à son amant, ça risquerait de le blesser. Minwoo ne se sentait pas malheureux avec cet emploi, il pouvait s'y épanouir, et ce quotidien avec Wonseok le réjouissait. Disons que parfois, quand il songeait à ce dont il rêvait dans son adolescence, il avait ce goût amer, cette pointe d'insatisfaction, qui lui rappelait qu'il n'avait jamais désiré travailler dans la restauration et qu'il avait gâché ses capacités.

Alors il s'accrocha un peu plus au polo de Wonseok, les bras contre son torse, et il huma discrètement un bref instant son odeur. Réconforté par la présence de son cadet, il se laissa bercer par le calme du matin : il était dix heures moins le quart, Shino ne tarderait sans doute pas à arriver, et Jungyu serait probablement plus long puisqu'il avait cours juste avant.

Il leur restait encore au moins cinq minutes d'intimité, cinq minutes que Minwoo comptait bien passer à se reposer. Un sourire involontaire naquit sur ses lèvres lorsque Wonseok abandonna sur son front de petits baisers éthérés, sa bouche lui frôlant à peine la peau.

Ce fut donc à contrecœur qu'il se releva lorsqu'il entendit des bruits de pas dans le couloir. Shino entra dans la salle où il trouva les deux garçons en train de discuter d'une performance de la veille, l'un assis sur une chaise et l'autre adossé à la table. Il ne se douta de rien, néanmoins après la révélation faite par Jungyu deux semaines plus tôt, il devait l'admettre : à bien y regarder, rien ne trompait ni dans les yeux ni dans la gestuelle de Minwoo. Il était tombé profondément amoureux de son collègue.

La réaction de Minwoo cependant, sa gêne et sa colère palpables, l'avait convaincu de ne pas lui en toucher un mot et d'agir comme s'il n'avait jamais rien entendu. C'était ses affaires après tout. Peut-être un jour lui en parlerait-il de lui-même.

« Euijin viendra bosser aujourd'hui ? s'enquit Minwoo en tournant la tête vers le jeune cuisinier.

— Nope, il est malade, je l'ai laissé dormir, répondit ce dernier en se changeant.

— Il avait vraiment pas l'air dans son assiette hier, c'est rien de grave au moins ?

— Non t'inquiète, il a vomi hier soir, mais depuis il dort comme un bébé. Il a pas de fièvre et il est juste fatigué. Je lui avais dit de s'habiller mieux, mais sous prétexte qu'il fait soleil il croit qu'il peut sortir en t-shirt. Ça lui apprendra à pas m'écouter.

— C'est à se demander qui est le plus vieux... »

Shino sourit : oui, Euijin était quelqu'un d'entêté et de parfois un peu naïf... mais c'était un garçon qui prenait infiniment soin des autres – et tout particulièrement de lui. Derrière son caractère enfantin, il demeurait quelqu'un d'extrêmement mature.

Le jeune cuisinier n'eut pas besoin de laisser planer un trop long silence puisque Jungyu arriva peu après, saluant ses collègues qui le lui rendirent. Le café avait été préparé par les deux aînés et ils n'avaient plus qu'à ouvrir pour que la matinée puisse démarrer. Tout fut plutôt calme – du moins jusqu'aux alentours de midi où l'établissement commença à se remplir. Ce ne fut que deux heures plus tard que, une fois les derniers clients servis, Jungyu put se reposer un instant dans la salle des employés, s'assurant auprès de ses amis qu'il pouvait s'octroyer quelques minutes pour respirer un peu.

Les interactions aujourd'hui lui avaient paru plus naturelles, aucune performance n'avait été demandée, mais Jungyu sentait toujours les regards des clients sur lui dès qu'un de ses collègues venait le draguer. Il avait d'ailleurs commencé à prendre conscience de la dynamique du groupe : Wonseok et Minwoo formaient un duo très soudé auquel tous étaient attachés, néanmoins le caractère de Minwoo s'avérait également très « vendeur » lorsqu'il complétait à celui du timide, de sorte que leur duo fonctionnait bien aussi. Quant à Doyeong, c'était visiblement avec Wonseok qu'il interagissait généralement, même s'il approchait Jungyu de plus en plus, lui qu'il aimait à appeler son « petit nouveau ».

Il crut bien sursauter quand la porte s'ouvrit sans grande délicatesse.

« Je suis mort ! se plaignit Shino en refermant derrière lui. Hyung, achève-moi !

— Courage, sourit Jungyu, tu termines quand ?

— Je viens de terminer à l'instant. J'étais supposé finir dans une heure, comme toi, mais Jinwon m'a assuré qu'il n'aurait plus besoin de moi et que je pouvais partir.

— C'est cool de sa part, t'as du bol.

— Tu parles : dès que je vais rentrer, ce sera pour jouer à la nounou, râla le jeune cuisinier en retirant son uniforme.

Mon mec est malade et vu son état, il est hors de question que je le laisse se lever pour faire quoi que ce soit.

— Tu vis avec ton mec ? s'étonna Jungyu.

— Ouaip, mais aujourd'hui ça ressemblerait sans doute plus à mon bébé.

— Oh, et... il a quel âge, si c'est pas indiscret ?

— Euijin ? Bah il a dix-huit ans.

— T'es avec Euijin ? »

Shino se retourna pour découvrir l'air surpris de son collègue. Jungyu avait les yeux écarquillés, sa moue ahurie le fit sourire.

« Ouaip, confirma-t-il avec une fierté non dissimulée, aujourd'hui ça doit faire presque deux ans et demi qu'on est ensemble...

— Oh, ça fait un sacré bout de temps !

— Je te le fais pas dire. »

La tendresse de ses prunelles s'effaça au profit de l'étonnement lorsqu'une fois de plus la porte s'ouvrit, révélant cette fois-ci leur patron, Yeonu. Jungyu tourna la tête en même temps que lui et, par un réflexe qu'il ne contrôla pas, il s'inclina sous le regard dépité de l'aîné.

« Eh sérieux, y en a pas un pour rattraper l'autre, soupira Yeonu en se passant la main dans les cheveux. Redresse-toi, c'est pas possible...

— D-Désolé.

— T'inquiète, c'est rien. Ce n'est qu'une preuve de plus de mon charisme.

— Hyung, t'es ridicule, râla Shino.

— Tu vois, Jungyu, ça j'aime : un peu de respect, mais pas trop non plus. Quant à toi Shino, je voulais te voir justement : Jinwon vient de me prévenir que tu partais en avance. C'est Euijin ? Il va bien ? »

Yeonu avait été averti la veille que le jeune garçon était malade et ne pourrait pas assurer ses services. C'était pour cette raison que, quelques minutes auparavant, lorsque Jinwon l'avait informé qu'il avait proposé à Shino de s'en aller plus tôt, il n'avait pas été étonné mais s'était inquiété à l'idée que peut-être l'état de son employé avait empiré.

« Oui, il va bien, le rassura aussitôt Shino en attrapant son sac avant de fermer son casier, du moins il m'a laissé aucun message. J'étais juste crevé et Jinwon a suggéré que, plutôt que de rester une heure en cuisine à rien faire, je rentre m'occuper d'Euijin. Je rattraperai mon heure demain midi, je serai plus utile que de deux heures à trois heures, y a jamais personne.

— Pas de soucis. Tu me tiens au courant de la situation ?

— Je t'envoie un message dès que je rentre, promis. Mais le connaissant, il est en train de somnoler devant un animé, enroulé dans une couverture à l'odeur douteuse…

— C'est étonnamment précis comme description, lui fit remarquer Yeonu avec un sourire en coin.

— Ça, c'est parce que chaque année monsieur se chope la gastro, et que chaque année ça se passe de la même façon. »

Sur ces mots, il sortit son portable et s'excusa de devoir y aller. Il salua rapidement ses collègues et fila en remerciant son patron pour sa compréhension. Jungyu demeura immobile un instant, les yeux rivés sur la porte que Shino venait de clore. Habillé avec sa tenue de tous les jours, le cuisinier semblait plus jeune encore qu'il n'en avait l'air avec son uniforme. C'en était presque perturbant…

Yeonu se tourna vers son performeur et reprit :

345

« Je voulais te voir après ton service, Jungyu, tu pourras venir dans mon bureau à trois heures ? T'auras un peu de temps ?

— Oui, bien sûr, accepta l'autre en sortant de ses pensées.

— Parfait, on se voit tout à l'heure dans ce cas. »

Et il partit sans même offrir à Jungyu le temps de répondre, le laissant pantois au beau milieu de la salle de repos.

CHAPITRE 32

Son service terminé, Jungyu s'était changé et se trouvait désormais devant la porte du bureau de Yeonu. Il ne marqua qu'une brève hésitation avant de frapper, se donnant du courage en se répétant que son supérieur n'avait pas paru froid en lui demandant de venir le voir.

« Entre, Jungyu. »

Il obéit à cette voix qui s'éleva de l'intérieur et entra en veillant ensuite à refermer doucement la porte derrière lui. Yeonu leva les yeux sur son cadet et, avec un sourire cordial, l'invita à s'asseoir face à lui. Une fois le jeune homme installé, son aîné prit la parole.

« Détends-toi un peu, Jun, rit-il, je vais pas te manger, j'ai strictement rien à te reprocher. Je t'ai fait venir pour discuter de la photo de l'autre soir.

— Oh… je vois. Y a quelque chose qui va pas ? s'inquiéta aussitôt Jungyu.

— Mais non, rassure-toi, elle était vraiment bien. T'as conscience au moins d'être un garçon magnifique ?

— Hein ? »

Au diable la politesse : sous l'effet de l'étonnement, ce fut le seul mot que Jungyu réussit à prononcer avant que ses joues ne virent au cramoisi. Ses yeux noirs qui reflétaient son innocence étaient braqués sur ceux de Yeonu, cherchant dans ses prunelles la moindre trace de malice ou de moquerie… mais il était complètement sincère. Du moins il en avait l'air.

Son patron venait de lui dire qu'il était magnifique... en toute honnêteté, il ne savait pas réellement ce qu'il devait en penser.

« Tu m'as bien entendu, confirma Yeonu avec un sourire amusé face à cette réaction, t'es vraiment beau et je trouve ça dommage que ton manque de confiance en toi te pousse à te mettre toi-même des bâtons dans les roues. Ces photos que tu m'as envoyées, elles auraient largement pu être publiées sans modifications sur nos réseaux.

— Mais j'avais des cernes marqués et...

— Non, Jun, soupira Yeonu sans se soucier de lui couper la parole, t'avais des cernes comme tout le monde en a, mais c'était pas si flagrant que tu sembles le croire. Généralement, sur nos photos, on essaie de pas avoir trop de maquillage pour rester le plus naturel possible, comme on l'est au café. Alors crois-moi, des cernes, nos abonnés en ont déjà vu. D'une certaine manière, c'est aussi ce qui nous rend différents : on n'essaie pas d'être les plus beaux, le but pour nous c'est avant tout de montrer aux autres nos personnages. On est obligés de garder un certain naturel. Tu comprends ce que je veux dire ?

— Oui... je suis désolé de t'avoir dérangé avec mes photos...

— Mais je meurs, souffla Yeonu en se passant les mains sur le visage d'un air las. Jungyu, c'est pas ce que je voulais dire : c'est pas un reproche, t'as absolument pas à t'excuser pour ça, et puis je t'ai dit que j'avais été heureux de t'aider, non ?

— S-Si.

— Alors ça veut dire que j'ai été heureux de t'aider, point final. Je voulais juste te parler de ça dans l'espoir que tu te sentes plus à l'aise avec ton image. Alors certes, les réseaux sociaux sont le temple de la superficialité, mais t'es pas obligé de l'être. Sois simplement Junie, notre gentil et adorable maknae, et les autres t'aimeront. Depuis le temps, ceux qui nous suivent savent comment on fonctionne, t'as pas à craindre de mauvaises réactions de la part de ceux qui aiment ce que nous faisons : s'ils nous soutenaient avant, c'est pas ton arrivée qui va y changer quoi que ce soit. »

Jungyu se contenta d'acquiescer, ignorant quoi répondre à ça.

« J'en parlerai à Wonseok, il pourra essayer de bosser là-dessus avec toi lors de votre prochaine leçon. Tu le vois les lundis soir, c'est bien ça ?

— Oui.

— Il réfléchira à un moyen de t'aider à avoir plus confiance en toi. Que ton personnage soit timide et peu confiant est une chose, mais j'aimerais bien que derrière ça, le vrai toi soit quelqu'un d'un peu moins renfermé. T'aurais beaucoup à y gagner, crois-moi.

— J'en suis bien conscient…

— Une dernière chose. Je… j'espère que c'est pas indiscret, mais… est-ce que t'as toujours été aussi timide ? J'ai connu des gens qui le sont devenus à l'adolescence, à cause de la pression des regards extérieurs ; est-ce que c'est ton cas ? »

Jungyu déglutit et, les pommettes empourprées, haussa vaguement les épaules tandis qu'il ne parvenait plus à soutenir le regard empli de curiosité que Yeonu posait sur lui. L'aîné acquiesça devant ce mutisme et se redressa légèrement pour ensuite tendre la main et la passer un instant dans les cheveux de son employé.

349

« T'inquiète, c'est rien si t'as pas envie d'en parler. J'aurais pas dû demander, c'était indiscret.

— N-Non, je comprends, bafouilla Jungyu en rentrant involontairement la tête entre les épaules face au toucher de Yeonu. C'est rien. »

Son supérieur sourit, attendri par les mimiques de son cadet. Jungyu ne se rendait pas compte qu'il était un jeune homme doué de toutes les qualités pour réussir, et c'était bien ça la seule chose qui serait tôt ou tard susceptible de l'empêcher d'atteindre le succès. Yeonu avait conscience que son employé n'effectuait là qu'un job à temps partiel, quelque chose qu'il ne s'imaginait pas continuer sur le long terme. Pour autant, Jungyu s'impliquait énormément et témoignait d'une volonté de bien faire à toute épreuve. C'était indéniablement un garçon bien, alors si Yeonu pouvait agir dans son intérêt, il n'hésiterait pas.

Malheureusement, face à quelqu'un qui était son propre obstacle, il s'avérait difficile de trouver une solution.

Les deux jeunes gens échangèrent quelques formules de politesse et, au plus grand dam de Yeonu, Jungyu s'inclina une fois de plus – avant de s'excuser de nouveau. Enfin, ils se séparèrent.

~~~

Au midi du vendredi, Jungyu avait retrouvé Sangchan chez lui pour déjeuner. Heureusement que l'étudiant avait le cœur bien accroché, parce que ce jour-là, il avait trouvé un Sangchan d'humeur particulièrement câline – ça s'expliquait par le fait que le jeune garçon n'était pas retourné auprès de sa famille depuis trois semaines consécutives, il éprouvait un besoin grandissant d'affection et puisque Jungyu était là, il avait été tout désigné comme peluche de service.

Le soir, sachant qu'il réviserait la stylistique le lendemain avec Sarana, Jungyu avait eu le plaisir de constater qu'il n'avait rien à faire. Il en avait donc profité pour avancer sur son dernier roman. C'était chaque fois un bonheur de se perdre dans cette histoire idyllique, d'oublier l'espace de quelques heures la réalité au profit de cette romance qui, bien que naïve, lui mettait du baume au cœur.

Sans doute parce que ça lui faisait relativiser l'échec cuisant que représentait à ses yeux sa vie amoureuse qu'il jugeait d'une monotonie désespérante.

Le samedi arriva rapidement. Le jeune étudiant se leva aux aurores – ça ne changeait pas de ses habitudes – et se prépara pour rejoindre sa camarade devant l'université. Il y avait peu de monde dans le bus, il était tôt après tout. Il fut donc un peu en avance et s'étonna de trouver Sarana déjà près de leur bâtiment principal. Lorsqu'elle le vit, elle lui adressa un signe qui s'accompagna d'un large sourire empli de douceur. Elle était vêtue comme à l'accoutumée, visiblement peu désireuse de se faire remarquer.

« Bonjour Jungyu, le salua-t-elle en s'inclinant poliment une fois devant lui, merci encore d'avoir accepté de venir m'aider.

— Je t'en prie, c'est normal. O-On devrait y aller, d'accord ?

— Oh, oui, bien sûr. »

La jeune fille baissa les yeux aussitôt d'un air timide et, tandis qu'ils se mettaient en route pour le salon de thé où ils comptaient étudier, Sarana se mordit l'intérieur de la joue avant d'oser prendre la parole :

« Au fait… tous mes amis m'appellent Sara, alors… enfin voilà quoi. C'est plus simple. »

Jungyu lui jeta un bref regard mais acquiesça avec douceur.

« D'accord, Sara. »

Un magnifique sourire orna alors le doux visage de l'étudiante.

Ils furent rapidement arrivés à destination. Ils allèrent commander quelque chose à manger et à boire – ni l'un ni l'autre n'avait pris de petit déjeuner – puis ils s'installèrent à une table. Toutes étaient libres, il n'y avait personne ici à cette heure, c'était on ne peut plus tranquille. La salle, séparée du comptoir par un mur, s'avérait parfaitement silencieuse, éclairée de façon tamisée par les quelques rayons du soleil qui, malgré l'heure encore matinale, était déjà levé et baignait l'endroit d'une agréable clarté naturelle.

Chacun sortit ses affaires de cours et ils furent servis entre temps.

Le moment se révéla paisible : Sara était une élève studieuse malgré parfois quelques difficultés, Jungyu et elle terminèrent plus vite qu'ils ne l'auraient imaginé en commençant. Leur professeur avait le chic pour leur donner des travaux sans fin, par chance, à deux, c'était tout à coup beaucoup plus rapide.

« Merci encore, Jungyu, soupira Sara en refermant son livre, je sais pas si j'y serais arrivée seule…

— Moi aussi, approuva l'autre, c'était d'un ennui mortel. Si j'avais dû le faire seul ça m'aurait pris au moins cinq fois plus de temps. »

La timidité que chacun ressentait avait peu à peu disparu au fil de leur petit moment passé à deux : il leur avait nécessairement fallu communiquer pour comprendre et résoudre leur exercice, si bien que toute forme de gêne s'était lentement évanouie.

Revenus devant l'université, ils se saluèrent et Sara afficha une moue embarrassée avant de tirer un papier de sa poche pour le lui tendre en rougissant.

« C-C'est mon numéro… comme ça, si on veut bosser sur un prochain travail, c'est… c'est plus pratique. »

Les yeux baissés, elle ne vit pas son camarade froncer les sourcils, étonné. Il prit cependant le petit papier et acquiesça, affirmant que si un jour il comptait remettre ça, il lui enverrait un message. Sara tenta de dissimuler son sourire en se raclant la gorge tout en replaçant une mèche de ses cheveux de jais derrière son oreille.

« Bon alors… Bon weekend, à lundi. »

Jungyu opina et lui adressa un rapide salut avant de s'en aller.

Malgré sa timidité maladive, c'était loin d'être la première fois qu'une fille lui donnait son numéro. Et ça n'avait jamais été pour les devoirs. Lorsqu'il passa devant une poubelle, il hésita un instant à y jeter le petit papier avant d'y renoncer dans un soupir : peut-être n'était-elle pas comme les autres. Il avait envie de croire qu'elle ne resterait qu'une simple amie avec laquelle il pouvait bien s'entendre et aller travailler de temps en temps.

Au fond de lui, il avait la sensation qu'elle espérait plus, mais… il souhaitait réserver son jugement. Après tout, elle se montrait si timide et renfermée ; d'une certaine manière, ça le touchait de se voir à travers elle.

Il rangea le morceau de papier dans son sac et, une fois dans le bus, il l'en tira pour entrer le numéro de sa camarade dans son téléphone. Peut-être un jour lui enverrait-il un message. Pour le moment, il n'avait rien de bien particulier à dire et, en toute honnêteté, il préférait qu'elle ne puisse pas le contacter.

~~~

Lorsque Jungyu arriva au café cet après-midi-là – avec une heure d'avance, comme convenu –, il trouva Minwoo, Doyeong et Wonseok en salle. Ce fut ce dernier qui le rejoignit, un sourire enjoué aux lèvres.

« Hey, Junie, comment tu vas ?

— Bien et toi ? répondit l'autre d'une voix calme et presque basse.

— Tranquille. Allez, viens vite : plus vite tu seras au boulot, plus vite je pourrai rentrer ! »

Le jeune homme en effet avait décalé ses propres horaires afin de finir une heure plus tôt, puisque Jungyu le remplacerait – et de toute manière, pas besoin de tous les performeurs : trois, c'était largement suffisant.

Ils se rendirent donc tous deux dans la salle de repos pour se changer. Wonseok lui donna rapidement quelques nouvelles de tout le monde, et notamment d'Euijin, revenu en pleine forme. Il partit en coup de vent, laissant Jungyu seul au beau milieu de la pièce.

« Même quand il est fatigué, on croirait qu'il pète la forme. »

Le jeune performeur fit volte-face dans un sursaut pour apercevoir Minwoo qui se tenait contre le cadre de la porte. L'aîné sourit devant cette réaction et rejoignit son casier pour y récupérer son portable, profitant d'un temps de pause afin de se perdre un instant sur internet.

« Dis, hyung, hésita Jungyu, pourquoi… pourquoi est-ce que tu l'aimes toujours si tu sais que c'est pas réciproque ?

— Sympa la question…

— Je… »

Jungyu rougit vivement avant d'avouer d'une voix presque inaudible :

« Ça fait plus de quatre ans que j'aime quelqu'un qui n'éprouve rien pour moi… alors je… j-je me demandais pourquoi on était assez bêtes pour persister. Pourquoi notre cœur a décidé de nous faire souffrir en refusant d'oublier… »

Minwoo cligna un instant des yeux, surpris que son cadet ose lui révéler une telle chose. Il en fut néanmoins touché : Jungyu lui faisait confiance au point de lui parler de ses émotions. Il leva donc le visage de son écran pour lui offrir toute son attention.

« Wonseok et Sangchan sont deux garçons vraiment incroyables, répondit-il, aussi beaux, gentils et intelligents l'un que l'autre. On les côtoie énormément et on a le malheur d'être tombés sur d'affreux pots de colle. Alors dans ces conditions, bien sûr que c'est difficile de mettre ses sentiments de côté.

— Oui, mais je me disais qu'après tout ce temps, on… »

Jungyu ne se rendit compte que quelques instants plus tard de ce que Minwoo venait de répliquer. Il rougit aussitôt en bégayant piteusement :

« P-Pourquoi tu me parles de Chan, j-je… j'ai jamais parlé de lui…

— Jun, j'ai la décence d'être plus discret que toi et de ne pas t'en avoir parlé plus tôt, mais me prends pas pour un con

: quand t'es venu avec lui, ton regard gerbait des cœurs, tu lui permettais d'être tactile avec toi alors que visiblement t'es à l'aise avec pratiquement personne, il est le seul à qui tu t'adresses pour prendre des photos, et tu m'as jamais parlé du moindre autre ami à part un de tes anciens collègues de travail que t'as évoqué vaguement un jour. Ça fait un certain temps que je me doute bien que t'aimerais que Chan soit plus que ton ami. Et là, tes rougeurs viennent de te trahir, tu ne peux plus nier. »

Dépité, Jungyu laissa sa tête tomber doucement vers l'avant jusqu'à ce que son front se pose contre son casier. Il s'était fait avoir comme un idiot. Heureusement qu'il s'agissait de Minwoo – le performeur avec lequel il avait le plus d'affinité et en qui il avait probablement le plus confiance –, il aurait été mort de honte si Wonseok, son supérieur, avait découvert les sentiments qu'il nourrissait pour son aîné. Quant à Doyeong, bien qu'il le trouve sympathique, il n'avait pas encore assez discuté avec lui pour se sentir réellement proche de lui.

Minwoo soupira et s'adossa au mur avec un visage compatissant.

« On fait une sacrée paire d'idiots, hein ? continua-t-il. Amoureux depuis des années de ceux qui ne nous ont jamais regardés autrement que comme des amis.

— Y a des vérités qui font mal.

— Faut les affronter.

— Je voudrais tellement l'oublier… pouvoir n'être que son ami, murmura Jungyu.

— Essaie de te trouver quelqu'un d'autre, suggéra son aîné dans un haussement d'épaules.

— T'as déjà essayé ? »

Minwoo sourit tristement, songeant à toutes les soirées que Wonseok et lui avaient passées ensemble – détail que Jungyu ignorait, bien évidemment. Il se sentait enchaîné à lui par ses sentiments. Ainsi, levant les yeux au ciel, il admit d'un air mélancolique :

« Je suis bien trop amoureux de lui pour en regarder un autre. »

CHAPITRE 33

Le rictus de Minwoo se fit malicieux :

« Jungyu, tu sais pourquoi on dit « tomber amoureux » ?

— Je… eh bien, songea un instant le jeune garçon avec un air embarrassé, j'imagine que c'est parce que l'amour donne cette même sensation de vertige déstabilisante, parce que ça fait battre notre cœur comme si de l'adrénaline saturait notre sang. C'est parce que lorsqu'on tombe on ne contrôle rien, qu'on est désemparé face à ça et que tout ce qu'on peut faire, c'est le subir. C'est parce qu'on le craint alors que ce n'est pas nécessairement dangereux et parce que les sensations que ça nous procure nous donnent l'impression d'être vivant. Oui, c'est ça, c'est un agréable vertige.

— T'es un sacré romantique, toi, le taquina son collègue.

— C'est mal ?

— Non, j'ai jamais dit ça. C'est chou.

— Alors dans ce cas, pourquoi on dit « tomber amoureux », d'après toi ?

— Parce que c'est violent, ça n'a rien d'agréable, et qu'en plus, le lendemain, t'as putain de mal au cul. »

Le ton léger de Minwoo fit éclater de rire son cadet. L'aîné posa sur lui un regard protecteur : il avait bien senti à quel point Jungyu était peiné et il avait préféré détendre l'atmosphère, lui aussi peu à l'aise avec ce sujet.

« Allez, conclut-il donc, retournons bosser, on a des tables à nettoyer et Doyeong sera pas toujours d'accord pour s'en occuper seul bien gentiment. »

Jungyu opina et le suivit en salle. Il était de bonne humeur et avait le cœur léger, du moins jusqu'à ce qu'une cliente réclame le menu spécial « fondant onctueux » avec en vedettes Doyeong et lui. Là, tout à coup, le maknae vit son cœur s'alourdir sous le poids de l'anxiété.

Les deux collègues se rendirent en cuisine pour discuter de ce qu'ils devaient préparer pendant que le petit groupe appréciait les plats principaux avant le dessert.

« Oh, notre première performance, remarqua Doyeong dans l'espoir de le détendre un peu. Je suis sûr que ça va bien se passer.

— On doit faire quoi pour ce menu ? demanda simplement Jungyu qui, sous l'effet du stress, se tenait soudain droit comme un piquet.

— D'abord on prend une grande respiration, et ensuite on improvise, comme d'habitude. Quant au thème, je me disais qu'on pourrait reprendre ton idée, tu te rappelles ? Le petit nouveau timide un peu perdu et celui qui le prend sous son aile.

— Vous avez pas des scénarios prédéfinis ?

— Comment ça ?

— Bah... genre pour le chocolat, le coup du « t'en as au coin des lèvres ».

— Jungyu, sourit Doyeong, on est des performeurs : tant qu'on se drague, on n'est pas obligés de suivre scrupuleusement l'intitulé du menu pour plaire. Parfois même, les clients nous font des suggestions ou nous demandent un scénario bien précis sur lequel on doit ensuite se débrouiller pour improviser.

— Ah bon ?

— Quand on te dit qu'on n'est pas des acteurs, on plaisante pas, approuva l'aîné. Aucun scénario complètement défini, pas de scripts : on est libres. C'est aussi ça qui est bien, on n'est pas cantonnés à cinq scènes qu'on se contenterait de répéter inlassablement, on peut essayer d'innover. Et j'ai bien envie d'avoir un petit nouveau à prendre sous mon aile aujourd'hui. »

Jungyu rougit aussitôt tandis qu'il acquiesçait doucement. Il ignorait si c'était une bonne nouvelle pour lui : avec cinq performances à maîtriser, il aurait peut-être pu espérer finir par s'y habituer rapidement, mais là... si chaque fois c'était un saut dans l'inconnu, à ses yeux ça devenait effrayant.

« Eh, Jun, reprit Doyeong en constatant sa nervosité, qu'une chose soit bien claire : t'es celui qui est arrivé en dernier, en plus de quoi il te faut encore du temps pour t'y faire. Alors si tu veux commencer par quelques simples scénarios que tu répèterais, y a pas de souci. L'important, c'est vraiment que t'aies l'air à l'aise devant les clients, c'est tout ce qui compte. Le scénario, généralement ils s'en foutent, ils veulent juste voir deux mecs imiter des scènes de boy's love. S'il te plaît sois honnête : est-ce que tu te sentirais à l'aise de jouer cette scène avec moi ? Est-ce qu'il y aurait quelque chose à quoi tu penses et qui pourrait être plus simple pour toi ? »

Jungyu prit une moue songeuse, touché par les paroles de son collègue. C'était à peine croyable qu'ici tout le monde prête tant d'attention à ses sentiments. Ça lui donnait plus encore l'envie de bien faire et le courage de se lancer. Il fut donc en mesure d'offrir un sourire confiant à Doyeong :

« Non, t'as raison, on fait comme t'as dit.

— Téméraire, le Junie, j'aime ça. »

Jungyu sentit son sourire s'élargir : il voulait le rendre fier, lui prouver qu'il pouvait compter sur lui. Le jeune homme travaillait ici depuis deux semaines, peu à peu il comprenait qu'il n'avait rien à craindre. Il pouvait se reposer complètement sur eux, ils étaient là pour lui. Alors il désirait leur montrer qu'il avait perçu ça, qu'il était plus détendu en leur compagnie.

Ils retournèrent en salle vaquer à leurs occupations jusqu'à ce que Doyeong ait à apporter le dessert à la table de la fameuse cliente. Celle-ci était accompagnée d'un petit groupe de trois amis qui se réjouirent en voyant arriver les performeurs avec les assiettes entre les mains. Ils les servirent et la jeune fille prit la parole, invitant les deux garçons à prendre place face à eux. C'était une cliente régulière que Doyeong avait fini par reconnaître et avec laquelle il se trouvait particulièrement à l'aise.

Les deux collègues s'installèrent donc face aux quatre camarades qui s'étaient serrés en face dans l'espoir de pouvoir profiter au mieux de la scène qui allait débuter. Doyeong s'assit puis lança un regard à Jungyu, resté debout avec une mine hésitante et les yeux rivés sur le sol. L'aîné fronça les sourcils, craignant que quelque chose n'aille pas pour son ami, néanmoins celui-ci prit la parole, le devançant alors de façon surprenante.

« Hyung, dit-il d'une voix adorablement timide, j-je peux m'asseoir à côté de toi ? »

Aussitôt, un rictus releva le coin des lèvres de Doyeong qui enchaîna d'un ton léger :

« Bien sûr, mon Junie, te gêne pas. »

Il se décala un peu plus encore et, tandis que son cadet prenait place, Doyeong se tourna vers les clients :

« Notre maknae est encore timide, indiqua-t-il, il est nouveau alors il n'a pas l'habitude. Mais tous ses hyungs sont là pour l'aider à apprendre. »

Il enroula un bras autour de la taille de son collègue qui se réfugia aussitôt contre lui, posant le front contre son épaule en attrapant son polo entre ses poings.

« Hyung, c'est gênant, se plaignit-il, je… j-je fais beaucoup d'efforts.

— Je sais bien, approuva l'autre en passant une main dans ses cheveux jusque-là bien coiffés, je suis très fier de toi, Junie, t'apprends vite.

— C'est vrai ? »

Le serveur avait levé son adorable minois vers son aîné, les yeux brillants d'espoir avec au visage une moue à croquer. Un instant, Doyeong se demanda ce qui avait bien pu advenir pour que Jungyu s'implique autant ce jour-là. Il n'eut cependant pas le temps d'y réfléchir sur le moment, concentré sur leur performance.

« T'as pas le droit d'être aussi mignon, susurra le jeune homme en lui attrapant délicatement le menton entre le pouce et l'index. Fais attention, je pourrais bien ne faire qu'une bouchée de toi. »

Jungyu rougit, légèrement désarçonné par la proximité provoquée par Doyeong. Leurs deux visages n'étaient séparés que par quelques centimètres, déjà il sentait le souffle de son collègue se déposer doucement contre ses lèvres. C'était déstabilisant… mais ce n'était que du vent, un simple jeu. Rien de plus.

Tentant de reprendre le contrôle de lui-même et malgré ses pommettes brûlantes de gêne, Jungyu murmura juste assez haut pour que leurs clients les entendent :

« J-Je… p-peut-être que j'en ai envie… que tu… que tu ne fasses qu'une bouchée de moi…

— Junie… »

Avec douceur, Doyeong fit glisser sa main précédemment sur son menton jusque sur sa joue, prenant ensuite son visage en coupe pour l'approcher du sien. Comprenant son attention, Jungyu ferma les paupières avant de sentir les lèvres de son ami se déposer gentiment sur son front. Un instant il revit toutes les fois où Sangchan avait agi ainsi envers lui.

Ça lui réchauffa le cœur autant que ça le lui serra.

« Hyung… qu'est-ce que ça veut dire ?

— Que pour un petit nouveau, tu me fais un sacré effet. »

Jungyu esquissa un sourire embarrassé et baissa les yeux, timide.

« Mais je… je suis juste moi, balbutia-t-il. J'ai rien de spécial…

— Bien sûr que si, répliqua Doyeong avec un air attendri. T'es mon petit maknae, maladroit mais plein de bonne volonté, aussi mignon que gentil. Qui ne craquerait pas ? »

Jungyu se mordit la lèvre inférieure avant de relever la tête vers son ami. Il ignorait comment enchaîner. Face à son silence, Doyeong comprit rapidement son problème et reprit :

« Qu'est-ce que je disais. T'es tout timide, mon Junie.

— Je suis désolé…

— C'est pas un reproche, au contraire… mais je suis là pour t'aider, hum ? Tu le sais ça ?

— Oui, hyung. J-Je ferai des efforts, je te le promets.

— Je te crois. Reste toi-même, ça suffira.

— Mais…

— Pas de mais, le coupa Doyeong. T'es tellement spécial tel que t'es… n'essaie pas de changer pour les autres. Nous… moi, je t'aime comme ça.

— Alors tu continueras de m'aider ?

— Sans aucun doute. Je t'apprendrai tout ce que t'as à savoir. Ça marche ? »

Jungyu acquiesça vivement avec une moue enfantine, et ce fut peu après que la scène se termina. Les clients semblaient pleinement satisfaits et, puisqu'il y avait foule en ce samedi après-midi, Jungyu et Doyeong ne purent pas se voir pour un débriefing : après un « bien joué, Jun » murmuré par l'aîné, ils se séparèrent pour apporter leur aide à Minwoo et Insoo.

Le rythme fut plus soutenu et les clients s'enchaînèrent de façon plus régulière. Chacun avait adopté la cadence parfaite, au point qu'ils pouvaient même se reposer quelques instants entre deux commandes.

Jungyu eut un endroit tout trouvé où se réfugier lorsqu'il se fut occupé de sa dernière table. Minwoo se tenait près de la porte de la cuisine, les yeux rivés sur la salle pour surveiller l'entrée. Lui non plus n'avait plus personne à servir, il se contentait d'attendre que ses clients demandent à régler l'addition. Il fut cependant étonné de voir Jungyu arriver devant lui avec une petite moue.

« Hey Jun, ça va ? l'interrogea-t-il d'un ton détaché malgré la pointe d'inquiétude qu'on pouvait y déceler.

— Je suis fatigué, hyung, je peux me reposer contre toi ? »

Le sourire timide sur le visage du jeune homme permit à Minwoo de comprendre aussitôt que pour une fois, c'était bel et bien Jungyu qui faisait le premier pas. Il opina alors et ouvrit les bras à son cadet qui s'y blottit.

« On est téméraire aujourd'hui, Junie ? s'enquit Minwoo avec malice.

— Tu veux pas de moi ?

— J'ai jamais dit ça. Je t'imaginais simplement pas venir vers moi.

— J-Je sais que… derrière ton caractère un peu brut, y a quelqu'un d'extrêmement attentif aux autres.

— Tss, dis pas n'importe quoi. »

Et pour le faire taire, Minwoo posa une main contre sa nuque et l'obligea à réfugier son visage dans le creux de son cou, le serrant avec douceur contre lui. Jungyu se perdit un trop bref moment dans cette étreinte, savourant ce contact qu'il sentait parfaitement amical. Il était si fier d'avoir réussi, cet après-midi, à se montrer moins timide vis-à-vis de ses collègues… il espérait les avoir rendus fiers eux aussi !

D'un geste hésitant, Jungyu enroula les bras autour de la taille de Minwoo qui le laissa faire, continuant simplement de jouer avec les petits cheveux qui parsemaient sa nuque pendant qu'il lui caressait le dos.

« T'es fatigué ou bien est-ce que c'est la seule façon que t'as trouvé de m'approcher ? lui demanda-t-il avec un ton moqueur.

— Hum… peut-être les deux…

— Où est donc passé le Junie timide de ces derniers jours ?

— Hyung, c'est gênant…

— Tout te gêne toujours, alors ?

— Pas tout, non.

— T'es sûr ? »

Minwoo l'obligea à relever le visage vers le sien. À force d'avoir les lèvres si proches de celles de ses collègues, Jungyu allait finir par y devenir insensible... même si pour l'instant, ça restait fort embarrassant pour lui de se retrouver dans une telle situation. Il ne put faire autrement que de baisser les yeux, blottissant la tête contre le torse de son ami qui ricana quelques instants.

« Je le savais. Notre petit Junie essaie de se montrer plus téméraire, mais au fond il n'a pas changé si rapidement.

— Mais hyung, je veux bien faire... je te jure que j'essaie.

— J'ai bien vu, t'en fais pas, gamin.

— J'suis pas un gamin...

— Tant que tu seras plus jeune que moi tu seras mon gamin, compris ?

— C'est pas juste...

— J'ai jamais dit que ça l'était. »

Jungyu, à court de répliques, ferma simplement les yeux et se laissa bercer par le calme du café. On y entendait les conversations mêlées de plusieurs personnes qui se superposaient à la musique, fond sonore apaisant.

« Allez, gamin, je dois aller voir Yeonu et des clients viennent d'arriver, » souffla Minwoo en se séparant de son collègue.

Jungyu fit la moue, récoltant un sourire de la part de son aîné qui se contenta de lâcher un « trop mignon » avant de s'en aller. Le plus jeune performeur retourna à sa tâche, quant à l'autre il s'esquiva discrètement, rejoignant le couloir qui menait au bureau de son supérieur. Il y toqua et reçut de Yeonu la permission d'entrer – il y avait toujours au moins un des deux managers dans l'établissement, ainsi, quand Wonseok s'absentait, on pouvait être sûr de trouver Yeonu à son poste.

« Hyung, t'as besoin de quelque chose ? s'enquit Yeonu en le voyant.

— J'ai juste besoin de te parler d'un truc, vite fait. »

La mine sérieuse de son employé poussa aussitôt le jeune garçon à froncer les sourcils et à l'inviter d'un hochement de tête à poursuivre. Minwoo se gratta un instant la nuque avant d'expliquer :

« Au début, avec Wonseok, on s'est dit que c'était sans doute pas grand-chose, juste un client comme un autre, mais... »

Il hésita et se mordit la lèvre par réflexe, chose peu commune chez lui qui éveilla plus encore la curiosité de Yeonu. Le patron ne le pressa d'abord pas, lui laissant le temps de trouver ses mots.

« Y a ce type, il doit avoir notre âge à peu près et... ça fait quatre fois qu'il vient ces dernières semaines, expliqua finalement Minwoo. Il vient toujours seul... sur le coup, ça avait attiré mon attention, mais je me disais que c'était sans doute à cause de ce gars qui m'avait coincé dans la rue, genre je me disais que devais être un peu parano pour rien.

— Hyung, c'est pas ton genre de tourner autour du pot : c'est quoi exactement le problème avec ce type ?

— Les quatre fois où il s'est pointé, c'était pour observer Jungyu et uniquement lui. Aujourd'hui encore, il a passé son temps à le mater. »

CHAPITRE 34

« T'étais en forme, lança Doyeong, tu t'es senti pousser des ailes ou comment ça se passe ? »

Jungyu ne put s'empêcher de rire en hochant négativement la tête.

« Je sais pas, admit-il simplement avant de poursuivre d'un ton plus léger. Oui, je me suis peut-être senti pousser des ailes à vous voir toujours aussi attentifs à moi. J'ai voulu… j'ai voulu, pour une fois, vous montrer que je pouvais être votre petit maknae tout timide, le personnage que vous attendiez que je sois. »

Il avait affirmé ça avec une telle fierté au cœur qu'elle s'entendait dans sa voix. Doyeong approuva d'un acquiescement, le félicitant ensuite une fois de plus pour les progrès qu'il avait accomplis depuis ce jour où il était arrivé, craintif et incapable de parler sans bégayer. Son jeu demeurait loin d'avoir atteint la perfection, mais une nette amélioration était indubitablement à constater.

Les garçons se changeaient, il était vingt heures, l'heure pour eux de s'en aller. Wonseok et Minwoo n'allaient quant à eux plus tarder à revenir pour s'occuper du restaurant le temps de la soirée. Pour lors donc, les deux collègues se trouvaient seuls dans la salle de repos des employés et discutaient tranquillement.

La porte s'ouvrit. Alors que Jungyu s'apprêtait à saluer un de ses deux hyungs – ou bien les cuisiniers qui allaient bientôt finir eux aussi leur service –, il fut étonné de voir

Yeonu entrer. Ce dernier d'ailleurs lui adressa aussitôt un sourire.

« Jun, ton bus, tu le prends où déjà ? s'enquit-il en sortant de son casier son polo bleu qui indiquait qu'il comptait performer.

— Euh… Deux rues plus loin, à huit ou dix minutes à pied d'ici, pourquoi ? répondit le jeune garçon un peu désarçonné par la question.

— Y a une petite épicerie pas loin, non ?

— Oui effectivement, confirma Jungyu avec une moue pensive, juste en face de l'arrêt il me semble.

— C'est bien ce que je me disais. Je vais venir avec toi : la grande surface est trop loin, je peux pas demander aux hyungs de me remplacer pendant une heure, mais faut absolument que j'achète un truc avant la fermeture. C'est pas fermé à huit heures, rassure-moi ?

— Non, non, ça ferme à dix heures.

— Ouf, super ! Bon, allons-y ! »

Son polo bleu, Yeonu l'enfila rapidement tandis que Jungyu détournait le regard sous les yeux amusés de Doyeong qui s'en alla après un dernier salut. Le jeune patron indiqua ensuite à Jungyu de le suivre :

« Faut que j'aille chercher mon manteau dans mon bureau, expliqua-t-il, j'en ai pour cinq secondes.

— Oh c'est rien… prends ton temps, je suis pas pressé. M-Mon bus ne passe que dans un quart d'heure. »

Yeonu lui sourit d'une manière dont lui seul avait le secret, ce genre de rictus aussi séduisant qu'adorable. Intimidé, Jungyu baissa les yeux pour observer le sol tandis qu'il enfilait son propre manteau et attrapait son sac dans son casier qu'il referma rapidement. Yeonu prit la tête du petit duo et se stoppa devant son bureau. Une fois ses affaires récupérées, ils purent quitter le café dans la salle duquel se trouvaient déjà Minwoo et Wonseok qui discutaient tranquillement et filèrent sur ordre de Yeonu à qui ça ne plut pas beaucoup de les voir bavarder alors qu'ils ne s'étaient même pas encore changés.

« Dis-moi, Jungyu, vous avez prévu quoi pour votre séance, Wonseok et toi, lundi ?

— Simplement de continuer à travailler les performances. On en enchaîne plusieurs puis il me dit quelles erreurs récurrentes il a relevées. Et Minwoo-hyung affirme que je regarde beaucoup trop les clients quand je joue, alors il faut que je travaille ça aussi, ça donne l'impression que j'ai envie de fuir la scène qu'on performe.

— Effectivement, sourit Yeonu, c'est comme si d'un regard tu les suppliais de venir à ta rescousse. Hyung m'en a parlé, mais je sais pas ce que Wonseok pourrait vraiment faire pour te confronter à ça sachant que vous ne vous entraînez qu'une fois le café fermé. »

Jungyu haussa les épaules, silencieux. Il se sentait moins à l'aise avec Yeonu qu'avec le reste de l'équipe du restaurant, qu'il côtoyait régulièrement. Pour autant, il avait bien remarqué qu'il ne bégayait pratiquement plus en sa présence ; avec le temps passé à discuter ensemble ces derniers jours, il lui faisait de plus en plus confiance.

« Hyung, est-ce que... je peux te poser une question ?

— Bien sûr, laquelle ?

— Pourquoi avoir créé un tel café ? C'est si peu commun... »

Yeonu réfléchit un instant. Ils n'étaient partis que depuis deux minutes, ça lui laissait la possibilité de s'expliquer. Alors il raconta :

« Au départ, j'avais pour ambition d'ouvrir un café banal. Enfin, juste un petit café restaurant quoi. Mais quelque chose me dérangeait : des cafés, on en trouve partout, à tous les coins de rue. Ceux qui marchent le mieux sont ceux des grandes chaînes, genre les Starbucks. Je me voyais pas rivaliser avec ces monstres de l'industrie. Se trouver une clientèle est loin d'être aisé : à moins d'avoir quelque chose de vraiment particulier, je pouvais être sûr de fermer boutique en quelques années si je tentais l'aventure sans réfléchir.

« J'avais déjà prévu de demander à Wonseok de venir travailler avec moi, mais on s'était pas vraiment revus depuis plusieurs mois, alors quand il m'a proposé de venir à sa fête de fin d'études, je me suis dit que ça pouvait être une bonne manière de renouer le lien. C'est là que j'ai rencontré Minwoo, mais il était pas très à l'aise, il a vite quitté la soirée. Y avait pas mal d'alcool et des étudiants ont décidé de jouer à des jeux cons auxquels Wonseok et moi n'avons pas voulu prendre part. Forcément, les défis qui étaient lancés, c'était des trucs comme « embrasse untel » ou ce genre de choses. Et à un moment, ce sont deux mecs qui ont dû s'embrasser. Ils étaient déchirés, ces deux abrutis, ils ont pas hésité. Franchement j'admire.

« Et j'étais pas le seul à admirer : toutes les filles ont kiffé, les autres mecs les encourageaient à mettre la langue, j'ai bien cru que ça allait déraper. Deux mecs provoquaient tellement plus de réactions qu'un mec et une fille, c'était dingue. Je devais me faire chier et vouloir un peu de cette attention, parce que j'ai proposé à Wonseok qu'on s'embrasse comme eux, pour voir si on pouvait faire mieux. L'alcool a dû bien aider aussi, et je sais plus trop comment ça s'est passé, mais je me suis retrouvé à califourchon sur ses cuisses à lui rouler la pelle du siècle en glissant les mains sous son t-shirt. Je faisais ça pour la déconne, je pensais pas réellement voler la vedette aux deux autres qui venaient juste de terminer leur défi.

« C'est quelques jours plus tard, en plein milieu d'un cours, que j'ai eu l'idée d'intégrer un concept boy's love au café que je voulais ouvrir plus tard. Je suis allé voir sur internet et j'ai pu voir que c'était une idée qui existait déjà, mais que très peu d'établissements exploitaient. On est d'ailleurs encore aujourd'hui un des seuls sur Séoul à proposer ça. Je l'avais trouvé, mon petit truc en plus. J'en ai parlé à Wonseok qui a tout de suite été d'accord, ravi de pouvoir conjuguer à un travail de serveur sa passion pour le théâtre. Il avait beau être hétéro, il s'en foutait. Pour lui, ce n'était qu'un rôle et ça n'impliquait pas grand-chose. »

Jungyu fronça les sourcils.

« Wonseok-hyung est hétéro ?

— Le café lui a permis de se rendre compte qu'il était bi, rigola Yeonu. À force de draguer des mecs toute la journée, il a commencé à en fréquenter. Il n'avait de toute façon jamais été fermé d'esprit, il a toujours respecté le fait que j'aime les hommes. Alors se rendre compte que lui aussi était intéressé par le même sexe, ça l'a pas franchement bouleversé. Il a toujours été du genre à relativiser et il a pas cherché à nier sa sexualité. D'ailleurs… si y a bien un endroit où t'as pas à avoir honte de ce que t'es, c'est au Boy's love Café, ajouta Yeonu. Aucun de nous ne juge jamais les autres pour qui il est ou qui il aime. J'aime bien ce climat. »

Jungyu acquiesça doucement en soufflant un simple « oui, je trouve aussi, c'est agréable » qui illumina le visage de son interlocuteur. Celui-ci dirigea un regard affectueux vers son jeune employé et se stoppa en même temps que lui, une fois qu'ils furent arrivés à l'arrêt de bus. Celui de Jungyu ne passerait que dans quelques minutes, si bien que Yeonu décida d'attendre avec lui.

« Et toi, si c'est pas trop indiscret, reprit-il, est-ce que t'es déjà sorti avec quelqu'un ? »

La nuit avait beau être tombée, les lampadaires permirent à Yeonu de ne rien rater de l'adorable spectacle des joues de Jungyu qui s'empourprèrent à cette question qu'il venait de lui poser. Le jeune garçon balbutia quelque chose que Yeonu comprit vaguement comme un non.

« T'es pas intéressé ou t'as juste pas trouvé la bonne personne ? continua Yeonu qui espérait que cette conversation pourrait pousser Jungyu à lui ouvrir son cœur et lui accorder sa confiance.

— L-Les deux j'imagine, bégaya son cadet en enfonçant les mains dans ses poches. Et toi ?

— Moi j'ai déjà eu un mec quand j'étais encore au lycée, avant de connaître Wonseok. Quand on a rompu, j'ai préféré me tourner vers des coups d'un soir ; je n'avais plus de temps à consacrer à une relation, ça ne m'intéresse plus. »

Jungyu se contenta d'acquiescer et, peu après, son bus arriva. Il y monta en adressant un dernier signe à Yeonu qui le lui rendit en lui souhaitant un bon weekend.

Sa voix cristalline exerçait toujours sur Jungyu l'effet d'une mélodie qui venait avec douceur lui caresser les tympans. Le jeune garçon avait éprouvé la sensation de palpitations tout le long de ce court trajet, sous l'effet de la nervosité. Il ne détestait pas la présence de son supérieur, loin de là, mais disons que ça avait tendance à l'intimider.

Une fois que le bus eut tourné à l'angle de la rue, Yeonu jeta un œil à la supérette sur le trottoir d'en face. Il retourna au Boy's love Café en attrapant son téléphone pour ouvrir la conversation qu'il avait avec son aîné.

Yeonu – Y avait personne de louche. Si ça se trouve, le mec qui vient le voir de temps en temps est juste un fanboy…

Minwoo – Ou peut-être qu'il vous a vus sortir du café ensemble.

Yeonu – Possible.

Minwoo – Tu lui as dit pourquoi tu le raccompagnais à son arrêt ?

Yeonu – Pas exactement, mais je préfère pas l'inquiéter avec ça pour le moment. Il commence à peine à se sentir à l'aise au café…

Minwoo – Je peux comprendre, mais fais gaffe quand même. Je continuerai de surveiller la salle pour voir si vraiment le gars revient juste quand Jungyu bosse.

Yeonu – D'acc, on fait comme ça.

Le jeune homme rangea son smartphone dans sa poche et se hâta de retourner au restaurant, un air pensif sur le visage : qu'un client vienne pour un performeur en particulier ne dérangeait personne, chacun agissait comme bon lui semblait et il ne pouvait pas intervenir. Ce qu'il craignait en revanche, c'était que le jour où il lui faudrait intervenir, il ne soit déjà trop tard.

~~~

« Tu veux venir dîner à la maison ce soir ? s'enquit Wonseok avec un regard pour son collègue.

— Pas le temps, soupira ce dernier, Yunhee a du boulot alors je préfère m'occuper de l'appartement et être là demain matin pour lui préparer le petit déjeuner.

— La pauvre, je comprends. Y a des priorités dans la vie, t'as complètement raison. »

Minwoo acquiesça doucement sans quitter l'étreinte de son amant. Il était vingt-trois heures trente, les deux garçons avaient fini leur service et nettoyé le café qu'ils s'apprêtaient à fermer. Seuls, ils se trouvaient dans la salle de repos des employés, et c'était pendant que Minwoo récupérait ses affaires de son casier qu'il avait senti Wonseok l'enlacer, collant son torse à son dos tandis que ses bras s'enroulaient autour de sa taille. L'aîné s'était aussitôt immobilisé, toujours aussi friand du souffle de son cadet contre sa nuque.

« Et puis, reprit Wonseok après un instant de silence, on aura d'autres occasions de s'amuser. N'est-ce pas, chaton ? »

Minwoo frémit lorsque son collègue posa les lèvres juste sous son oreille pour y abandonner de petits baisers malicieux qui alternaient avec de douces morsures.

« Bien sûr, susurra Minwoo, on aura d'autres occasions.

— En attendant, il faudra que je m'amuse tout seul ce soir...

— Et... tu comptes faire quoi ?

— C'est pas le genre de chose qui se dit, si tu veux mon avis. Mais... la prochaine fois, je te montrerai si tu veux...

— Avec plaisir. »

Minwoo tourna la tête de sorte à lui voler un baiser que Wonseok lui offrit sans hésiter. Leurs lèvres ne furent scellées qu'un trop bref instant aux yeux de l'aîné qui s'écarta finalement de son ami, conscient que plus il restait avec lui, plus il avait de risques de souhaiter changer ses plans pour la nuit.

« Allez, sourit-il en enfilant son gilet, passe une bonne soirée, Wonseok, on se voit demain.

— Tu veux pas que je te raccompagne ? »

C'était un réflexe qu'il avait depuis le soir où Minwoo s'était fait agresser : lorsqu'ils n'allaient pas dormir chez Wonseok, ce dernier le raccompagnait sous prétexte que c'était lui le plus grand et le plus fort d'entre eux. Bien évidemment, ça n'avait jamais gêné Minwoo qui, au contraire, était toujours ravi de profiter d'un peu plus de temps en sa compagnie.

« Nan t'inquiète, répondit néanmoins le jeune performeur en jetant un regard à sa montre pendant qu'ils quittaient l'établissement, je suis pressé alors je vais faire vite, y a aucun risque.

— Comme tu veux. Passe une bonne nuit !

— Toi aussi. »

Il fila sans demander son reste pendant que Wonseok fermait les portes. Le patron malgré tout observa son amant descendre à la hâte les escaliers et le suivit des yeux pour s'assurer qu'il ne craignait rien d'un potentiel agresseur qui l'aurait attendu à la sortie. Rasséréné, il reporta son attention sur la serrure qu'il verrouilla avant de descendre à son tour d'un pas tranquille les quelques marches qui le séparaient de chez lui, concentré sur son téléphone.

L'endroit était calme, c'était apaisant. On était loin de l'agitation que connaissait le centre-ville à cette même heure. Après un dernier regard sur Minwoo qui, l'allure rapide, s'apprêtait à disparaître à l'angle de la rue – regard qui tenait plus du réflexe qu'autre chose –, Wonseok tira ses clés de sa poche et rentra.

À quelques secondes près, il aurait pu remarquer que Minwoo n'avait pas pris le chemin de chez lui.

CHAPITRE 35

« Arrête de bouger, je dors…

— Et moi je bosse, rétorqua Jungyu avec un rictus amusé. Tu vas pas me râler dessus chaque fois que je tourne une page, quand même ?

— Si tu veux, je peux te râler dessus toutes les deux pages.

— Quel effort de ta part…

— Je sais, sourit Sangchan sans dénier ouvrir les paupières, je suis vraiment un être doué d'une grande bonté. Maintenant dodo.

— Quand tu m'as proposé qu'on bosse ensemble, je dois bien t'avouer que j'avais pas envisagé les choses de cette façon… »

C'était en effet en ce tranquille dimanche matin que Jungyu avait reçu un message de son meilleur ami qui l'invitait à réviser avec lui aujourd'hui sous prétexte que voir Jungyu travailler le motivait à travailler. Bien évidemment, son cadet avait aussitôt accepté.

Enfin bon… il n'était pas stupide, il n'ignorait pas que quand il se trouvait avec Sangchan, l'un d'eux finissait toujours par vouloir s'occuper autrement, raison pour laquelle il avait apporté un bouquin qu'il devait lire plutôt que de quelconques devoirs qu'il n'aurait le courage de terminer. Et puis sachant qu'il devait avancer dans sa lecture, il s'avérait finalement en train d'étudier – et il avançait bien.

En revanche, après à peine un quart d'heure à réviser paisiblement à son bureau, Sangchan avait rejoint son ami qui avait pris place sur son matelas, assis contre la tête de lit les jambes tendues devant lui. L'aîné s'était allongé de travers, de sorte à poser la joue sur la cuisse de Jungyu qui l'avait laissé faire, concentré sur sa lecture qu'il ne comptait pas abandonner aussi rapidement.

C'était sans doute pour cette raison que Sangchan se comportait désormais comme un enfant, souhaitant plus que tout attirer l'attention de son cadet sur lui.

« Junie, je suis fatigué...

— T'avais dit que t'étais, je cite, « grave motivé pour avancer » dans ton boulot. Alors avance.

— Mais, ronchonna-t-il, c'est ta faute : te voir travailler, ça me fatigue.

— D'une part je lis, et d'autre part tu m'as fait venir parce que me voir travailler te donnait le courage de t'y mettre, rétorqua Jungyu sans quitter sa page des yeux. Dis-le juste si t'as la flemme, pas besoin de te chercher des excuses.

— Y a trois semaines, t'aurais compati à mon malheur et tu te serais reposé avec moi, gémit son Sangchan en faisant la moue, j'aurais jamais dû te présenter à Yeonu...

— Bah maintenant, t'assumes. »

Un sourire taquin aux lèvres et quelques nuances de rose sur les pommettes, Jungyu poursuivit sa lecture sans un mot de plus, récoltant un soupir las de la part de Sangchan. Du moins, en dépit de son regard dirigé sur la page de son roman, la remarque de son aîné avait poussé le jeune garçon dans ses songes : il n'avait pas tant changé en moins d'un mois, n'est-ce pas ? C'était Sangchan qui, à tous les coups, se faisait des idées... Jungyu se sentait effectivement plus à l'aise au fil du temps lorsque ses collègues le prenaient dans ses bras ou bien le draguaient de façon appuyée. Pour autant, il n'éprouvait pas la sensation que ça ait pu affecter d'une quelconque manière son comportement en dehors du café : à l'université, il demeurait distant vis-à-vis de ses camarades, quant à Sangchan, il lui semblait qu'avec lui, il était resté le même garçon timoré.

Ces jours-ci, il ressentait simplement une étrange légèreté, ce qui l'avait aidé lors de sa performance avec Doyeong et lui donnait l'impression de flotter agréablement, comme si rien de ce qu'il dirait ou ferait ne pourrait engendrer la moindre conséquence. C'était quelque chose qu'il n'avait pas vécu depuis des années. Il ignorait quand exactement cet élan de témérité l'avait pris, la veille probablement. Il avait voulu bien faire, se dépasser, et une fois qu'il avait réussi, c'était la fierté que ça lui avait procurée qui l'avait poussé à se montrer plus assuré.

Donc ces temps-ci, il avait bel et bien plus confiance en lui grâce au Boy's love Café. En toute honnêteté, il n'y aurait jamais cru, surtout pas après à peine trois semaines de service. Pour autant, il se sentait plus sûr de lui seulement auprès de ceux à qui il savait pouvoir se fier : il ne s'imaginait pas encore prendre la parole lors de travaux dirigés à l'université et surtout pas passer un oral devant ses camarades sans transpirer d'anxiété... mais c'était déjà une étape de franchie. D'abord, il s'ouvrait face à ceux dont il était convaincu qu'ils ne le jugeraient jamais, et peut-être un jour serait-il en mesure d'oser se montrer tel qu'il était même aux gens qu'il ne côtoyait pas.

Tout n'était sans doute qu'une question de temps...

« Dis, Chan... t-tu trouves vraiment que j'ai changé ? se demanda-t-il, tout à coup plus timide qu'auparavant.

— Je sais pas, admit plus sérieusement l'autre. Aujourd'hui, je te sens un peu différent – mais dans le bon sens, rassure-toi. Je pense que c'est parce que ces jours-ci se sont bien passés pour toi, non ?

— C'est vrai…

— Il s'est passé quelque chose de particulier ?

— Non pas vraiment : j'ai pu avancer sur mes devoirs tout en terminant le chapitre de mon roman, au boulot je me sens de plus en plus à l'aise, et à côté de ça j'ai clairement des nuits de bien meilleure qualité. Je sais pas, ça doit être de savoir que j'ai réussi à faire tout ce que je voulais faire : c'est satisfaisant. Je me sens fier de moi. »

Jusque-là recroquevillé, Sangchan s'installa sur le dos pour lever la tête et observer son cadet. Il lui adressa un léger sourire.

« Je suis content pour toi, dans ce cas, se réjouit-il. Ton ancien boulot t'épuisait et te bouffait tout ton temps. Je commençais à m'inquiéter sérieusement, tu sais…

— Je suis désolé.

— C'est pas ta faute, t'as pas à t'excuser.

— Et toi, pourquoi t'es si fatigué ? s'enquit Jungyu dans l'espoir de changer de sujet maintenant que son ami avait obtenu sa réponse.

— Hier j'avais bien avancé, soupira Sangchan en fermant les yeux, alors j'ai voulu en profiter pour sortir un peu. Pas non plus en boîte jusqu'à deux heures du matin, mais juste prendre un verre ou deux et repartir un peu avant minuit. Je suis allé dans un bar assez chic, tu vois, histoire de bien en profiter, et j'y ai rencontré un ulzzang que je suis sur insta. Un gars tellement magnifique que même le mot « magnifique » ne rend pas grâce à sa beauté.

— À ce point ? s'étonna Jungyu, plus curieux que jaloux.

— Putain ouais, je te jure. Il est en train de gagner en popularité de façon fulgurante. Je l'ai reconnu et, tu t'en doutes, je me suis pas gêné pour aller lui parler. Il était seul : il venait de quitter un autre bar dans lequel il avait eu un rencard plutôt catastrophique avec un mec qui s'est avéré être un vrai connard. Ah oui parce que je t'ai pas dit : il est ouvertement gay. Je l'admire grave, j'étais trop content de pouvoir discuter avec lui, je te jure ! J'ai eu l'impression de lui sauver sa soirée : on s'est bien marré, il arrêtait pas de sourire, et à la fin il m'a même laissé son numéro.

— T'es sérieux ? rigola Jungyu avec légèreté.

— Un peu, ouais ! Il m'a proposé qu'on se revoie, j'ai pas hésité avant de dire oui.

— Mais… tu le connais un peu, au moins, derrière son physique ?

— J'imagine bien qu'il dit pas tout dans ses vidéos ou sur insta, mais j'en sais déjà pas mal. Et puis… tel que je l'ai vu hier, il m'a semblé sincère, réellement gentil. Il était adorable.

— Tu serais pas amoureux ? le taquina Jungyu malgré un pincement au cœur.

— Je sais pas trop, je pense pas encore. Ouais, il est grave beau et il est trop gentil et tout… mais on a juste bu un verre ensemble pendant une petite heure hier soir, alors je peux pas vraiment affirmer quoi que ce soit, tu comprends ? Mais je sens que… que ouais, y a un truc, il m'attire carrément.

— Si t'es resté avec lui juste pendant une heure t'es pas rentré si tard que ça, si ?

— Non effectivement, mais j'arrivais pas à dormir : j'ai passé des heures sur son insta, genre fanboy complètement débile, ricana Sangchan naïvement. Et j'ai osé lui envoyer un message, du coup on a un peu discuté. Enfin bon, tu vois le genre, rien de bien dingue, mais j'étais heureux et tellement excité de lui parler que j'ai pas vraiment beaucoup dormi…

— Ouais, je vois. Et ce garçon parfait, il a quel âge ?

— Trois ans de plus que moi, admit Sangchan avec une petite moue intimidée.

— Sérieux ?

— Ouais je sais, j'ai toujours préféré les mecs plus jeunes que moi, mais lui… il a une aura rassurante, il dégage un truc que je saurais pas expliquer. »

Étrangement… Jungyu songea qu'entendre ça aurait dû le blesser, non ? Il aurait dû éprouver de la jalousie vis-à-vis de cet absolu inconnu qui débarquait et dont Sangchan tombait déjà pratiquement aussitôt amoureux. Est-ce qu'il ne devrait pas être amer de constater que ses efforts vains pour plaire à son aîné n'avaient jamais rien donné alors que cet ulzzang avait directement su faire naître des paillettes dans les yeux de Sangchan ?

Pourquoi donc, malgré un léger pincement au cœur, Jungyu se sentait-il si heureux pour celui qu'il chérissait ? Le voir sourire et se réjouir à ce point, ça lui faisait un bien fou, même si Sangchan parlait d'un autre garçon.

Et puis il existait une petite voix au fond de Jungyu qui lui avait inlassablement répété qu'il ne faudrait jamais rien attendre de lui, que Sangchan ne le considèrerait toujours que comme son dongsaeng et rien de plus. Alors… d'une certaine manière, peu importait, il savait que tôt ou tard son aîné rencontrerait l'homme de sa vie… et il savait que ce ne serait pas lui. Il s'était résigné à cette idée. Sans doute s'agissait-il encore d'un mauvais coup de son manque de confiance en lui, mais au moins, cette fois-ci, c'était une bonne chose : il ne souffrait pas d'entendre celui qu'il aimait lui parler avec passion d'un jeune inconnu.

Il se sentait simplement heureux de le voir heureux. Après tout, comment ne pas sourire quand Sangchan arborait cet air naïf et innocent qui faisait indubitablement son charme.

Et puis... c'était absolument certain : plus besoin de courir après de vains espoirs, Jungyu n'obtiendrait jamais le cœur de Sangchan. Ça avait finalement quelque chose d'apaisant, comme si son âme était oppressée par cette affection dont il souhaitait qu'elle se révèle un jour réciproque. Désormais, il n'avait plus à se torturer l'esprit avec ça : il ne serait jamais le genre de Sangchan.

Il avait été stupide d'y croire... mais peut-être que maintenant, conscient que Sangchan s'éprenait d'un autre, il allait pouvoir réussir à oublier les sentiments qu'il éprouvait pour lui, non ? Ça devrait l'aider à penser à autre chose, à se concentrer sur les autres garçons.

Un instant il songea à Minwoo, enlisé dans la passion qu'il nourrissait pour Wonseok. Pourrait-il lui aussi s'en détacher ? Bien sûr, ce n'était pas quelque chose qui adviendrait du jour au lendemain : apprendre que son aîné tombait peu à peu amoureux venait de faire l'effet d'un choc au jeune homme qui avait perçu ça comme un déclic et était convaincu qu'avec le temps, ses sentiments s'estomperaient.

C'était pareil à un monumental panneau « stop » que Sangchan avait dressé entre l'affection de son cadet et lui. Ça avait eu le don de le ramener aussitôt à la réalité, de le sortir des espoirs vains que ses lectures l'avaient poussé à nourrir : si les héros des romans finissaient toujours par voir leur amour devenir réciproque, ça ne serait pas son cas à lui, tout simplement. Parce que parfois, la réalité s'avérait beaucoup plus difficile que ce que la fiction laissait croire.

Pour autant, bien que brutal, le choc n'engendrait pas la souffrance d'un cœur brisé mais le soulagement d'un cœur léger. D'emblée, il lui paraissait que ses sentiments ne l'emprisonnaient plus. Il lui suffisait d'un peu de temps pour les oublier complètement.

Alors, avec un sourire sincère, Jungyu reprit :

« Tu m'as même pas dit : il s'appelle comment ? »

Le regard empli de bonheur, Sangchan semblait perdu dans ses rêveries et répondit d'un souffle distrait.

« Park Haejoon. »

~~~

Jungyu arriva d'un pas nonchalant dans la salle de repos des employés. Aujourd'hui était un lundi, le performeur se sentait prêt aussi bien pour son après-midi de travail que pour son cours du soir avec Wonseok. Le peu de séances qu'il avait eu s'était bien déroulé et il débordait d'énergie. Malgré tout, il avait peu dormi la veille, tournant et retournant ses songes avant de se coucher.

Sangchan hantait son esprit mais… ça avait changé. Il ne cessait plus de remettre ses sentiments en question. Il n'était pas particulièrement peiné, simplement… oui, léger. Depuis que Sangchan avait commencé à lui parler de Haejoon, Jungyu éprouvait cette sensation d'un poids qui lui avait été retiré, une sérénité douce qui l'avait envahi. L'acceptation, sans doute.

« Salut Jungyu ! »

L'appelé, qui venait tout juste de revêtir son t-shirt, se tourna pour découvrir que celui qui entrait était leur maknae, Insoo. Encore jeune, il travaillait à peine plus longtemps que lui ici, mais pour l'avoir déjà vu à quelques reprises et avoir discuté avec lui, Jungyu le connaissait un peu et l'appréciait. C'était quelqu'un de sérieux autant que jovial, un garçon agréable au sujet duquel il espérait en apprendre plus.

« Comment tu vas ? demanda Jungyu après lui avoir rendu son salut avec un sourire.

— Fatigué, soupira-t-il. Y a pas mal de monde, c'est hardcore aujourd'hui...

— Tant que ça ?

— Surtout à midi, là ça s'est calmé, t'arrives au bon moment, expliqua le serveur en se changeant. Le problème, surtout, c'est qu'Euijin a refilé sa merde à Wonseok. Une bonne gastro : on a dû faire un pierre feuille ciseau pour savoir qui allait laver la magnifique flaque de vomi qu'il a laissée dans les chiottes des employés, un bonheur...

— Ah merde...

— Je te le fais pas dire. Il était pâle depuis ce matin, on avait bien vu que ça allait pas fort mais il disait que c'était juste un coup de fatigue. Yeonu l'a renvoyé chez lui en fin de matinée, dès qu'on l'a trouvé aux chiottes en train de gerber. C'est aussi pour ça qu'avec un serveur en moins, ça a pas été facile, le service du midi...

— J'imagine. Vous avez eu des nouvelles depuis ?

— On pense qu'il est allé se coucher direct, il répond pas aux messages. Comme j'ai un peu de temps et qu'il y a une pharmacie juste à côté, je vais aller lui acheter de quoi l'aider à guérir plus efficacement. Shino m'a conseillé un ou deux trucs pas mal. »

Jungyu hocha la tête et la discussion ne se poursuivit pas très longtemps avant qu'Insoo, désormais vêtu d'une tenue banale, ne s'en aille en adressant un dernier signe à son aîné. Jungyu s'était empressé d'envoyer un petit message à Wonseok pour l'enjoindre à se reposer et à prendre soin de lui – c'était quand même le minimum qu'il puisse faire – et il se rendit en salle. Au beau milieu du couloir, il fut néanmoins arrêté quand la porte du bureau de Yeonu s'ouvrit et que le patron en sortit à peine pour lui parler.

« Hey, Jungyu, tu vas bien ?

— Oui, répondit le jeune garçon, et toi ?

— Idem. T'es au courant pour Wonseok ?

— Oui, j'espère qu'il ira vite mieux.

— Il lui faudra simplement du repos. Par contre, au sujet de ton cours pour ce soir, t'imagines bien qu'avec lui, ce sera pas possible.

— Oui, je m'en doute, acquiesça Jungyu.

— Du coup je le prendrai en charge pour aujourd'hui. On se retrouve à la fin de ton service, à toute. »

Visiblement pressé malgré son ton tranquille, Yeonu referma la porte de son bureau sans que son employé ait pu prononcer le moindre mot.

Jungyu en resta coi.

Il allait performer avec Yeonu…

CHAPITRE 36

Wonseok somnolait devant la télévision quand deux coups discrets retentirent à sa porte, si faibles qu'il n'était même pas tout à fait certain que quelqu'un ait réellement frappé. Il alla cependant ouvrir pour découvrir Minwoo qui lui adressa un sourire lorsqu'il le vit.

« Hyung, s'étonna le cadet, qu'est-ce que tu fais ici ?

— J'ai un peu de temps devant moi avant de rentrer m'occuper de Yunhee. T'as pu manger quelque chose pour le dîner ?

— J'étais en train de me reposer devant la télé, j'ai pas encore mangé. Mais t'inquiète, je me sens mieux après avoir dormi tout l'après-midi et Insoo m'a apporté des médicaments. Tu devrais partir, rentrer t'occuper de ta sœur plutôt que de moi. »

Minwoo acquiesça en se mordant la lèvre. Il avait bien conscience que son collègue ne cherchait pas à le blesser mais… se faire rejeter de cette façon, pour lui qui voulait simplement s'assurer qu'il allait bien, c'était vexant. Le soir en effet était arrivé rapidement et il était désormais vingt heures. Jungyu, qui devait suivre une leçon avec Yeonu, était resté avec ce dernier pour fermer le café, si bien que Minwoo avait pu les quitter et les laisser s'en charger seuls.

Il avait donc immédiatement pensé à venir voir Wonseok pour prendre de ses nouvelles et peut-être lui apporter un peu de réconfort, s'il en avait besoin. Ils demeuraient avant tout amis, non ? C'était pour cela qu'il avait doucement frappé à la porte, songeant que si son collègue dormait, il valait mieux ne pas risquer de le réveiller.

À présent il se sentait ridicule. Wonseok pourtant n'avait pas parlé méchamment, il n'était sans aucun doute absolument pas conscient de l'effet que ses mots avaient exercé sur Minwoo…

Ce dernier éprouva le sentiment d'avoir agi comme… comme quelqu'un d'amoureux aurait agi avec son petit ami. Or Wonseok n'était pas son petit ami.

« Dans ce cas… je… j-je vais m'en aller, bredouilla-t-il en haussant les épaules. Repose-toi bien.

— Hyung…

— Bonne soirée, le coupa-t-il, et tiens-moi au courant, hein ? »

Son collègue désira répliquer, mais déjà l'autre reculait pour fuir au plus vite cette situation. Il s'inclina légèrement devant lui et, avec son sourire habituel qu'il n'avait désormais plus de mal à feindre, il lui adressa un signe avant de lui souhaiter de bien dormir.

« Toi aussi, répondit Wonseok en se frottant les paupières, et fais attention à toi, je voudrais pas que t'attrapes cette merde.

— T'en fais pas pour moi. À plus. »

Le cadet opina en le regardant lui tourner le dos et s'en aller. Une moue dubitative se dessina sur son visage, mais la fatigue qui lui embrouillait l'esprit le poussa à refermer la porte et, une fois la télévision éteinte, à aller se coucher sans tarder.

~~~

Jungyu déglutit, immobile devant la porte du bureau de son supérieur. Une bonne demi-heure plus tôt, il avait enjoint Minwoo à le laisser fermer seul puisque de toute façon, il devait rester pour ses cours avec Yeonu. Et puis... il savait à quel point son collègue s'impatientait d'aller prendre quelques nouvelles de Wonseok, si bien qu'il n'avait pas voulu le retarder.

Par ailleurs, il devait bien admettre que si lui, de son côté, il pouvait retarder sa confrontation avec Yeonu, ça l'arrangeait bien. Il ignorait encore tout du caractère de son employeur lorsqu'il performait et... il devait bien avouer qu'il sentait que toute la confiance acquise ces derniers temps s'était lentement effritée au cours de la journée, tandis qu'il appréhendait de plus en plus ce moment où il se retrouverait dans la position dans laquelle le voilà désormais : debout face à la porte du bureau de Kim Yeonu.

L'après-midi pourtant s'était bien déroulé, comme à l'accoutumée il avait joué de ses charmes auprès de son collègue, profitant de quelques instants par-ci par-là pour aller faire les yeux de chien battu à Minwoo pour obtenir un câlin qu'il lui avait refusé à plusieurs reprises pour le taquiner à la place.

Jungyu avait tout tenté pour le distraire, conscient que l'absence de leur supérieur inquiétait un peu le jeune homme. Ça avait réussi à les occuper tous les deux, ils n'avaient pas vu les heures passer, une bénédiction pour Minwoo – mais une malédiction pour Jungyu.

Le performeur inspira longuement, compta dans un murmure jusqu'à trois et, une fois ce chiffre prononcé, il toqua à la porte... après quoi son étincelle de courage s'éteignit.

« Entre, Jungyu. »

Il obéit immédiatement et se retint au dernier moment de s'incliner en saluant de manière trop formelle son aîné.

« J'ai fini de ranger le café, hyung, dit-il simplement.

— Parfait, merci beaucoup. Je suis désolé de pas être venu.

— Ce n'est rien.

— Je finis juste ça… j'en ai pour… deux secondes… »

Concentré sur son écran, Yeonu tapa encore quelques mots avant de refermer son ordinateur dans un soupir.

« Les joies de l'entrepreneuriat, sourit-il d'un ton soulagé. Heureusement que c'est juste un restaurant, j'aurais jamais pu avoir une vraie entreprise, c'est tellement de boulot…

— À ce point ?

— Je gère absolument tout l'administratif, toute la compta, expliqua Yeonu. Chaque jour, je fais les comptes pour voir quel produit se vend le mieux et adapter ainsi ce qu'on achète à nos fournisseurs. Shino et Jinwon sont déjà bien assez occupés sans que je leur demande en plus de faire la liste des produits dont ils ont besoin. Je gère aussi les plannings : ceux des performeurs sont simples puisqu'ils ne changent presque jamais, mais les cinq autres ont des emplois du temps qui peuvent varier d'une semaine à l'autre, alors je dois chaque fois prendre en compte les occupations de chacun et faire correspondre les créneaux à vos emplois du temps à vous. Et puis comme Wonseok préfère draguer Minwoo que s'occuper de payer les factures, c'est aussi moi qui m'y colle, sans oublier que je gère également notre image sur les réseaux et que je reçois régulièrement des offres de sponsors que je dois étudier. Si t'ajoutes ça à tout ce qui est de l'ordre du calcul des bénéfices et autres réjouissances financières, ça commence à faire une bonne masse de travail. C'est pour ça que je passe peu de temps en salle. »

Il se redressa et adressa un sourire à son employé avant de reporter son attention sur son portable puis de reprendre :

« Et en parlant de salle, on va aller s'y installer, ça marche ? Wonseok me tenait au courant de ce que vous faisiez, alors je me disais que je pourrais commencer par voir comment tu te débrouilles avec une performance, vite fait, comme ça ensuite on pourra faire quelque chose d'adapté pour que tu t'améliores. T'en penses quoi ? Ça serait juste un petit test rapide pour que je voie où t'en es.

— O-Oui d'accord, pas de problème. »

Jungyu déglutit : sa voix était partie dans des notes étranges auxquelles il n'était pas habitué et qui témoignaient de son anxiété. Jusque-là concentré sur son smartphone, Yeonu releva les yeux et découvrit que son cadet avait baissé la tête et se focalisait sur son fameux parquet. Décidément, il allait finir par réellement croire que Jungyu vouait un culte à ces planches de bois qu'il passait son temps à fixer…

« Hey, Jun, t'es sûr que ça te va comme programme pour cette séance ? On peut faire autre chose sinon, genre comme le premier cours que Wonseok t'a donné, ce genre de trucs quoi. Dans tous les cas ça te sera bénéfique, alors c'est comme tu veux.

— Vraiment ?

— Le but c'est pas de te confronter brutalement, c'est avant tout de te mettre à l'aise. Y a pas de clients, c'est vraiment le moment idéal pour t'entraîner à toute sorte de choses, c'est pour ça que je pense que le mieux, c'est qu'on essaie d'abord une scène ensemble, sans pression. T'arrives à en faire avec les hyungs, tu te sentirais assez confiant pour tenter avec moi ?

— Je pense que oui, affirma Jungyu malgré ses évidentes rougeurs qui le contredisaient, du moins je veux essayer. »

Puisque justement ils seraient seuls dans le restaurant, autant qu'il en profite pour se mettre réellement en situation : Jungyu souhaitait progresser et désormais, même s'il n'était pas totalement à l'aise – et encore moins avec Yeonu –, il se savait capable de performer avec son aîné. Il devait tenter.

« Parfait. On va aller dans la salle. »

Yeonu l'invita à passer devant et le suivit. Ils s'installèrent à une banquette, l'un face à l'autre ; Jungyu était crispé.

« Les statistiques du café sont unanimes depuis deux ans qu'on a ouvert, indiqua Yeonu en se tournant vers lui, le menu spécial le plus régulièrement choisi est notre menu « douceur chocolatée », et un sondage nous a permis d'apprendre que les clients, même s'ils ne la demandent pas nécessairement, adorent la performance « t'as du chocolat au coin des lèvres ». Le défi donc quand on la fait, c'est d'essayer de toujours montrer quelque chose d'un peu nouveau alors même que, d'une certaine manière, c'est notre plus grand classique. Ça te va si je teste tes compétences sur cette performance-là ?

— O-Oui…

— Parfait. Tu te sens prêt ?

— Je crois…

— Prends un moment pour respirer et te détendre, je reviens. »

Jungyu se contenta d'acquiescer et observa son aîné partir. Yeonu était habillé d'une chemise épaisse jaune et noir à carreaux rentrée dans un jean sombre moulant qui soulignait divinement ses jambes fuselées. Ses bottines en cuir venaient compléter à merveille ce style à la fois sobre et élégant qui rendait Jungyu tout simplement admiratif.

Il ne pouvait décidément pas détacher son regard de sa silhouette. Il y fut néanmoins contraint lorsque Yeonu disparut en cuisine pour en ressortir quelques instants plus tard avec un gâteau au chocolat, une bouteille de soda et deux verres qu'il remplit une fois attablé – à côté de son cadet cette fois-ci.

« Tiens, bois un coup ça te fera du bien, sourit-il en tendant le verre à Jungyu qui le remercia et y goûta. Ça fera plus réel avec le fondant… en plus ça tombait bien, il en restait. Et puis je dois avouer que j'ai bien envie de te voir avec une petite tache de chocolat au coin de la bouche, tu dois être trop choupi. »

Jungyu crut s'étouffer à ces mots, par chance il n'en montra rien et se contenta de hausser les épaules tandis que ses jambes s'entrechoquaient rapidement sous la table, signe de son stress. Yeonu porta un instant son verre à ses lèvres charnues, et de nouveau son employé ne put décrocher son regard de son corps, observant avec un intérêt que lui-même ne comprenait pas sa pomme d'Adam se mouvoir à chaque gorgée.

« Ça fait du bien, sourit Yeonu en reposant le soda près de lui. Prêt ? »

Et tandis qu'il l'interrogeait, il coupa un morceau du fondant à l'aide d'une cuillère qu'il leva pour la diriger vers son cadet. Jungyu hocha timidement la tête avant d'entrouvrir la bouche – ainsi Yeonu allait forcément le tacher un peu. Et ça ne manqua pas, le jeune homme sentit le chocolat couler au coin de ses lèvres une fois le bout de gâteau avalé.

La scène allait commencer et... la jouer avec Yeonu donnait au performeur une sensation étrange qu'il ne serait pas en mesure de qualifier.

Le regard de son aîné changea alors qu'il se glissait lentement dans son rôle.

« Tu t'es mis du chocolat, là, juste... au coin des lèvres. »

Jungyu sentit son visage s'empourprer et son cœur cogner contre ses côtes tandis que Yeonu observait fixement ses lèvres, comme sous l'emprise d'un charme dont il ne pouvait pas s'extirper. Le jeune homme ne pouvait plus détacher les yeux de ces deux appétissants morceaux de chair ; dans ses prunelles, un désir brûlant brillait de mille feux.

Jungyu passa lentement la langue sur le pourtour de sa bouche avant de lancer un regard interrogateur à son aîné, lui demandant silencieusement s'il l'avait enlevé. Ce dernier secoua la tête de gauche à droite. Ils étaient tournés de sorte à se faire face, assis l'un à côté de l'autre sur une banquette du petit café que possédait Yeonu.

« Attends, susurra ce dernier d'une voix étrangement basse et grave, je vais te l'enlever. »

Son interlocuteur opina, l'air peu sûr de lui. Qu'est-ce qu'il faisait ? Pourquoi tout semblait-il si... étouffant ? Il se sentait rougir, il voulait fuir en même temps qu'il voulait se jeter à corps perdu sur les lèvres de son supérieur. C'était si contradictoire : il le connaissait à peine alors même que déjà un désir brûlant embrasait ses sens. Yeonu dégageait quelque chose sur quoi il ne pouvait pas mettre le doigt : un charme mystérieux, probablement celui de l'inconnu.

Il était beau, vraiment beau : Yeonu en effet, malgré son âge de deux ans plus élevé que celui de Jungyu, avait toujours ces joues adorables qui lui donnaient l'air plus jeune. Le peu de maquillage qu'il portait suffisait à adoucir plus encore ses traits qui n'avaient pas besoin de l'être, ses yeux étaient colorés d'un marron sombre profond dans lequel Jungyu pourrait s'oublier, son petit nez légèrement aplati était à croquer et son visage possédait cette envoûtante harmonie qui ne permettait plus à Jungyu de réfléchir lorsqu'il le voyait. Il demeurait pourtant plus grand de taille, alors pourquoi se sentait-il si minuscule quand Yeonu était si proche ?

Ce dernier était un jeune homme magnifique, et sans doute Jungyu était-il quant à lui un garçon pris au piège de cette fascination qu'il avait développée pour lui depuis plusieurs semaines déjà.

« H-Hyung, balbutia-t-il tandis que Yeonu se penchait vers lui, un mouchoir entre les mains.

— Je peux ? » s'enquit l'autre en plongeant son regard dans le sien.

Jungyu déglutit et acquiesça, déstabilisé par ces deux prunelles ardentes. Son supérieur alors lui adressa un sourire caressant et appuya avec une douceur étonnante le petit morceau de papier contre le coin de sa bouche. Leurs deux visages étaient si... si proches. Jungyu s'interdit de se mordiller les lèvres, soudain désireux de connaître le goût de celles de son aîné qu'il observait avec peu de discrétion. Elles étaient charnues, et leur couleur rose pâle était rehaussée par un baume qui leur donnait un aspect brillant.

La tache de chocolat enlevée, Yeonu s'apprêtait à s'écarter quand la main avec laquelle il se soutenait glissa malencontreusement de la banquette. Il retint son souffle alors qu'il perdait l'équilibre et s'écroulait sur Jungyu, qui laissa échapper un petit cri de surprise. Aussitôt, Yeonu se redressa sur les coudes.

« J-Je suis désolé, s'excusa-t-il, j'ai pas… »

Il se stoppa quand il se rendit compte de leur position : Jungyu, sur le dos, à moitié allongé sur la banquette, et lui juste au-dessus de son corps juvénile. Leurs lèvres n'étaient plus séparées que par une si courte distance…

« C'est rien, hyung, susurra Jungyu comme s'il ne voulait pas briser ce moment en parlant trop fort.

— Junie, t'es vraiment… »

Il ne sut pas comment finir sa phrase. Jungyu ne pouvait pas décrocher les yeux de ses traits magnifiques ; lorsque Yeonu leva une main pour attarder les doigts sur ses pommettes, le jeune garçon crut que son cœur allait exploser. Il battait vite, si vite. Le pauvre se sentit s'empourprer et ne fut plus en mesure de soutenir le regard de son aîné, détournant le visage avec un air gêné.

Yeonu l'obligea à centrer de nouveau son attention sur lui en lui attrapant délicatement le menton entre les doigts. Or, son cadet demeurait bien trop embarrassé. De plus belle, il baissa les yeux.

Alors tout cessa. Yeonu s'assit correctement et porta son verre de soda à ses lèvres en souriant :

« Ok on arrête ici. C'est pas mal, Jun, tu t'améliores vachement. J'aurais presque pu y croire ! Le début était bien, par contre faut vraiment que tu travailles ton regard : les clients sont pas là pour te voir rougir de timidité jusqu'au bout, faudra bien que tu prennes au moins une initiative ou deux lors des scènes que tu joueras. Rappelle-toi que t'es rien d'autre qu'un performeur, t'arrives pas encore assez à rentrer dans ton personnage. Et oublie pas non plus que tu peux te détendre : jamais aucune de ces petites scènes n'impliquera de contacts plus poussés qu'un baiser sur le front, la joue ou dans le cou. T'es timide mais c'est normal, ça viendra avec le temps. Minwoo-hyung était pareil au début.

— A-Ah bon ? balbutia Jungyu en se redressant à son tour.

— Oui, mais crois-moi je sais déceler le potentiel chez les gens, et je suis convaincu que tu finiras par faire une recrue parfaite pour le Boy's love Café. »

Jungyu hocha doucement la tête, ignorant quoi répondre. Dans quoi s'était-il encore embarqué ? Comment en était-il arrivé là… ? Et pourtant, il n'avait pas détesté cette proximité établie avec son aîné, au contraire ça lui avait, d'une certaine manière, plu d'être si proche de lui qu'il ne connaissait qu'à peine.

Sans doute parce que Yeonu était réellement attirant. C'était agréable de se tenir si près de quelqu'un d'aussi ensorcelant.

CHAPITRE 37

« Dis, hyung, hésita Jungyu en portant son verre de soda à ses lèvres, tu crois sincèrement que je pourrai faire un bon performeur tôt ou tard ?

— Bien sûr, affirma Yeonu, je t'ai embauché parce que je savais que t'y arriverais, sinon j'aurais pas retenu ta candidature. T'en es conscient, n'est-ce pas ? Je sais que tu sens que tu peux le faire.

— Oui, je pense. En tout cas... j'ai vraiment envie d'essayer.

— Ça me fait plaisir que tu dises ça : y a trois semaines, t'étais mortifié à l'idée de performer, prêt à décliner mon offre, et voir à quel point t'as travaillé sur toi-même ça me rend heureux. Même si je peux pas te voir en action, je sais que t'as fait d'énormes progrès. »

Jungyu rougit aussitôt à ce compliment qu'il n'espérait pas. Le ton bienveillant de son aîné le ravissait, lui donnait même envie de continuer de se dépasser comme il avait tenté de le faire jusqu'à présent. Et puis entendre ça de la part de Yeonu, c'était si encourageant ! Ce garçon dégageait quelque chose qui attirait particulièrement Jungyu, tant dans l'image qu'il lui renvoyait que dans sa manière d'être de façon plus globale.

C'était incompréhensible, il possédait un charisme que Jungyu ne pouvait pas expliquer mais qui le fascinait. C'était sans doute la fatigue qui l'incitait à penser ça, ou peut-être était-ce la proximité de Yeonu...

« On retourne à mon bureau, tu viens ? »

Tiré de ses songes, Jungyu opina et saisit la main que lui tendait son supérieur. Ce dernier éteignit les lumières de la salle principale et se rendit ensuite à l'arrière. Yeonu se laissa tomber nonchalamment sur son canapé et invita son cadet à s'installer auprès de lui. Le jeune homme obéit, stressé malgré tout.

« Si on discutait un peu ? proposa Yeonu.

— Euh… à-à quel sujet ? demanda l'autre, désarçonné.

— Au sujet de tout et n'importe quoi. Ce sera un bon exercice : je veux que pendant qu'on parle, tu me regardes sans rougir, te crisper, ni bégayer. On va voir si t'en es capable avant la fin de la séance, d'accord ? »

Jungyu acquiesça : il avait déjà travaillé ça avec ses collègues, il pouvait y arriver, non ?

« Parfait, sourit Yeonu avec un rictus malicieux. Parle-moi un peu de toi. »

Chacun se tourna de sorte à se faire face sur cet étroit canapé. Une cinquantaine de centimètres les séparait et Jungyu, rendu plus confiant par le challenge, se sentait plus à son aise. Il se racla donc la gorge puis évoqua l'université et ce qu'il y apprenait sans trop savoir quoi développer d'autre – même s'il savait bien que Yeonu était au courant de ce qu'il étudiait.

Malgré son regard parfois fuyant et son anxiété qui lui donnait chaud, le jeune homme s'en sortait beaucoup mieux qu'à son entretien d'embauche, une très bonne surprise pour Yeonu qui dut bien admettre en son for intérieur qu'il n'aurait pas cru que son employé se serait amélioré si vite. Il se contentait pour sa part de hocher la tête et de poser quelques questions lorsqu'il se rendait compte que Jungyu ignorait quoi ajouter pour continuer de bavarder.

Ce fut au bout d'une dizaine de minutes que Yeonu l'arrêta.

« Y a vraiment du progrès, le félicita-t-il. Tu te sens toujours capable de poursuivre la discussion ?

— Oui, je pense…

— Alors on passe au niveau deux. »

Jungyu croisa les yeux amusés de Yeonu tandis que les siens se faisaient interrogateurs. Le niveau deux ?

« Lève-toi un instant, s'il te plaît. »

Jungyu s'exécuta mécaniquement sans comprendre ce que son supérieur attendait de lui. Ce visage espiègle ne lui disait rien de bon pour lui…

Yeonu se redressa à son tour, prit ses mains dans les siennes et se rassit avant de le tirer à lui. Jungyu écarquilla les yeux lorsque, ne pouvant lutter contre ce geste trop sec, il termina agenouillé, à califourchon sur les cuisses de Yeonu qui enroula les bras autour de son dos et le regarda avec cet éternel éclat de malice qui illuminait ses prunelles.

« Alors, dis-moi, Junie, t'étais en train de me raconter comment t'avais quitté Busan pour t'installer seul à Séoul. Continue, je t'en prie. »

Déjà les pommettes du pauvre Jungyu avaient viré au pourpre, il ne fut en mesure d'ouvrir la bouche que pour prononcer un « euh » surpris, incapable de formuler la moindre phrase.

« J'aurais dû faire un niveau intermédiaire, c'est ça ? se moqua gentiment Yeonu. Parce que là tu, me regardes dans les yeux, certes, mais t'es tout rouge et t'arrives pas à décrocher un seul mot. »

Les bras de son employeur autour de son dos empêchaient Jungyu de se décider à se relever, il était concentré sur le visage de Yeonu, cherchant une quelconque trace d'un peu de clémence pour son cœur qui s'était emballé furieusement. Le jeune performeur avait posé par réflexe les mains sur les épaules de son aîné et avait la sensation que son cerveau avait résolu de refuser de fonctionner.

Ils étaient beaucoup trop proches, sentir le corps de Yeonu sous le sien c'était... c'était atrocement perturbant. Même quand c'était avec Sangchan qu'il avait une telle proximité, ça l'embarrassait – pourtant ils se connaissaient depuis des années. Alors Yeonu, son patron !

« Tu vas pas réussir à parler ? s'enquit Yeonu en faisant la moue. C'est dommage...

— S-Si...

— Oh, ça avance, se réjouit-il. Donc tu me racontes ton arrivée sur Séoul ?

— E-Est-ce que... c'est vraiment si passionnant ? balbutia Jungyu avec un sourire crispé tandis qu'il baissait les yeux sur ses mains toujours accrochées à la chemise de son collègue.

— J'aime bien en savoir plus sur mes employés, comme ça je me sens plus proche d'eux et ensuite on peut devenir amis. T'en dis quoi ? »

Le ton sincère de Yeonu étonna Jungyu qui néanmoins acquiesça et reposa son regard sur le visage aimable du jeune garçon qui le tenait dans ses bras. L'étudiant inspira longuement dans l'espoir de se détendre et, malgré ses éternelles rougeurs persistantes, il reprit son récit là où il s'était stoppé, narrant ses difficultés pour déménager, quelques anecdotes amusantes au sujet de son arrivée à la ville, ainsi que ses premières impressions.

Or, Yeonu ne lui facilita en rien la tâche.

Chaque fois qu'il sentait que Jungyu était un peu plus à l'aise, il tentait de le déstabiliser. Ainsi, quand il avait remarqué que son cadet n'avait plus le pourpre aux joues et parlait avec un débit quasi normal tout en le regardant de temps en temps, il avait décidé de lui rappeler sa présence. Jungyu, trop plongé dans ce qu'il racontait, avait pratiquement oublié la position dans laquelle il se trouvait... du moins jusqu'à ce que Yeonu se mette à lui caresser le dos par-dessus son t-shirt.

Ce fut au bout de la troisième tentative pour le distraire que Jungyu, les pommettes de nouveau cramoisi, râla :

« Hyung, c'est pas du jeu, t'avais pas précisé que tu ferais tout ça...

— Faut bien corser un peu le défi, non ? Sinon, il n'y aurait aucun challenge. Et puis Jungyu, si je fais ça, c'est parce que j'ai bien vu que tu t'améliorais, alors j'adapte mon programme, tout simplement. »

Jungyu ne répondit que par un haussement d'épaules avec sur le visage un air malgré tout profondément gêné.

« Hey, Jun, l'interpela son supérieur d'un ton tout à coup sérieux, je t'ai déjà dit que si quelque chose te déplaisait réellement, tu pouvais demander à arrêter. Je suis pas là pour te faire haïr ton boulot, je suis là pour t'aider à progresser. Que tu sois un peu mal à l'aise, c'est normal, le but c'est de te pousser à vaincre ta timidité, mais si tu commences à trouver que quelque chose est vraiment dérangeant, faut le dire, compris ? Y a des choses que je peux pas deviner seul par magie. »

Rasséréné par ces mots réconfortants, le performeur hocha négativement la tête avant de soupirer :

« Je suis juste un peu fatigué j'imagine, c'est rien. Je me sens pas si mal à l'aise que ça, j'ai déjà connu bien pire. »

Yeonu acquiesça avec un sourire et leva les yeux sur sa chevelure dans laquelle il passa une main délicate, repoussant doucement les mèches de son cadet pour lui dégager le front. Jungyu ferma les paupières et garda le silence, appréciant visiblement cet instant de sérénité.

« On va arrêter ici pour ce soir, dans ce cas, indiqua Yeonu d'une voix posée, tu t'es super bien débrouillé, tu peux réellement être fier de toi, je te l'assure.

— C'est vrai... ?

— Je mens jamais au sujet des capacités et des progrès de mes performeurs. J'ai été content de pouvoir te regarder jouer et d'en apprendre plus sur toi. Merci d'avoir accepté que je te donne ce cours.

— C'est moi qui devrais te remercier, répliqua timidement Jungyu. C'est toi qui as pris du temps pour moi aujourd'hui, pas l'inverse.

— T'es trop cute, je comprends que tu sois aussi apprécié par nos abonnés, » rigola Yeonu.

Devant la moue confuse du jeune garçon, son sourire s'élargit et il s'expliqua.

« Junie, depuis que t'es arrivé au café, nos comptes sont encore plus populaires qu'avant. T'as pas remarqué que quand tu postais tes photos, tu récoltais tout de suite beaucoup plus d'attention que les hyungs ?

— N-Non, c'est pas vrai... en plus, j'ai... j'ai encore oublié de poster deux photos la semaine dernière, j'en ai mis qu'une...

— Justement : tu te fais désirer, ça accentue ton côté timide en même temps que ça permet à chaque selfie de faire sensation. Alors si t'oublies de temps en temps de poster une photo, c'est absolument pas grave. Mais sous ta prochaine, hésite pas à mettre un message mignon dans lequel tu t'excuses d'avoir oublié de poster. Ça te va si on fait comme ça ? »

Et tandis qu'il parlait, il replaçait correctement une nouvelle mèche, laissant son index glisser doucement sur la tempe de Jungyu avant de dériver sur sa joue. Son cadet se contenta d'acquiescer : moins il avait à ouvrir les réseaux sociaux, mieux il se portait.

« Bah alors ? Je te trouble à ce point ? rit Yeonu avec son sourire le plus éclatant.

— Comment ça ? rougit aussitôt Jungyu qui ne voyait pas ce qu'il pouvait bien vouloir dire.

— Ça fait au moins une minute que je t'ai lâché, tu peux te relever. »

Le jeune garçon obéit immédiatement, dissimulant sa gêne derrière un toussotement peu discret qui poussa son ami à lever les yeux au ciel sans formuler pour autant la moindre remarque. Jungyu était souvent dans la lune, ça le rendait attendrissant.

« Bon, je te laisse aller te changer. Je réunis mes derniers papiers et on se retrouve au bout du couloir dans cinq minutes pour la fermeture, d'accord ? »

Jungyu acquiesça et fila sans plus attendre en salle de repos. Il en sortit quelques instants plus tard, changé et emmitouflé sous une veste bien chaude pour faire face à la fraîcheur de la nuit. Il vérifiait tranquillement ses notifications quand Yeonu partit de son bureau qu'il ferma à clé derrière lui.

Après avoir verrouillé chaque pièce, il rejoignit Jungyu et les deux quittèrent l'établissement. Yeonu ferma la porte d'entrée en poussant un soupir de soulagement : une autre journée s'était parfaitement déroulée et il pouvait désormais décompresser.

« Tu rentres encore en bus aujourd'hui ? demanda-t-il en se tournant vers son employé qui patientait silencieusement.

— Oui, comme d'habitude.

— Tu veux que je t'accompagne à ton arrêt ?

— Oh, n-non, ce sera pas nécessaire, mais... merci beaucoup, c'est gentil de proposer.

— Comme tu le sens. Fais attention en rentrant. On se voit jeudi. »

Jungyu acquiesça et s'inclina poliment devant lui en le saluant avant de filer rapidement après avoir jeté un coup d'œil à sa montre : s'il se dépêchait, il pourrait peut-être éviter d'attendre un quart d'heure pour le bus suivant.

Yeonu surveilla les environs et l'observa jusqu'à ce qu'il tourne à l'angle de la rue, mais il n'y avait personne ici à cette heure.

~~~

« T'es allé voir Wonseok hier soir ? s'enquit Shino.

— Je suis juste passé deux minutes, il m'a dit que ça allait bien alors j'ai pas voulu le déranger, je suis même pas entré, raconta Minwoo avec une amertume que son visage fatigué dissimulait. Pourquoi ?

— Parce qu'entre lui qui est malade et toi qui ressembles à un zombie, on devrait peut-être demander à Euijin de bosser aujourd'hui…

— T'inquiète, sourit Minwoo en se redressant sur la chaise sur laquelle il était jusque-là affalé, le dérange pas. Doyeong, Insoo et moi on va gérer, y a aucun souci.

— T'es sûr ?

— Ouais, t'en fais pas, j'insiste : dérange pas ton mec pendant son jour de repos. J'aurais pas dû me coucher si tard, c'est ma faute.

— Encore ta petite sœur ? demanda d'un ton tendre le jeune cuisinier en ouvrant son casier pour en sortir sa tenue de travail.

— J'ai tellement envie de l'aider, tu peux même pas imaginer. Elle… elle y met vraiment du sien et elle a postulé il y a deux mois dans une très grande université qui n'attend plus que les notes de ses examens finaux pour déterminer si oui non ils la sélectionneront, mais c'est tellement bien parti avec les notes qu'elle a. Je veux qu'elle puisse avoir le meilleur, alors il faut que je l'aide autant que je le peux.

— C'est certain qu'avec toi comme prof de coréen, elle va tout déchirer, le rassura Shino. T'as vraiment pas à t'en faire. »

L'aîné opina lentement avant de fermer une fois de plus les paupières. Il était dix heures moins le quart, les deux garçons étaient arrivés quelques minutes plus tôt et s'apprêtaient à faire l'ouverture en ce mardi matin pluvieux.

En bref, pour Minwoo, c'était une longue et ennuyeuse journée qui s'annonçait. Il n'allait même pas pouvoir s'amuser à taquiner Wonseok qui, en véritable rayon de soleil qu'il était, aurait au moins eu la capacité d'apporter un peu de gaité à cette journée. Là, tout ce que le jeune performeur souhaitait, c'était retourner se blottir sous ses draps et se rendormir pendant deux ou trois semaines non-stop.

CHAPITRE 38

Jungyu, ses lunettes rondes toujours sur le nez, regardait d'un œil admiratif l'amoncellement de notifications provenant de Twitter et Instagram.

Du moins, il les regarda jusqu'à ce que son portable lui signale une erreur et ferme automatiquement les deux applications. Il avait suffi de sept minutes et trente-neuf secondes très exactement : en sept minutes et trente-neuf secondes, il y avait eu un tel tsunami de messages que son smartphone n'avait plus tenu le choc.

Ce n'était pas avec ses romans que quelque chose de semblable allait lui arriver...

Après avoir désactivé ses notifications pour ces deux réseaux sociaux, donc, il s'y rendit et commença à lire les nombreux commentaires qu'il avait reçus. Compliments, questions, il répondit à plusieurs personnes en esquivant les rares textes insultants qui n'avaient à ses yeux pas le moindre intérêt.

Il retira finalement ses lunettes et vérifia l'heure : déjà sept heures, il ne devait pas perdre plus de temps. En effet, en se réveillant en ce paisible jeudi matin, Jungyu avait pu constater qu'il était levé plus tôt que d'habitude, ce qui lui avait permis de manger sans se presser et, une fois qu'il était arrivé devant le miroir de sa salle de bains, de remarquer qu'il arborait une mine rayonnante. Autant en profiter : il s'était appliqué un peu de crème sur le visage et s'était dépêché d'aller s'habiller puis se coiffer correctement avant de mettre ses lunettes qui agrandissaient son regard.

Il avait accompagné le selfie du message « Désolé d'avoir oublié de poster, je suis trop tête en l'air >.< » orthographié de manière à le rendre plus mignon encore, lui qui faisait un aegyo sur son image pour se faire pardonner.

Il trouvait ça ridicule, mais il fallait admettre que c'était malgré tout mignon, et visiblement les abonnés approuvaient.

Il se hâta d'enfiler une veste chaude et ses chaussures favorites avant de vérifier une dernière fois son look et de filer en direction de son arrêt de bus. Ce fut un peu plus d'une demi-heure plus tard qu'il arriva à sa salle de cours devant laquelle attendaient déjà quelques élèves à qui il ne prêta pas attention. Il se contenta d'adresser un léger sourire à Sara lorsqu'elle leva les yeux de son portable. Elle le lui rendit en dépit des rougeurs qui lui brûlèrent les joues, et se concentra de nouveau sur son smartphone.

Les deux jeunes gens, s'ils se parlaient peu, échangeaient néanmoins chaque jour un sourire ou bien un rapide signe de la main. Rien de plus, aucun n'osait approcher l'autre.

Deux heures après, son cours sur le point de s'achever, Jungyu s'éclipsa discrètement, suivi par le regard perplexe de sa camarade de classe. Leur promotion comptait peu d'étudiants, si bien que ça se savait que Jungyu travaillait dans un café – les professeurs lui demandaient parfois si ça allait, si les exposés qu'ils donnaient n'étaient pas de trop.

Il faudrait qu'un jour il lui dise où il travaillait... sans doute était-ce la douce flamme qui brûlait dans son cœur qui la rendait curieuse au sujet de ce garçon dont elle estimait qu'il lui ressemblait un peu...

Jungyu, comme à l'accoutumée, se dépêcha et éprouva la fierté d'arriver avec quelques minutes d'avance ainsi que la surprise de trouver, dans la salle de repos, ses collègues réunis et en train de débattre. Wonseok, Minwoo, Insoo, Jinwon et Yeonu. Ce dernier discutait avec l'aîné tandis que les autres se contentaient d'acquiescer. Aucun ne fit attention à Jungyu, poursuivant une conversation qui semblait leur tenir à cœur.

« C'est rémunéré, affirma Yeonu qui montrait l'écran de son portable à Minwoo. Ça durerait deux mois et ensuite c'est un job quasiment assuré à la clé. Je vois pas pourquoi tu t'entêtes.

— T'appelles ça « rémunéré » ? rétorqua Minwoo qui attachait son badge à son haut. Par pitié, regarde toi-même : c'est rien comparé à ce que je gagne ici.

— Oui, mais ça, c'est juste le temps de la formation, après ton salaire sera presque identique à celui que tu te fais en ce moment alors même que t'auras moins d'heures. Et tu pourrais enfin réaliser ton rêve, hyung ! Je t'aiderai pour les démarches et la paperasse si tu veux, mais tu peux pas laisser passer l'occasion !

— J'ai pas envie de perdre du temps et de l'argent pour ça, c'est gentil d'avoir pensé à moi, mais ça m'intéresse pas. »

Jungyu observait sans rien oser dire la moue contrariée de son supérieur et celle, lasse, de son collègue. Insoo, qui venait enfin de le remarquer, profita du débat entre ses deux aînés pour se glisser auprès du performeur. Ce dernier posa les yeux sur lui et, tout bas, demanda d'un ton inquiet s'il se passait quelque chose de grave.

« Yeonu a un ancien camarade de classe qui travaille dans les ressources humaines d'une grande maison d'édition, expliqua dans un murmure le jeune serveur. Il sait que Minwoo a toujours voulu bosser dans ce domaine, alors il a demandé à cet ancien camarade s'il n'avait pas, par hasard, une place pour Minwoo dans l'entreprise.

— Sérieux ? s'étonna Jungyu.

— Ouaip, et son pote lui a expliqué que pour le moment, non, mais d'ici un mois ou deux la société va proposer une formation de deux mois pour recruter du personnel pour la prochaine rentrée littéraire. Ces derniers temps, y a pas mal de monde qui est parti en retraite et la maison d'édition veut former de jeunes recrues.

— Hyung serait le candidat idéal, non ?

— Oui, c'est pour ça que Yeonu essaie de le convaincre de s'inscrire à cette formation une fois qu'elle sera disponible. Heureusement d'ailleurs qu'il a du temps devant lui, parce que c'est mal parti…

— Pourquoi il refuse ?

— La formation est rémunérée mais pas des masses, et hyung a peur que faire les démarches pour tout ça lui fasse perdre un temps fou et n'aboutisse pas. Je crois surtout qu'il pense ne pas être assez bon pour décrocher la formation : les autres candidats seront sans doute des diplômés d'études littéraires, lui il a un diplôme en restauration. Pas étonnant qu'il manque de confiance en lui, pourtant je sais qu'il a sa place là-bas et on est tous d'accord là-dessus, tous sauf lui. »

Jungyu hocha doucement la tête. Une formation rémunérée proposée d'ici un ou deux mois… autrement dit, une fois que les résultats universitaires tomberaient. Il allait réussir son année, tout comme la plupart de ses camarades de classe. Ce serait ces derniers qui allaient probablement essayer de se présenter pendant leurs vacances à cette formation – car Jungyu avait entendu que la plupart ne comptaient pas s'imposer de cursus trop longs. Pour autant… le jeune garçon savait que Minwoo n'aurait rien à craindre, qu'il avait sa place parmi les étudiants de lettres. Il semblait prêt à tout donner lorsque ses rêves étaient en jeu. Impossible à expliquer, c'était simplement pour Jungyu cette image que Minwoo lui renvoyait.

Il demeurait calme, raisonné, et Jungyu ne doutait pas qu'il s'agissait de quelqu'un de déterminé.

« C'est ridicule, hyung, protesta à son tour Wonseok. Le salaire de cette formation est quand même bon, et si Yeonu t'aide pour les démarches administratives, t'auras aucun souci à te faire.

— Vous faites chier, commença à s'agacer l'aîné, laissez-moi tranquille, j'ai dit que ça m'intéressait pas.

— Mais je croyais que c'était ton rêve de bosser dans une maison d'édition !

— Exactement, Wonseok, c'est un rêve ! Alors maintenant ouvre les yeux : j'ai des factures à payer et une sœur à nourrir, je peux pas me permettre de perdre presque la moitié de mon salaire pendant deux mois ! Maintenant lâchez-moi, je n'ai plus envie d'en parler ! »

Et sur ces mots, il quitta la pièce la mine furieuse, sans doute pour aller ouvrir le café puisque c'était l'heure. Wonseok, surpris par la façon dont lui avait répondu son ami, gardait son regard hébété fixé sur la porte tandis que Yeonu pour sa part avait les sourcils froncés et l'air visiblement contrarié. Insoo et Jinwon quant à eux se faisaient tout petits, préférant ne pas intervenir, et Jungyu alla à son casier sans prononcer le moindre mot.

« Hyung, tu dois le convaincre, souffla finalement Jinwon qui n'osait pas parler trop fort de peur de raviver les tensions. On sait tous qu'il en est capable, il peut pas laisser passer cette occasion.

— On a donc environ deux mois pour le convaincre, répondit Yeonu d'un ton neutre. Je compte sur vous pour ne pas vous montrer trop insistants ou évoquer incessamment le sujet. Il se braquerait. Compris ? »

Chacun hocha la tête vigoureusement, même Jungyu. Seul Wonseok demeura immobile et muet, à la fois contrarié et soucieux. Lorsqu'il releva les yeux, ce fut pour les poser sur ses collègues.

« Allez bosser, ordonna-t-il, le café va pas se tenir tout seul. Myeongtae va pas tarder, il a encore raté son réveil. Yeonu, faut qu'on parle. »

Les bras croisés contre son torse, celui-ci acquiesça et les deux s'enfermèrent dans son bureau pendant que les plus jeunes allaient en cuisine ou en salle. Jungyu et Insoo retrouvèrent un Minwoo au visage fermé et aux traits tirés, toujours agacé de la discussion qu'il venait d'avoir avec ses supérieurs.

S'il restait dans cet état toute la matinée, ça allait s'avérer compliqué de performer avec lui, et les interactions risquaient bien de se changer en altercations... Plus que jamais, il allait leur falloir jouer un rôle.

Jungyu n'osa donc pas approcher son aîné et demeura avec Insoo près du bar pour s'en occuper si un client arrivait avant Myeongtae.

« Dis hyung, j'y pense, je t'ai jamais demandé : tu vis seul ici ? s'enquit le cadet.

— Oui, » confirma Jungyu d'une voix peu assurée.

S'ensuivit une conversation paisible entre les deux amis qui s'acheva cependant quelques instants plus tard, lorsque Wonseok entra à son tour en salle. Aussitôt, l'air devint électrique, et Jungyu n'eut aucun mal à comprendre : toute la douleur de l'amour à sens unique qu'éprouvait Minwoo se mêlait à l'agacement provoqué par la précédente discussion ainsi qu'à la fatigue qu'il semblait ressentir ces derniers jours.

Les deux garçons échangèrent un long regard que Wonseok fut le premier à briser lorsqu'il baissa les yeux dans un soupir.

« J'suis désolé, hyung, dit-il, je pense sincèrement que c'est une opportunité qui pourrait te rendre heureux, je voulais pas te vexer… »

Minwoo, adossé à un mur un peu plus loin, détourna à son tour le regard pour le diriger d'un air las vers ses pieds qu'il fixa de longues secondes avant de prendre la parole.

« J'aime pas qu'on me dise quoi faire, déclara-t-il. Wonseok-ah, je sais ce que je fais, je suis pas stupide. Si je refuse cette opportunité c'est que j'ai de bonnes raisons, non ? Je n'ai plus envie d'en parler, s'il te plaît. »

Son cadet acquiesça doucement, visiblement déçu, et n'osa pas répliquer. À la place, il alla dans le fond de la salle ranger les bibliothèques qui n'avaient pourtant pas besoin de l'être.

Jungyu et Insoo, d'un même mouvement, se tournèrent l'un vers l'autre pour échanger un regard dubitatif. Pour l'aîné des deux, c'était la première fois en trois semaines de travail qu'il voyait ses collègues en froid, quant à Insoo, il éprouvait à peu près la même chose : de manière générale, il n'y avait jamais d'accrochages entre deux employés ici, tous s'entendaient si bien.

Ils se considéraient comme une grande fratrie, ils se soutenaient chaque jour. Au fil du temps, ils ressentaient l'impression d'avoir besoin les uns des autres pour avancer.

Un instant, Minwoo sembla hésiter à rejoindre son amant avant de se raviser dans un soupir lorsqu'un client entra. Il retrouva aussitôt son air habituel, mystérieux avec une légère touche de malice.

« Une fois, en arrivant un matin juste avant l'ouverture, j'ai trouvé Wonseok et Yeonu en train de se disputer au sujet d'une performance, révéla Insoo d'une voix plus basse que d'habitude afin de n'être entendu que de Jungyu. J'ai pas eu le temps de comprendre ce qui s'était passé, j'étais pas de service quand cette fameuse performance a eu lieu, et t'imagines bien que j'allais pas demander des détails. Tout ce que je sais, c'est que Wonseok reprochait je ne sais quoi à Yeonu qui l'a mal pris. Ils se sont fait la gueule toute la journée, chacun campait sur ses positions.

— Et ça s'est fini comment ?

— J'en sais rien, j'ai terminé mon service alors qu'ils étaient encore en froid, mais le lendemain quand je suis arrivé, ils étaient réconciliés et parlaient sur un ton amical, comme d'habitude. J'imagine qu'ils ont discuté et réglé ça. Mais c'était la première fois que je voyais deux d'entre nous se disputer vraiment, d'autant plus qu'ils se hurlaient presque dessus quand je suis entré en salle de repos, c'était effrayant.

— Ah ouais, quand même...

— Ouais. Alors si cette dispute-là n'a duré qu'une journée, j'imagine que celle-là ne durera pas non plus. Wonseok s'est déjà pratiquement excusé.

— Minwoo a l'air têtu, répliqua Jungyu en haussant les épaules.

— Il sait reconnaître ses torts, il est têtu mais pas stupide. Et puis c'est quelqu'un de calme qui n'aime pas les conflits, le simple fait qu'il fasse monter le ton est inhabituel. Si Wonseok ne s'excuse pas dans les heures qui viennent, ce sera lui qui le fera. »

Jungyu esquissa un léger sourire, rassuré par les paroles du benjamin qu'il trouvait bien plus mature que ce que son jeune âge laissait croire. Un instant, le performeur songea à lui demander pourquoi il travaillait ici, ce qui l'avait conduit à devenir serveur alors même qu'il était encore au lycée. Il se rétracta cependant, conscient qu'ils ne se connaissaient pas assez pour lui poser cette question qu'il jugeait trop personnelle.

Ils n'eurent pas à attendre bien longtemps avant que Myeongtae ne les rejoigne pour regagner le bar. Les clients arrivaient peu à peu et les employés s'activaient pour satisfaire chacun d'entre eux.

Jungyu surveillait ses deux aînés du coin de l'œil : pas une interaction, simplement un regard échangé de temps en temps lorsqu'ils se croisaient. Un regard timide qui témoignait de leur envie de se réconcilier malgré la crainte de la façon dont l'autre pourrait réagir. C'était déjà ça, la colère était visiblement retombée et tout commençait à s'apaiser. Sans doute prendraient-ils le temps de discuter.

Midi n'allait plus tarder. Le café se remplissait doucement et les employés se réjouissaient de ne pas avoir à courir dans tous les sens dès onze heures et demie du matin. Jungyu avait repéré quelques visages désormais familiers, dont ceux des trois jeunes filles devant lesquelles il se tenait et qui étaient en train de lui dicter leur commande. Des habituées, probablement.

« Et un menu spécial « craquant intense », termina l'une d'elles, avec Wonseok et Minwoo. »

CHAPITRE 39

« Bien sûr qu'elles l'ont fait exprès, rétorqua Minwoo, ça fait un an qu'elles sont des clientes régulières, elles commencent à nous connaître. Wonseok et moi on est toujours en train de faire du fanservice, elles ont dû capter qu'un truc allait pas aujourd'hui.

— Toujours est-il que maintenant, va falloir mettre notre petite querelle de côté pour performer, ajouta Wonseok.

— J'ai pas envie de mettre ça de côté, je veux qu'on règle ça une bonne fois pour toutes. Jungyu, tu peux nous laisser s'il te plaît ? »

Leur cadet opina et fila aussitôt hors de la salle de repos où ils avaient trouvé refuge pour discuter de la performance. Une fois seuls, les deux amants échangèrent un bref regard avant que Minwoo ne baisse la tête dans un soupir.

« Je suis désolé moi aussi de m'être emporté, j'aurais pas dû, c'était stupide.

— On a tous les deux eu tort, acquiesça Wonseok. Je suis désolé d'avoir insisté. J'étais tellement convaincu que ça pouvait te faire plaisir, j'ai juste peur que tu regrettes ta décision.

— T'en fais pas pour moi, je t'assure que je sais ce que je fais. D'ici deux ou trois ans, quand j'aurai mis assez de côté, je chercherai une autre opportunité. Mais pour le moment, je peux pas me le permettre.

— J'espère sincèrement que tu trouveras, dans ce cas.

— Je trouverai sans doute pas tout de suite, je serai patient. Je veux réaliser mon rêve, oui, mais j'ai déjà tout prévu, j'ai pas besoin d'aide. »

Wonseok lui offrit un sourire en guise de réponse. Il restait convaincu que cette opportunité demeurait une chance unique qu'il fallait que son aîné saisisse, mais… pour l'instant, mieux valait ne pas insister davantage. Ainsi, en dépit d'une courte hésitation, il amorça un pas en avant qui le conduisit tout près de son amant, puis un pas de plus tandis qu'il enroulait les bras autour de sa taille.

« Du coup je suis pardonné, hyung ? On est de nouveau amis ? demanda-t-il avec une petite moue bien trop exagérée.

— Idiot, ricana Minwoo en posant malgré tout les mains sur ses hanches. Ouais, on est de nouveau amis.

— Des amis qui continueront de baiser les soirs après la fermeture ?

— Oui, Wonseok. »

Minwoo ne put retenir un éclat de rire face à cette question prononcée avec un ton parfaitement innocent. Son cadet avait décidément toujours su comment s'excuser – même si de toute façon, Minwoo ne pourrait jamais réellement être en froid avec lui : son âme brûlait d'amour pour lui. L'aîné appuya doucement la tête dans le creux du cou de son collègue qui caressa sa chevelure jusque-là bien coiffée.

Ils demeurèrent immobiles et silencieux de longues secondes durant avant de finalement s'écarter l'un de l'autre.

« Bon, c'est bien joli tout ça, mais cette performance du coup ? sourit Minwoo d'un ton nonchalant.

— J'ai pas trop d'idées, et toi tu proposes quoi ?

— J'en sais rien non plus.

— Impro totale ?

— Soyons fous, ça marche. »

~~~

Une fois ses clients servis, Jungyu alla aider Myeongtae au bar, lavant le comptoir pour lui permettre d'avancer plus efficacement dans ses préparations. Il avait retrouvé le sourire et observait d'un œil presque protecteur ses deux aînés assis à la table où ils se draguaient en se chamaillant gentiment.

C'était agréable de les voir comme ça, ça le mettait de bonne humeur.

Sa tâche terminée il profita d'un moment de calme pour annoncer à Insoo qu'il allait prendre sa pause. Son cadet promit de transmettre l'information aux deux autres une fois qu'ils auraient fini leur performance, et Jungyu partit d'un pas tranquille.

Il avait amené, comme chaque jeudi, de quoi faire passer son appétit en attendant de rentrer chez lui en milieu d'après-midi. Ainsi, il craqua le sachet de plastique qui contenait un gâteau de riz qu'il avala, assis à la table de la pièce avec son portable sous les yeux. Ce fut sans doute pour cette raison qu'il ne fit pas attention à la porte qui s'ouvrit, toutefois dès l'instant où la voix de son patron l'appela, il releva immédiatement le regard.

« Hey, Jungyu, lança Yeonu, t'as déjà fini ton déjeuner ?

— Hein ? Oh non, c-c'est pas mon déjeuner. Je mangerai en rentrant chez moi.

— Tu finis pas à trois heures ?

— Si.

— Tu comptes donc manger ton déjeuner aux alentours de trois heures et demie ? »

Plutôt quatre heures, le temps du trajet, de ranger ses affaires et de cuisiner un petit quelque chose de rapide, mais sinon…

« Oui, pourquoi pas ? répliqua Jungyu en haussant les épaules tandis qu'il allait jeter son emballage à la poubelle.

— Fais quand même attention, j'espère que t'as bien mangé ce matin avant de partir. »

Jungyu acquiesça, presque amusé de l'inquiétude injustifiée de Yeonu.

« Et toi, reprit le cadet pour poursuivre la discussion, qu'est-ce que tu fais ici ? J'aurais cru que tu laissais tes affaires dans ton bureau. »

Son supérieur en effet était en train d'ouvrir son casier et n'eut pas à fouiller bien longtemps avant d'y trouver ce qu'il cherchait : son propre t-shirt de performeur. La curiosité de Jungyu fut piquée, néanmoins il détourna les yeux aussitôt que Yeonu, bien que dos à lui, commença à retirer la chemise qu'il portait. Tout ce qu'il avait vu, c'était le mouvement aérien du tissu que le jeune homme faisait tomber de ses épaules après en avoir détaché les boutons.

« Je meurs de chaud dans mon bureau, expliqua Yeonu tandis qu'il se changeait, je préfère transpirer dans ce t-shirt-là que dans ma chemise. »

La seule chose dont Jungyu fut capable, ce fut de déglutir en lâchant un « ah ok » timide. Ses yeux curieux osèrent un rapide regard sur le dos de son aîné et il s'empourpra immédiatement à la vue de son corps fin mais sculpté. Le mouvement qu'il décrivait pour enfiler son t-shirt de rechange dessinait ses omoplates saillantes, et les muscles de son dos se contractaient d'une manière ensorcelante.

Jungyu sentit ses joues rougir de façon plus vive en même temps qu'il se rendait compte qu'il n'arrivait pas à détacher de lui ses prunelles admiratives ; Yeonu était visiblement quelqu'un de sportif.

Ses bras étaient parsemés de tatouages dont Jungyu ignorait s'ils avaient une quelconque signification mais qu'il trouvait absolument magnifiques. Ils soulignaient sa musculature et mettaient en évidence la pâleur envoûtante de sa peau. Le reste de son corps en effet était opalin, seuls ses bras étaient tatoués.

Jungyu remarqua alors un détail qu'il n'avait pas été en mesure d'apercevoir jusqu'à maintenant : Yeonu arborait une fine cicatrice blanche juste au-dessus de la hanche, sans doute assez longue puisque Jungyu ne pouvait pas la voir en entier. Il fronça les sourcils – sa curiosité avait été piquée au vif – mais oublia ce détail dès l'instant où Yeonu se retourna. Aussitôt son cadet reporta son regard coupable sur son portable, faisant mine de répondre à d'énièmes notifications.

Il ne releva donc pas le rictus malicieux apparu sur les lèvres de l'autre qui le salua et repartit à son bureau avec nonchalance.

Jungyu poussa un soupir puis revint en salle pour poursuivre son travail. Il ne l'abandonna que quelques heures plus tard, épuisé, pour s'affaler sur la chaise qu'il avait quittée précédemment. Le service du midi avait été plus rude que ce qu'il aurait pu imaginer, Jungyu était soulagé d'en avoir fini pour aujourd'hui. Il s'accorda quelques instants de pause pendant lesquels il se contenta de clore les paupières, la tête enfouie dans ses bras qu'il avait croisés sur la table.

La porte de la salle s'ouvrit et se referma sans qu'il y prête la moindre attention, il savait déjà de qui il s'agissait. Une chaise fut tirée près de la sienne et Jungyu n'ouvrit les yeux que pour regarder Minwoo s'installer de la même façon que lui, épuisé lui aussi.

« C'est pas ultra confortable, commenta l'aîné, mais ça repose.

— T'habites pas à une ou deux rues d'ici ?

— Si pourquoi ?

— Alors pourquoi tu te reposes là ?

— Flemme de descendre les escaliers, d'abord je fais une sieste. »

Jungyu lâcha un rire cristallin avant de clore à son tour ses paupières trop lourdes. Cela ne les empêcha cependant pas de continuer de discuter paisiblement pendant quelques minutes, après quoi le cadet trouva le courage de se redresser et de se rendre à son casier pour se changer.

Il attrapa son sac et salua son collègue en quittant la pièce – l'absence de réponse de sa part lui laissa néanmoins croire que Minwoo avait fini par réellement s'endormir, à moitié affalé sur la table de la salle.

L'étudiant jeta un regard à sa montre tandis qu'il descendait d'un pas rapide les marches du café : il risquait de rater son bus s'il ne se pressait pas. Ce coup d'œil toutefois lui coûta cher, puisqu'arrivé en bas, il ne remarqua pas le jeune garçon qui s'élança pratiquement sur lui. Son cœur fit un bond monumental, aussitôt il le repoussa en posant une main sur son torse dans l'espoir de calmer ses palpitations.

« Chan, ça va pas ! s'exclama-t-il. J'ai failli faire une crise cardiaque !

— Oups… Désolé.

— C'est rien… Tu fais quoi ici, d'ailleurs ?

— Je t'attendais : te connaissant, t'as presque rien avalé depuis ce matin, ça te dirait de venir manger un morceau avec moi ?

— Désolé, j'ai pas d'argent sur moi et je dois aller rechercher mes affaires pour mon cours de tout à l'heure.

— L'argent c'est rien, c'est moi qui paie, et puis me fais pas croire que t'as des cours où il te faut autre chose qu'une feuille et un crayon…

— Désolé, j'ai pas envie de laisser quelqu'un payer pour moi, s'excusa encore Jungyu en se frottant la nuque d'un air gêné.

— Mais je t'attends ici depuis au moins un quart d'heure… »

Le visage dépité de son aîné et le sentiment de culpabilité qu'il avait réussi à faire ressentir à Jungyu – qui s'en voulut alors d'être resté si longtemps en salle de repos avant de quitter le café – eurent raison du refus du jeune garçon qui finit par accepter en acquiesçant :

« Bon d'accord, mais je te rembourserai.

— Junie, c'est ridicule, je viens te capturer à la sortie de ton travail pour t'emmener manger, j'ai envie de t'offrir ça, te fais pas chier à croire que tu me dois quoi que ce soit.

— Mais je…

— Allez viens, le coupa Sangchan, j'ai envie d'un sandwich et je sais où ils en font des délicieux ! »

Impuissant, Jungyu laissa son ami lui attraper le bras et le guider jusqu'à un petit stand à quelques rues d'ici, près d'un parc – du moins si un espace vert avec quelques bancs pouvait être considéré comme tel.

Jungyu se sentait sur un nuage : il faisait beau, le soleil de ce début de mois d'avril réchauffait doucement la ville et avec le retour du printemps, c'était également celui de la végétation et de la faune. C'était bucolique, agréable, particulièrement paisible. Sangchan avait offert à son cadet de trouver un coin tranquille où s'installer et Jungyu venait de poser son sac au milieu d'une pelouse où discutaient déjà quelques groupes épars de jeunes gens. Lorsque l'aîné revint, il tenait un sac duquel, une fois assis, il sortit deux sandwichs, deux boissons et deux barquettes de riz avec de la viande.

Son ami crut sentir son regard s'illuminer à la vue de cette appétissante nourriture.

« Hyung, un sandwich ça aurait suffi, lui reprocha-t-il gentiment, j'ai même ma bouteille d'eau dans mon sac.

— Non mais soit on fait un vrai pique-nique soit on fait rien, rétorqua l'autre en tirant son déjeuner de son emballage, faut pas faire les choses à moitié, ça craint. »

Jungyu leva les yeux au ciel, amusé, et ne répliqua rien. À la place, il entama à son tour son repas. Tout demeura d'abord silencieux, jusqu'à ce que la faim commence à s'apaiser. Ce fut à cet instant l'aîné qui, n'y tenant plus, expliqua enfin :

« Bon en fait, je t'ai pas kidnappé à la sortie du boulot pour rien. Fallait trop que je te voie mais je savais pas quand tu serais dispo alors j'ai demandé tes horaires à Yeonu.

— Pourquoi tu m'as pas demandé à moi ?

— Parce que quand t'es occupé tu refuses de me dire ton emploi du temps. »

Pas faux.

« Mais du coup, tu voulais me dire quoi ? reprit Jungyu tout à coup curieux.

— Tu te souviens l'ulzzang dont je t'ai parlé ?

— C'était y a quelques jours, j'ai pas déjà oublié, je suis pas débile, » ricana Jungyu malgré la petite pointe douloureuse qui lui titilla le cœur.

Oh ça non, il n'avait pas oublié. Des années d'espoirs naïfs réduits à néant en quelques minutes, impossible d'oublier. Certes, il n'avait pas éprouvé la sensation de souffrir particulièrement – sans doute parce qu'il avait toujours su que son amour à sens unique ne mènerait à rien –, mais ça demeurait un moment qui l'avait blessé d'une certaine manière. Encore maintenant, il aimait profondément Sangchan. Il aurait souhaité être celui sur qui le jeune garçon poserait les yeux.

Faire fi de ses sentiments allait prendre du temps…

« Eh bah en fait, expliqua Sangchan, on a pas mal discuté ces derniers jours et on va se revoir demain soir.

— Sérieux ?

— Ouais putain j'en reviens pas ! Je lui avais juste proposé qu'on aille boire un coup ensemble et lui il m'a carrément demandé si je voulais qu'on se fasse un karaoké !

— Du calme, s'amusa Jungyu, on dirait que tu joues ta vie.

— Mais c'est le cas : ce mec… oh mon dieu je sais même pas comment le décrire ! Il est pas juste aussi beau et gentil que je l'imaginais, il l'est mille fois plus encore ! Il m'a avoué que chaque fois qu'il acceptait de sponsoriser ses contenus sur les réseaux sociaux il en reversait une partie à des associations. J'étais même pas au courant parce qu'il l'a jamais dit, il voulait pas que ça se sache et qu'on pense qu'il faisait ça juste pour son image ! Il est drôle en plus avec ses blagues de merde, t'entendrais ses jeux de mots tu serais plié en deux soit parce qu'il te fait trop rire soit parce qu'il te fait trop pitié, voire un savant mélange des deux. Et puis il est toujours si avenant, je peux passer des heures à simplement échanger des SMS avec lui, je me lasse pas !

— Hyung, respire, on dirait que tu parles en apnée, » se moqua encore son cadet.

Étrangement, si Jungyu sentait qu'il aurait dû être peiné d'écouter toutes ces louanges de Sangchan au sujet d'un autre, il n'en était rien. D'une part, il avait accepté la situation, alors même si le sujet pouvait parfois faire mal, ça ne le dérangeait pas tant que ça. D'autre part, il ne se montrait jamais avare de compliments envers lui non plus, si bien qu'il ne jalousait pas particulièrement ce fameux Joon. Et pour finir… Sangchan parlait avec une telle passion – et Jungyu l'aimait tant – qu'il était impossible pour le jeune étudiant de ne pas partager son enthousiasme et de ne pas sourire aussi. Il se réjouissait sincèrement pour lui.

« Junie, râla justement ce dernier, c'est la cata…

— Quoi encore ?

— Ça fait même pas une semaine que j'ai rencontré Joon, même si je le connaissais avant. Mais je crois que je suis déjà tombé amoureux… »

CHAPITRE 40

À ces mots, Jungyu se contenta d'acquiescer, plus concentré sur le bonheur de Sangchan que sur les sentiments contradictoires qui fouettaient son cœur à la manière de vagues ravageuses.

« Ça se voit, affirma-t-il après un court silence. Si tu me l'avais pas dit, je l'aurais deviné.

— Oui mais... ah ça me fait chier ! s'agaça le jeune garçon en reposant son sandwich sur son sac pour enfouir le visage au creux de ses mains.

— Pourquoi ?

— Mais Junie, bon sang... je... je suis encore jamais vraiment tombé amoureux. J'ai eu deux trois mecs et quelques aventures mais... je sais pas gérer ça, moi. Et puis Joon est plus âgé, tu crois qu'il faut que je devienne aussi mignon que toi pour lui plaire ?

— Mais hyung, si t'es pas toi-même devant lui, comment tu peux imaginer construire ensuite une relation saine ?

— Bah je... je sais pas.

— S'il a continué à discuter avec toi, c'était sans doute parce que lui aussi il t'aimait bien. Alors inutile de changer pour lui plaire. Je suis même convaincu que tu lui plais déjà. »

Sangchan releva sur son cadet de grands yeux brillants d'espoir. Un instant Jungyu crut bien défaillir, heureusement qu'avec les années, son cœur était désormais bien accroché…

« Tu penses que je pourrais lui plaire aussi ? bredouilla le jeune garçon

— Faudrait être aveugle pour pas tomber sous ton charme, rigola Jungyu dans l'espoir de le détendre. Profite de ce moment que vous passerez au karaoké sans te poser trop de questions. Si vous êtes faits pour être ensemble, vous vous en rendrez compte tous les deux sans avoir besoin de forcer les choses, ça se fera naturellement.

— Mon Junie, t'es le meilleur, je t'aime ! T'as carrément raison, je me prends trop la tête pour rien du tout ! Sérieux, qu'est-ce que je ferais sans toi ! »

Fier d'avoir réussi à redonner le sourire à son ami, Jungyu opina et mordit dans son sandwich tandis que le calme revenait. Sangchan continua à son tour son déjeuner malgré l'heure tardive et ils purent profiter de ce moment pour parler de tout et n'importe quoi. Jungyu hésita à lui raconter la dispute de ses aînés le matin même avant de songer que ça n'avait pas une grande importance et que c'était de toute façon leurs affaires à eux.

Quoique… il aurait peut-être dû raconter ça, finalement, parce qu'à la place, il se trouvait désormais en train de rougir en retraçant le cours que Yeonu lui avait donné quelques jours plus tôt. Ça l'avait marqué, et il lui était arrivé plus d'une fois d'y repenser.

Lui, assis à califourchon sur les cuisses fines mais musclées de Yeonu. Il pouvait à peine croire qu'il ait pu garder son calme à ce point : s'il n'avait pas été à ce point gêné par la situation, il devait bien admettre qu'il aurait pu développer un petit souci fort humiliant… Ce n'était pas qu'il se sentait particulièrement attiré par Yeonu, mais du moins il existait des choses qui ne se contrôlaient pas. Son supérieur possédait un charme tout particulier, et Jungyu éprouvait la sensation qu'il était quelqu'un... d'inaccessible : il s'agissait du seul performeur qu'il n'avait jamais vu en salle, et donc qu'il n'avait jamais touché avant. C'était également son patron, mais aussi quelqu'un qui travaillait plutôt dans son bureau et avec qui il parlait peu. Cette distance entre eux suffisait à Jungyu pour lui trouver une aura différente, quelque chose que les autres employés ne dégageaient pas.

Ça aurait pourtant pu être le cas de Minwoo, qui jouait les garçons froids et ténébreux mais qui cachait en vérité un ange de douceur – et puis les quelques points communs que Jungyu et lui partageaient permettaient à l'étudiant de se sentir proche de lui, il pouvait tout lui dire.

Ainsi, se retrouver sur les jambes de Yeonu, ça avait eu quelque chose de spécial, un je-ne-sais-quoi indescriptible qui néanmoins avait fait bouillir son corps autant que son cerveau – et peut-être même ses hormones, il fallait l'admettre. C'était après tout un jeune homme magnifique, alors bien qu'il n'éprouve rien pour lui, Jungyu devait reconnaître qu'il le trouvait malgré tout particulièrement attirant.

« C'est tout Yeonu, rigola Sangchan, il est plus frontal que Wonseok dans sa façon de faire, ça a toujours été comme ça. Wonseok, s'il y a quelque chose qui le met en difficulté, il va prendre du recul, analyser, prendre son temps puis franchir l'obstacle. Yeonu, lui, il va s'accrocher, tout donner pour le franchir au plus vite, quitte à être un peu brusque.

— Vous vous connaissez depuis longtemps ?

— Oh ça oui, et c'est vraiment quelqu'un de génial. Tu devrais continuer les cours avec lui, je pense que tu progresserais plus aisément avec son aide qu'avec celle de Wonseok.

— Ah bon ? s'étonna Jungyu.

— Ouais : Wonseok est cool, il ira toujours à ton rythme et c'est un super professeur. Mais Yeonu, il a ce mordant qui pourra clairement te pousser à te dépasser. Vous êtes un peu pareils tous les deux, vous vous donnez à fond, vous voulez des résultats immédiats. Je pense qu'il est le mieux placé pour te confronter à ta crainte du regard des autres et pour t'aider à surmonter ta timidité.

— Je sais pas trop... Wonseok le fait bien aussi.

— Certes, mais je maintiens que Yeonu te permettrait de faire des progrès plus sensibles. Et puis si vous jouez jamais ensemble, c'est encore une raison de plus pour suivre des cours avec lui : t'es pas habitué à performer avec lui, ça rajoute un défi à surmonter et ça te permettra, une fois revenu avec les autres performeurs, d'être plus à l'aise... enfin j'imagine.

— Mouais, peut-être...

— T'as pas l'air emballé, remarqua Sangchan avec un sourire taquin. T'as à ce point détesté performer avec lui ? C'est parce qu'il t'a pris sur ses genoux ?

— N-Non, pas du tout ! réfuta aussitôt Jungyu en agitant maladroitement les mains devant lui. C'est juste que... je sais pas, il m'intimide... on se connaît pas très bien et ça m'angoisse un peu.

— Mon Yeonie ? Il t'intimide ? s'amusa encore l'aîné. Faudra que tu me dises ce que tu lui trouves d'intimidant, je suis curieux !

— Ses piercings et ses tatouages, marmonna Jungyu qui ne pensait pas que l'autre l'entendrait.

— Jungyu... T'es officiellement le garçon le plus innocent et le plus mignon que j'aie jamais rencontré. »

Dans le regard espiègle de Sangchan brillait toute l'affection qu'il portait à son cadet. Jungyu détourna les yeux, honteux, et amena sa bouteille à ses lèvres – signifiant par là son refus de s'exprimer.

« Sérieux, il a des tatouages et des piercings, certes. Mais d'une part c'est pas grand-chose, en plus il a que les oreilles percées, et d'autre part ça n'enlève rien à son côté guimauve. De ce que tu m'as raconté, t'as déjà eu plusieurs occasions de t'en rendre compte.

— Ouais je sais mais... »

Jungyu s'interrompit : mais quoi ? Lui-même n'en avait pas la moindre idée. Mais, tout simplement. Il ne se voyait pas performer avec Yeonu, ça l'embarrassait. Sans doute parce qu'il n'était pas habitué – ou encore parce que décidément, Yeonu le perturbait beaucoup trop –, dans tous les cas il préférait continuer ses cours avec Wonseok.

« Je sais pas, compléta-t-il donc. Je suis juste pas très à l'aise. C'est comme si je devais jouer devant toi, j'y arriverais pas, je serais pas à l'aise, c'est comme ça.

— Tu me fais fondre avec ta petite bouille gênée. Je comprends, t'en fais pas. Y a des choses qui s'expliquent pas. »

Jungyu haussa les épaules. En tout cas, lui ne parvenait pas à mettre le doigt sur ce qui le dérangeait dans le fait de performer avec Yeonu. Ça devait simplement se justifier par leur manque de proximité, ou bien l'absence de Yeonu en salle avec lui. Jungyu, de fait, ne le percevait pas vraiment comme un performeur, si bien qu'il avait du mal à se glisser dans son rôle, ce qui lui posait de moins en moins de soucis avec les autres garçons du café.

Oui, c'était très probablement ça.

« Mais j'y pense, reprit Sangchan après avoir rangé les restes de son repas dans son sac, je te parle de mes histoires de cœur mais je sais rien des tiennes. Toujours pas de petit ami ?

— Eh non, toujours pas.

— Pas intéressé ?

— Bof, je sais pas trop, j'ai pas vraiment envie de penser à ça. J'ai beaucoup à faire.

— Je te comprends tellement…

— D'ailleurs, ça va pas être galère pour toi de trouver le temps de faire des sorties avec Joon ?

— Ah bah tu sais, moi, quand il s'agit de voir des potes, j'ai toujours le temps, tu vois bien. »

Effectivement, il ne laissait jamais passer une occasion de retrouver son cadet, alors prendre quelques heures pour Haejoon ne poserait sans doute pas de problèmes. Après tout, il en était amoureux…

~~~

Jungyu était affalé sur son matelas, son ordinateur portable sur les cuisses. Il savait parfaitement que dans cette position, il risquait bien d'avoir plus envie de dormir que d'écrire, or il n'avait absolument pas le courage de s'installer à son bureau.

Sur une chaise.

Quelle horreur.

Mort de fatigue, il était assis contre son oreiller qu'il avait placé au niveau de la tête de lit. Son ordinateur était allumé sur son roman, plus précisément sur le chapitre qu'il rédigeait. Ses paupières se fermaient presque seules, mais il était déterminé à finir son chapitre : il en avait toute l'intrigue en tête, il lui suffisait d'écrire, et il se sentait largement assez inspiré pour ça.

Il n'avait néanmoins qu'une envie : aller se coucher. C'était vendredi, il était à peine neuf heures du soir, mais toute la journée il avait étudié avec acharnement : il avait peu de travail pour la semaine à venir, si bien qu'il avait réussi à tout terminer entre ses cours. Alors certes, il s'en félicitait, mais en contrepartie il tombait à présent de fatigue.

Au moins, il pourrait profiter de son samedi pour écrire et se reposer, ainsi il lui resterait ensuite son dimanche de libre pour entamer ses révisions : les examens allaient se dérouler d'ici un mois. Déjà les étudiants s'entassaient dans les bibliothèques, et même ses camarades de classe, Jungyu les entendait discuter de l'endroit où ils comptaient s'installer pour travailler.

Chaque année, tout le monde était à cran à cette période…

Les doigts habiles du jeune auteur s'activèrent sur son clavier lorsqu'une formulation lui parut sonner bien pour sa phrase. Il reprit courage et se frotta rapidement les yeux avant d'enchaîner avec un paragraphe entier. Dans son esprit défilaient des images de lui, perdu dans les bras de Sangchan… et pourtant, ces jours-ci, savoir que son meilleur ami était amoureux de Haejoon avait à plusieurs reprises bloqué Jungyu qui s'était retrouvé avec une moue dépitée devant une page blanche dont son cerveau avait décidé qu'il ne la remplirait pas.

Il se sentait gêné d'écrire en pensant à son aîné qui en désirait un autre. C'était comme s'il cherchait, à travers son roman, à s'approprier Sangchan, alors même que ce dernier ne l'aimait pas. C'était embarrassant, plus encore parce qu'il s'agissait de quelqu'un de particulièrement proche de lui.

Alors il avait tenté de changer dans son imagination les scènes desquelles naissaient ses mots, mettre sur son personnage un autre visage que celui de Sangchan… raison pour laquelle il avait été coincé une bonne partie de la semaine.

Il avait finalement baissé les bras, préférant poursuivre sans tourments incessants l'écriture de son livre. Ça restait de la fiction, après tout. Il avait relativisé, et peu à peu la page avait commencé à se remplir sans même qu'il ait à fournir le moindre effort.

Sangchan était tout simplement sa muse, celui qui faisait flamber aussi bien son désir que son inspiration.

Jamais sa plume ne se révélait si légère et délicate que lorsqu'il pensait à son meilleur ami. C'était entre autres pour cette raison que Jungyu se savait indubitablement amoureux. Un jour sans doute, un autre remplacerait Sangchan au plus profond de son cœur. Pour lors néanmoins, seul lui y occupait une place si particulière.

Ceci expliqua également le fait que, malgré toute cette inspiration qui déferlait en lui et noircissait les pages de son document en un rien de temps, il saisit son portable lorsqu'il vit le nom de sa muse s'y inscrire.

Sangchan – Oh mon dieu !

Sangchan – Mon Junie heeeeelp !

Sangchan – J't'en supplie, alerte PLS, je répète, alerte PLS ! T-T

Avec un sourire amusé face à cette situation qui, à coup sûr, était invraisemblable, Jungyu se hâta de répondre avant que son aîné ne lui envoie un nouveau message.

Jungyu – C'est quoi le souci ?

Sangchan – Je reviens de trois heures de karaoké avec Joon !

Jungyu – Oh c'est vrai, vous deviez vous retrouver à 18h !

Sangchan – Exactement !

Jungyu – Bah alors, raconte !

Une chose à savoir : Jungyu avait toujours parfaitement assumé sa curiosité.

Sangchan – Un seul mot peut décrire cette soirée…

Jungyu – Rêve ?

Sangchan – Essaie encore.

Jungyu – Amour ?

Sangchan – Toujours pas.

Jungyu – Allez, vas-y, dis… T-T

Sangchan – La bonne réponse, c'était…

Sangchan – AAAAAAAAAAAAAAAAHHHHHHHH

Sangchan – HHHHHHHHHHHHHHHHHHHHHHH

Sangchan – HHHHHHHHHHHHHHHHHHHHHHH

Sangchan – HHHHHHHHHHHHHHHHHHHHHHH

Jungyu – C'est bon j'ai compris. XD

Sangchan – HHHHHHHHHHHHHHHHHHHHHH

Sangchan – D'acc. :3

Jungyu – Donc en bref, c'était top ?

Sangchan – Ouais, c'est l'idée ! Alors que je te résume : karaoké, sodas, chants, rires, discussions, sodas, chants, discussions, rires, main sur le genou, regard langoureux, cœur qui déserte, cerveau avec, rire nerveux, « tu veux boire un truc ? », soda à nouveau, rires, discussions, p'tits coups d'œil caliente en scred, je l'ai déshabillé du regard de mille façons différentes, chants, discussions, bisou sur la joue, j'ai eu un bug et quand j'ai réussi à redémarrer j'étais déjà chez moi. ^^

Jungyu – Oh, c'est... dense.

Sangchan – J'ai l'impression d'être redevenu un ado omg ! Limite j'en tremble encore jusqu'au bout des orteils (en passant par la bite mdr) !

Jungyu – Pitié me dis pas que je serai comme toi à ton âge... -_-

Sangchan – Aucun risque ! Je mets un point d'honneur à être unique en mon genre. :)

Jungyu – J'aurais pas remarqué... En tout cas, je suis heureux que ton rendez-vous se soit si bien passé (de ce que j'ai compris) !

Sangchan – T'inquiète pas, mon Junie, toi aussi un jour tu connaîtras ça, mon petit doigt me l'a dit – et il est très bien renseigné. ;)

Jungyu – Qu'est-ce que tu veux dire ?

Sangchan – Héhé...

Jungyu – Sérieux, hyung, explique, j'aime pas du tout quand tu fais ton mystérieux ! T-T

Il ne reçut aucune réponse.

CHAPITRE 41

Le réveil de Jungyu sonna à sept heures et demie en ce tranquille samedi matin. Le jeune étudiant sursauta et le stoppa aussitôt : debout depuis près d'une heure, il avait oublié de le désactiver, occupé à terminer un devoir. Après ça, il ne lui resterait que quelques cours à revoir et il pourrait disposer ensuite de son weekend à sa convenance.

Autrement dit, il pourrait enchaîner les chapitres de son livre pour prendre de l'avance – avec la période des examens qui n'allait plus tarder, c'était conseillé s'il ne voulait pas commencer à être submergé.

Ce ne fut qu'en début d'après-midi qu'il lâcha son bureau et son travail presque achevé pour aller se préparer. Il enfila un jean noir assez serré pour souligner ses cuisses et, avec un rictus malicieux aux lèvres, il décida de mettre les lunettes offertes par Wonseok. Il n'était encore jamais allé travailler avec, toutefois, à mesure qu'il se sentait plus confiant, il souhaitait essayer de nouvelles choses. Sortir avec une monture pareille, jadis il aurait jugé ça ridicule pour lui qui n'avait pas de problèmes de vue. Or, à présent il s'agissait à ses yeux d'un accessoire comme un autre et qui, en plus, lui allait plutôt bien.

Ce fut pour cette raison qu'une fois les verres sur son nez, Jungyu adressa un large sourire à son miroir : il n'était pas simplement heureux de se trouver effectivement mignon, il était surtout heureux d'avoir assez confiance en lui désormais pour revêtir autre chose qu'une tenue profondément banale.

Il se sentait changer peu à peu : dans ses relations, ça s'avérait encore ténu, néanmoins pour ce qui était de la façon dont il se percevait, aucun doute, il changeait. Ça résultait aussi bien des encouragements de ses amis et collègues que des remarques bienveillantes qu'il recevait sur les réseaux sociaux du café.

Tout le monde le disait magnifique et adorable avec ces lunettes, si bien qu'il avait fini par ne plus être gêné de les porter. Pas même en public.

Le cœur gonflé de bonheur, il fila à son travail. Lorsqu'il arriva en salle de repos pour changer de haut, il était seul. Puisqu'il avait une dizaine de minutes d'avance, c'était peu étonnant. Le jeune homme se permit donc de prendre le temps d'enfiler son t-shirt et son badge pour ensuite se balader sur les réseaux sociaux.

Il ne releva la tête que lorsque la porte s'ouvrit et il sourit aussitôt à Wonseok qui s'affala sur la première chaise qui lui passa sous la main.

« Je suis mort, lâcha-t-il simplement.

— Dure journée ? s'enquit Jungyu en se levant pour aller ranger son téléphone dans son casier.

— Même pas. J'ai juste eu un gros coup de pompe en début d'après-midi et depuis, impossible de me réveiller. J'ai l'impression d'être léthargique.

— T'en as l'air en tout cas, t'as les yeux cernés de noir.

— Merci, Jun, j'apprécie de savoir que j'ai l'air d'un cadavre.

— D'un panda, nuance.

— Je dois le prendre comment ? râla le gérant en fermant les yeux.

— Bah je sais pas… c'est mignon un panda, non ?

— Mouais, bien rattrapé.

— T'as pris un café ou un truc du genre ?

— Minwoo m'a demandé la même chose…

— Et… ?

— Je suis pas un grand fan de café. Lui non plus, d'ailleurs.

— Ce qui explique pourquoi lui aussi est souvent complètement mort. Un peu de caféine, ça te ferait pas de mal. »

Wonseok, les yeux toujours clos, haussa les épaules et, lorsqu'il trouva enfin le courage de se redresser, ce fut pour voir Jungyu lui souhaiter une bonne fin de journée et quitter la pièce. Arrivé en salle, l'étudiant découvrit Minwoo et Doyeong en pleine performance pendant qu'Euijin gérait seul les autres tables. Il alla aussitôt lui prêter mainforte et ce fut de cette manière que débuta son service.

Quelques minutes plus tard, alors que les deux garçons avaient réussi à adopter le rythme parfait pour satisfaire à deux les clients, Jungyu sentit deux mains se poser sur sa taille et l'attirer doucement dos contre le torse de son collègue qu'il reconnut sans mal. Il laissa Minwoo l'enlacer et rejeta la tête en arrière pour l'apuyer contre l'épaule de son aîné qui planta un baiser dans son cou.

« Quand est-ce qu'on est devenus si proches, hyung ? s'amusa Jungyu.

— On l'a toujours été, mon Junie, tu refusais simplement de le voir avant, répliqua Minwoo en reprenant d'une voix trop basse pour que quiconque les entende. Et puis j'ai reconnu le petit groupe de clients qui nous avait demandé tous les deux pour ta première performance. C'est l'occasion de leur montrer que t'es plus à l'aise. »

Jungyu opina discrètement et se retourna pour se blottir contre son collègue qui enroula les bras autour de sa taille.

« Hyung, si on est si proches, alors pourquoi tu continues d'être si froid ? T'as beau me prendre contre toi... j'ai l'impression que ça représente rien à tes yeux...

— Tu le sais, pourtant, que j'ai du mal à exprimer mes sentiments...

— T-Tes sentiments ? Hyung... je comprends pas. Q-Qu'est-ce que ça veut dire ?

— On le sait tous les deux, n'est-ce pas ? »

Jungyu se sentit rougir, et de manière plus marquée encore quand Minwoo posa une main sur sa joue avant de reprendre en lui adressant un doux sourire :

« Ces lunettes te vont vraiment bien, t'es adorable avec. »

Jungyu bafouilla quelque chose qui ressembla vaguement à un remerciement avant de s'écarter de son aîné, les joues joliment teintées de pourpre. Minwoo lui adressa son sourire en coin, celui qui lui donnait un air espiègle dont Jungyu trouvait qu'il lui seyait à la perfection.

Leur interaction prit fin sur ces mots et, après un dernier regard, les deux retournèrent à leur travail. Minwoo tourna un œil discret en direction de la table à laquelle se tenaient les trois jeunes personnes qu'il avait reconnues.

Elles semblaient plus que satisfaites, c'était une bonne chose : le Boy's love Café était peu connu des gens qui passaient devant chaque jour, l'essentiel de la clientèle provenait des réseaux sociaux, qu'il s'agisse d'habitués ou simplement de curieux qui ne comptaient pas revenir. Yeonu s'investissait beaucoup pour développer le site et les réseaux du restaurant, même si en contrepartie il y était peu présent. C'était de cette façon qu'il pouvait faire prospérer cette affaire qu'il avait montée avec Wonseok deux ans plus tôt.

Du coin de l'œil, Minwoo repéra alors un jeune homme qu'Euijin était en train de servir.

Celui qui se montrait chaque fois que Jungyu traînait dans les parages.

Le performeur fronça les sourcils mais continua son travail comme s'il n'avait rien vu. Un client était un client, même s'il ne lui inspirait pas confiance. Minwoo avait conscience qu'il ne pouvait rien reprocher à ce garçon, c'était lui qui s'inquiétait trop.

~~~

« Chaque fois j'oublie que les horaires sont prolongés le weekend, sourit Jungyu en retirant son polo bleu foncé, un jour je m'y ferai.

— Et encore, répliqua Doyeong, même une fois qu'on s'y fait c'est toujours la même chose, on continue d'oublier qu'on a rien à ranger en fin de semaine. »

Jungyu haussa les épaules en enfilant son sweat, juste après quoi il referma son casier pour jeter un regard à son collègue. Doyeong, de profil, se changeait lui aussi après sa journée de travail. Le cadet retira ses lunettes et les déposa précautionneusement dans son sac avant d'adresser un dernier sourire à son ami puis de le saluer.

« Eh, attends, l'interpella Doyeong en attachant les boutons de sa chemise. Dis, j'avais pensé commander un truc à manger ce soir, ça te dirait de venir dîner à la maison ?

On pourrait discuter un peu : j'ai l'impression de bien connaître Junie mais pas encore vraiment Jungyu. C'est l'occasion. »

L'étudiant ne réfléchit pas bien longtemps : il avait pratiquement fini ses révisions, de sorte qu'il n'avait rien de prévu. La perspective d'un bon repas le tentait énormément et plus encore si c'était avec Doyeong qu'il le partageait. Jungyu acquiesça donc vivement avec un large sourire tout en le remerciant pour son invitation.

Les deux collègues sortirent ensemble de l'établissement et n'eurent qu'à en descendre les marches puis le contourner pour arriver à la porte de l'appartement de Doyeong. Ce dernier ouvrit et, pendant que chacun se déchaussait, il appela la pizzéria la plus proche afin d'y commander leur dîner.

Jungyu en profita pour jeter quelques coups d'œil discrets à l'intérieur, découvrant avec étonnement que sur les murs figuraient plusieurs reproductions de tableaux célèbres. Étrangement, ça donnait à l'endroit un côté apaisant : les couleurs des toiles se mariaient bien à celles des papiers peints et des meubles, elles créaient une atmosphère agréable. La décoration avait beau demeurer sobre, elle témoignait du bon goût de Doyeong qui en était fier.

« Pizzas commandées, lança justement le propriétaire des lieux lorsqu'il raccrocha. Ça devrait arriver d'ici une petite demi-heure au plus. En attendant, on peut aller s'installer au salon. Va te poser sur le canapé, fais comme chez toi : j'amène de quoi grignoter.

— Cool, merci beaucoup, hyung ! »

Jungyu ne put retenir son sourire lorsqu'il s'assit : d'une part pouvoir enfin détendre ses jambes lui faisait un bien fou et, d'autre part, il avait prévu de manger une soupe de nouilles ce soir. Autant dire qu'il était enchanté d'avoir droit à un dîner si copieux à la place, son ventre criait famine à la simple idée de ces pizzas qu'ils allaient recevoir.

Le bruit d'une bouteille de boisson gazeuse qu'on ouvrait s'éleva depuis le petit coin cuisine à l'autre bout du salon. Jungyu tourna les yeux pour voir son ami verser du soda dans deux verres, et il fut ravi en remarquant les paquets de chips et autres amuse-bouches. Doyeong apporta le tout sur la table basse avant de prendre place sur le canapé lui aussi.

« Ça me donne tellement faim que j'ai la sensation de saliver, ricana Jungyu.

— Dans ce cas, commençons, se réjouit son collègue en attrapant son verre. Bon appétit, et hésite pas à te servir. C'est pas pour faire joli que j'ai sorti tout ça.

— Je n'aurais plus faim pour la pizza si je me servais vraiment. »

Doyeong esquissa un sourire et chacun prit de quoi s'ouvrir l'appétit en attendant le plat. Ils discutèrent d'art et de littérature pendant de longues minutes : pour lancer la conversation, Jungyu avait demandé à son aîné combien de temps il lui avait fallu pour réunir toutes ces reproductions. Plus intéressé par les livres, il n'avait néanmoins pas pu décrocher son attention de son collègue que sa passion rendait fascinant : Doyeong parlait de peinture avec une telle ferveur que même s'il ne comprenait pas tout, impossible pour le cadet de s'en lasser.

Les deux garçons s'étaient ensuite dirigés vers la chambre de Doyeong qui avait montré à l'étudiant sa bibliothèque remplie de classiques des littératures du monde entier. Ça avait laissé Jungyu pantois, plus encore quand son aîné lui avait avoué que plusieurs de ces livres, c'était Minwoo qui les lui vendait quand il voulait se débarrasser des siens et faire de la place chez lui.

« Tu verrais, affirma Doyeong avec un sourire amusé, une bibliothèque comme celle que j'ai, il en a deux dans sa chambre et trois dans son salon. Il a même tenté de faire entrer ses bouquins sur l'étagère de sa sœur, alors entre deux mangas tu peux trouver aussi bien The Great Gatsby que Notre-Dame de Paris. J'avais jamais vu ça, c'est hallucinant.

— Je savais qu'il aimait les livres, mais pas à ce point. C'est dingue, je suis sûr que j'aurais des étincelles dans les yeux devant ses bouquins ! s'émerveilla Jungyu.

— Ça, j'en doute pas. »

Il s'apprêtait à rajouter quelque chose quand la sonnerie retentit. Le jeune homme alla payer les pizzas pendant que Jungyu retournait au salon où les verres et les biscuits apéritifs avaient été abandonnés. Il attrapa rapidement une chips et décala les paquets lorsque son ami revint avec deux cartons dont s'échappait un savoureux fumet qui leur caressa les narines.

Ils ne tardèrent pas à entamer le repas avec un appétit qu'ils ne cherchèrent pas à dissimuler (et sans pour autant cesser de se régaler de quelques chips qui allaient parfaitement avec les pizzas). Jungyu prit plaisir à en savoir plus sur Doyeong, un garçon arrivé à Séoul pour des études d'économies mais qui avait fini par préférer faire de son petit job au café un travail à plein temps. L'économie n'avait jamais vraiment eu d'intérêt pour lui et il éprouvait la sensation d'avoir trouvé sa voie au restaurant où il aidait parfois Yeonu à gérer les finances.

Les deux collègues en avaient appris plus l'un sur l'autre et, pendant plus de deux heures, ils avaient fait véritablement connaissance, en dehors du café.

Jungyu décida de partir un peu avant vingt-trois heures. De toute manière, son bus passait encore même après minuit, il n'était pas pressé. Il prit donc le temps de saluer son ami et de lui promettre qu'un jour, il lui rendrait l'invitation.

« Te sens pas obligé, sourit Doyeong à ces mots, j'habite juste à côté du café alors c'est pratique pour toi, ça m'a fait plaisir de t'inviter. »

Jungyu le remercia une fois de plus tandis qu'il sentait ses joues rosir à l'idée d'être à ce point apprécié et choyé par ses collègues. Ils étaient tous d'une extrême bonté.

Le jeune homme vérifia qu'il n'avait rien oublié puis quitta l'appartement de son ami après s'être incliné une dernière fois. Il releva la fermeture éclair de son gilet jusqu'à son cou ; il faisait frais à cette période de l'année, et plus encore à cette heure tardive. Il contourna le café et y jeta un œil pour voir que l'établissement fermait.

Il partit, il n'eut le temps d'esquisser que quelques pas avant d'être interpellé.

« Eh, Jungyu ! »

L'étudiant fit volte-face pour découvrir un garçon qu'il ne connaissait pas se planter devant lui. Le performeur fronça les sourcils et pencha la tête de côté, se sentant tout à coup intimidé. Le jeune homme n'était pas vraiment plus grand que lui mais semblait incontestablement plus âgé d'au moins trois ou quatre ans. Ses cheveux noirs retombaient sur son front, coiffés de façon plutôt banale. Il possédait des yeux sombres et des traits que Jungyu décrirait comme durs.

« Je… Je suis désolé, balbutia-t-il, on… on se connaît ?

— Non, non, répondit l'inconnu, en fait… j'ai jamais osé venir au café. Par contre, je vous suis sur les réseaux sociaux. Je vous trouve vraiment beaux et… je sais que les clients n'ont pas à vous demander votre numéro, mais étant donné que je suis pas en position de client ni toi de serveur, je me disais que peut-être ça te dirait qu'on aille discuter autour d'un verre. »

Jungyu fronça plus encore les sourcils et hocha la tête de façon à marquer son désaccord :

« J-Je suis désolé, ça ne m'intéresse pas.

— Et tu crois que Yeonu serait partant ?

— Pas plus que moi, répondit Jungyu en s'en allant.

— Attends, le stoppa l'autre qui le rattrapa. Je te jure que je suis pas un type flippant ou quoi que ce soit, c'est juste histoire de faire connaissance. S'il te plaît. »

Dans un geste qui se voulait innocent, le jeune homme posa la main sur l'épaule de Jungyu qui se glaça aussitôt : timide comme il l'était, il détestait le moindre contact avec autrui – exception faite de ses proches et collègues.

La rue était déserte et silencieuse.

Un frisson désagréable courut le long de sa colonne vertébrale.

CHAPITRE 42

Jungyu se sentait paralysé. Ce n'était pourtant rien, mais il détestait que quiconque se permette de telles familiarités avec lui. Il aurait aimé chasser d'un geste assuré cette main désagréable, toutefois il en demeura incapable.

« Lâche-moi s'il te plaît, ordonna-t-il simplement.

— On s'est mal compris, répliqua l'autre sans bouger, t'as rien à craindre, je te jure ! Allez, viens.

— Lâche-moi ! »

Alors que le jeune homme cherchait à l'attirer avec lui dans la direction opposée, Jungyu retrouva ses esprits et se défit aussitôt de la prise de cet inconnu qui n'en démordit pas et lui attrapa la main en lui faisant signe de le suivre.

« Y a un bar sympa pas loin, c'est moi qui offre. Je te retiendrai pas longtemps, laisse-moi juste une chance.

— N-Non, laisse-moi, j-je veux pas !

— Allez, Junie, le supplia-t-il sans s'écarter, tu t'affiches tout le temps sur Insta, c'est pour être regardé, non ? Tu veux qu'on t'accorde de l'attention. C'est pour ça que tu portes ce jean serré, c'est pour que les clients te regardent. Ton boulot c'est de draguer des mecs, je te demande juste dix minutes, je te jure, pas une de plus, d'accord ?

— Ça n'a aucun rapport ! Lâche-moi ! »

Sa voix se mit à trembler et, alors que son cœur lui semblait tambouriner contre sa cage thoracique pour tenter de s'en évader, Jungyu sentit que des larmes ne tarderaient plus à se faire une place dans ses yeux et que déjà sa gorge était nouée. Il supportait difficilement la pression, et cet inconnu qui cherchait à le traîner de force l'effrayait. Par réflexe, il jeta un regard vers le café, or l'angle ne lui permettait pas de le voir correctement, l'établissement était situé trop en hauteur.

Jungyu tira dans l'espoir de récupérer sa main à laquelle l'étranger se cramponnait fermement, mais c'était peine perdue. Terrorisé, l'étudiant n'avait plus aucune force alors que l'autre témoignait d'une carrure bien plus puissante que la sienne.

L'inconnu s'apprêtait à reprendre la parole quand l'attention des deux garçons fut attirée par des pas précipités. Jungyu eut l'impression que son cœur était en chute libre lorsqu'il découvrit avec un immense soulagement que Yeonu et Minwoo dévalaient les escaliers du Boy's love Café.

Aussitôt l'autre le relâcha et Jungyu recula vivement pour s'assurer qu'il ne tenterait pas de poser de nouveau la main sur lui. L'étranger n'était pas venu pour lui, il n'aurait jamais pu savoir que Jungyu sortirait avec trois heures de retard après avoir dîné avec Doyeong. Cet homme attendait forcément Yeonu, seul autre garçon qui semblait l'intéresser – d'après ses dires et le regard admiratif qu'il lui accordait désormais, complètement envoûté par son charme.

« Eh, qu'est-ce qui se passe ici ? lança justement le patron d'un ton glacial en fixant l'intrus.

— Rien, rien, lui assura ce dernier. On discutait simplement, hein Junie ? »

La lèvre inférieure toujours tremblante, Jungyu resta incapable de répondre. Entendre ce surnom affectueux dans la bouche de ce type lui fit froid dans le dos.

Yeonu se planta face à l'inconnu et, malgré leur différence de taille assez marquée, Yeonu paraissait beaucoup plus intimidant. Son regard était glacial, son visage fermé. Jungyu ne l'avait jamais vu ainsi. Minwoo quant à lui vint sans hésiter prendre le maknae dans ses bras en lui soufflant un discret « tu vas bien ? » à l'oreille. Jungyu répondit d'un acquiescement en même temps qu'il attrapait le polo de son aîné entre ses poings pour lui signifier qu'il désirait le garder auprès de lui.

« Il a pas l'air d'aimer discuter avec toi, rétorqua Yeonu au garçon face à lui. Tu ferais mieux de te casser si tu veux éviter que j'appelle la police.

— Mais je…

— Je ne laisse personne harceler mes employés, c'est bien compris ? Va-t'en. »

À ces mots, l'autre adressa un bref regard à Jungyu avant de filer sans demander son reste, préférant ne pas risquer que Yeonu ne mette ses menaces à exécution. Une fois qu'il fut assez loin au goût du jeune patron, ce dernier se retourna pour rejoindre ses deux collègues.

« Jungyu, tout va bien ? s'enquit-il aussitôt. Qu'est-ce que tu fais ici ? Qu'est-ce qui s'est passé ? »

Minwoo, qui avait relâché son cadet, avait néanmoins gardé un bras autour de ses épaules. C'était lui qui avait vu Jungyu à travers la vitrine du café. Étonné, il était sorti pour lui demander s'il avait oublié quelque chose, mais à peine avait-il traversé la terrasse qu'il avait surpris ce garçon arrivé de nulle part poser la main sur le performeur. De là où il se trouvait, il n'avait rien entendu de ce qu'ils se disaient, mais la façon dont Jungyu se tenait avait trahi toute sa détresse alors que l'autre semblait insister.

Tétanisé au souvenir qui lui était revenu de cette soirée où lui-même avait fait face à un client pressant, Minwoo avait su qu'il ne parviendrait pas à s'interposer sans risquer que la situation dérape. Il s'était alors élancé à l'intérieur pour interpeller Yeonu et l'enjoindre à venir l'aider. Ils s'étaient ensuite précipités dehors ensemble pour arriver avant que quoi que ce soit de grave n'advienne.

« Doyeong m'a invité à dîner, balbutia Jungyu, je sortais quand ce type m'a abordé. Il voulait absolument que j'aille boire un coup avec lui. Je… je sais que… que j'aurais dû être plus ferme, mais je… je sais pas, j-j'ai paniqué, je n'arrivais plus à parler. Je savais pas quoi faire.

— T'as rien à te reprocher, affirma Yeonu avec aplomb. C'était à lui de pas insister, c'est normal de paniquer dans cette situation.

— Yeonu, intervint Minwoo, il tremble.

— On devrait aller à l'intérieur, il fait frais et mieux vaut remonter, » indiqua le gérant.

L'aîné opina, il frotta brièvement le dos de son cadet avant de le relâcher. La mâchoire de ce dernier se contracta sous l'effet de l'anxiété. Tous ses muscles étaient tendus et l'adrénaline avait réchauffé son corps au point qu'il commençait à transpirer. Il suivit ses amis sans un mot de plus et tous se hâtèrent de retourner au café. Yeonu glissa une main dans le dos du jeune garçon et l'invita d'un geste à prendre place à un des tabourets du bar.

« Tu te sens mieux ? lui demanda-t-il en s'asseyant à côté de lui.

— Oui, oui, c'était rien de grave, balbutia Jungyu qui avait réussi à ravaler les larmes qui avaient failli couler.

— Le problème c'est que ça aurait pu le devenir d'un instant à l'autre.

— Mais il s'est rien passé. J-Je ne veux plus qu'on en parle, c'est fini, c'est tout ce qui compte. Je voulais pas vous causer du souci, je suis…

— Juré, si tu dis que t'es désolé ça va m'énerver, le coupa Minwoo. Je sais ce que ça fait que d'être abordé par un type du genre quand on est juste capable de rester pétrifié. T'as pas à être désolé, t'y pouvais rien.

— Jungyu, continua Yeonu, est-ce que tu connais quelqu'un qui pourrait te ramener chez toi ?

— Hein ? s'étonna l'étudiant sans comprendre.

— Hors de question que je te laisse prendre le bus, à dix minutes à pied d'ici en plus. T'as un ami qui conduit et qui pourrait venir ?

— Euh… non. Mais je prendrai le bus, c'est rien, y a toujours du monde à cette heure, les lycéens sortent de leurs cours du soir.

— Rien à foutre des lycéens, c'est pas eux que j'ai vus essayer de se débattre face à un type bizarre à l'instant. On va voir pour un taxi, t'en fais pas pour le prix : c'est moi qui insiste pour que t'en prennes un alors je te le paie.

— Non, refusa Jungyu, je veux pas que tu me paies un taxi. C'est super gentil, mais je refuse que vous dépensiez quoi que ce soit pour moi. C'était juste un gars insistant. J'ai flippé sur le coup mais je vous promets que ça va.

— Je peux le ramener, proposa Minwoo, j'ai du temps de toute façon.

— Toi, si t'as du temps, tu ferais mieux de dormir, » rétorqua Yeonu dans un soupir.

Les trois garçons demeurèrent silencieux un bref instant : Jungyu n'osait rien dire, Minwoo était en train de réfléchir à une solution et Yeonu en avait trouvé une mais savait qu'elle ne conviendrait pas à son cadet.

« Bon, tu vas dormir chez moi pour cette nuit, décida-t-il. J'ai pas le courage de te ramener et je veux pas te laisser partir seul. »

Jungyu ouvrit de grands yeux étonnés et hocha vivement la tête de droite à gauche en agitant les mains devant lui avec un air profondément embarrassé. Ses rougeurs d'ailleurs le trahirent.

« N-Non hyung, j-je peux pas, je vais rentrer chez moi, faut pas que tu t'inquiètes, je t'assure. »

Il se redressa mais à peine fut-il descendu de son tabouret que son supérieur lui attrapait le poignet.

« Écoute Jungyu, des types comme ça, on en a tous déjà rencontré. Minwoo a eu affaire à un gars un peu insistant qui est revenu l'attendre. Il est plus de vingt-trois heures et le quartier est plutôt calme, alors si t'as un souci, y aura personne pour t'aider. Ce gars peut très bien être allé se planquer quelque part, t'en sais absolument rien. T'as personne pour te ramener et tu veux pas prendre de taxi. Je te laisse pas partir, désolé. »

L'étudiant soupira de dépit : certes, il avait bien cru que la peur allait lui détruire le cœur face à cet inconnu qui avait tenu à l'emmener avec lui. Or, Yeonu semblait l'avoir fait revenir à la raison, inutile donc de s'en soucier, il s'était enfui et n'allait probablement plus retenter quoi que ce soit. Ça se voyait sur son visage que la perspective d'un appel à la police l'avait effrayé.

En vérité… Jungyu se sentait surtout coupable : il aurait dû tenir tête à cet homme comme Yeonu l'avait fait. Par sa faute désormais, ses deux aînés avaient dû s'en mêler et s'inquiétaient pour lui plus qu'ils ne le devraient. Ça n'avait été qu'un petit accrochage, rien de plus.

Malgré tout, maintenant que l'adrénaline retombait doucement, le jeune garçon ne trouvait plus le courage de refuser en bloc, si bien qu'il finit par baisser les bras.

« C'est d'accord, souffla-t-il, je veux pas que tu m'offres un taxi, mais si vraiment ça te dérange pas, je veux bien passer la nuit chez toi. »

Il avait déjà dîné et il repartirait le lendemain matin, Yeonu n'aurait même pas à lui offrir un quelconque repas. Jungyu refusait qu'il dépense le moindre won pour lui.

Son aîné retrouva immédiatement le sourire et acquiesça.

« Ça marche, approuva-t-il. Hyung et moi on avait presque fini de ranger, t'as qu'à attendre et…

— Je vais vous aider, le coupa Jungyu, à trois on ira plus vite. »

Il ne voulait pas se sentir redevable. Ça, Yeonu en avait parfaitement conscience. Il ne s'opposa pas à la demande de Jungyu et lui proposa d'aider Minwoo pendant que lui allait ranger des papiers dans son bureau et s'assurer que la salle de repos était en ordre. Jungyu opina et regarda Yeonu partir avant de se tourner vers Minwoo.

« Il ne restait qu'à disposer correctement les chaises sur les tables puis passer vite fait l'aspirateur, indiqua l'aîné. Tu t'occupes des chaises, moi je vais chercher l'aspirateur, ça te va ?

— Dis, hyung… c'est vrai qu'un type t'a déjà harcelé ? s'inquiéta Jungyu qui n'arrivait pas à oublier les paroles de

Yeonu. Enfin… je… désolé si la question te gêne, t'es pas obligé de répondre, je veux pas… »

Minwoo l'interrompit avec un sourire accompagné d'un signe de la main.

« T'en fais pas. C'est juste un type qui a agi avec moi de la même manière qu'avec toi. Il était simplement… plus insistant. Il était venu m'attendre à deux reprises. À l'époque, j'avais le même caractère que toi, alors… ça m'a carrément terrorisé.

— Je vois…

— T'avais déjà vu ce gars auparavant ou pas ?

— Non, et il a dit qu'il était jamais venu au café. »

Minwoo acquiesça doucement. Effectivement, le visage de cet homme ne lui était pas familier alors même qu'avec les années, il avait de moins en moins de mal à retenir l'apparence des clients. Il devait d'ailleurs admettre que de loin, il avait cru que cet intrus était le jeune garçon qu'il avait repéré à plusieurs reprises. Néanmoins, il ne lui avait pas fallu beaucoup de temps pour se rendre compte qu'il avait fait erreur et que c'était un autre – celui qui venait régulièrement au restaurant était bien différent, rien à voir avec cet inconnu aux traits durs qui avait tenté de passer une soirée avec Jungyu.

« En tout cas, je suis heureux de constater que ça t'a pas trop marqué, sourit l'aîné.

— Je préfère ne pas y prêter trop attention, affirma Jungyu avec une moue songeuse. J'ai la sensation que cet homme avait pas de réelle mauvaise intention. Je pense que si je m'étais barré en courant, il aurait pas cherché à me rattraper. J'ai paniqué sur le coup parce qu'on s'était jamais comporté comme ça avec moi. La prochaine fois, je ferai plus attention.

— Je vois, soupira Minwoo. Ça devrait pas être à toi de faire des efforts, mais à lui de ne pas insister quand il se fait rejeter. Je veux que t'aies bien conscience que c'est pas normal ce genre de comportement. C'est pas parce que t'es un employé du café qu'il a tous les droits. Ici, le client est spectateur, il n'est sûrement pas roi.

— Il... il a dit que... »

Les mots de Minwoo avaient fait remonter ceux de l'inconnu à la mémoire de Jungyu qui fronça les sourcils sans savoir s'il devait poursuivre ou non. Hésitant, il se mordilla la lèvre tandis que Minwoo, adossé au bar, avait tourné la tête vers lui avec un air inquisiteur.

« Oui ? Il a dit quoi ? demanda-t-il.

— Il a dit que je cherchais à attirer les regards avec mon pantalon, et que je passais mon temps à allumer mes collègues. Alors je cherchais forcément à être dragué. »

Minwoo ouvrit des yeux ronds sans que Jungyu, son visage honteux rivé au sol, puisse le voir. Il s'était senti rabaissé. Il savait bien que c'était faux, mais... une part de lui devait bien admettre que c'était extrêmement satisfaisant que les gens s'intéressent à lui sur Twitter ou Instagram. C'était son travail, non ? Il n'y pouvait rien. Bien sûr qu'il y prenait du plaisir aussi, c'était normal d'aimer être complimenté, après tout.

« Jungyu, répondit Minwoo d'un ton sérieux, c'est grave, t'as conscience que c'est totalement des phrases de violeur ça ? »

CHAPITRE 43

Surpris, l'étudiant leva aussitôt les yeux vers Minwoo.

« Hein ? Q-Quoi ? bégaya-t-il.

— L'excuse des vêtements qui seraient faits pour attirer les regards… c'est l'excuse des violeurs, ça.

— Il a raison, » intervint une nouvelle voix.

Les deux garçons se tournèrent vers Yeonu qui venait d'entrer dans la salle avec un portable entre les mains.

« Tiens hyung, dit-il en le tendant à Minwoo, tu l'avais laissé sur mon bureau tout à l'heure.

— Oh, merci Yeonie. »

Le performeur rangea le téléphone dans sa poche et se concentra de nouveau sur son supérieur qui reprenait la parole.

« Jungyu, sois vraiment prudent à l'avenir. Je veux pas te faire peur, simplement te mettre en garde. Ce que ce gars t'a dit, c'est pas rien, on sait pas jusqu'où il aurait pu aller. Avec des propos pareils, c'est légitime qu'on se pose la question.

— Je sais bien, soupira Jungyu.

— En plus, ce pantalon te va trop bien, c'est pas quelque chose de mal que de vouloir se mettre en valeur. »

Jungyu sourit à ce compliment et sentit ses joues se teinter d'un rose trop discret pour être visible. Le gérant retourna à son bureau tandis que ses deux employés se décidaient enfin à ranger la salle sans pour autant cesser de converser – mais de sujets plus légers cette fois-ci, notamment de la bibliothèque de Minwoo et la passion commune que Jungyu et lui partageaient. Le jeune étudiant fut d'ailleurs ravi lorsque son collègue lui proposa de l'inviter un jour chez lui pour lui montrer sa somptueuse collection d'ouvrages.

Ce fut une dizaine de minutes plus tard que tous les trois eurent terminé leurs tâches. Ils quittèrent ensemble le café ; Yeonu et Jungyu accompagnèrent Minwoo jusqu'au bout de la rue avant de le saluer et de revenir sur leurs pas.

« Je suis mort, soupira Yeonu. J'ai cru comprendre que t'avais déjà mangé, n'est-ce pas ?

— Oui, » approuva Jungyu en resserrant la pression de ses poings sur les sangles de son sac qu'il tenait avec nervosité.

Il n'était absolument pas à l'aise à l'idée de passer la nuit chez Yeonu. Avec Sangchan, il lui avait fallu plus d'un an avant d'accepter de reposer sur un matelas à l'autre bout de sa chambre, alors même dormir sur le canapé l'embarrasserait. Il avait l'impression de s'insinuer dans la vie privée de son ami...

« T'iras à la douche pendant que je me ferai un truc à dîner. Je te filerait des vêtements pour la nuit.

— Merci beaucoup, c'est vraiment gentil.

— C'est normal. La façon que ce gars avait de te regarder... C'était flippant. L'avantage de fournir des horaires à nos clients sur notre site, c'est qu'ils peuvent venir spécialement pour voir leur duo favori. L'inconvénient, c'est que des gars comme celui-là peuvent venir nous attendre. Ça m'est déjà arrivé aussi et si tu veux savoir, ça arrivera encore à l'avenir. L'important, c'est de ne pas être seul quand ça se produit. C'est pour ça qu'on fait toujours la fermeture à deux.

— Je comprends... »

Yeonu lui adressa un sourire rassurant et, enfin devant la porte de son appartement, ils entrèrent puis se déchaussèrent. Yeonu indiqua la salle de bains à son cadet avant de se rendre à la cuisine pour se préparer quelque chose de rapide et de léger – des restes et un fruit suffiraient.

Jungyu pendant ce temps entrait dans la pièce qui lui avait été pointée du doigt. Il alluma pour découvrir une salle de bains sobre avec un style relativement moderne, élégant comme il trouvait que Yeonu l'était.

Il referma la porte et faillit enclencher la serrure quand il se souvint que son ami devait lui apporter des vêtements. Il rougit aussitôt à l'idée que Yeonu allait le rejoindre et il tourna la tête vers la douche. Une cabine opaque mais transparente. Et merde, il suffirait que Yeonu regarde dans sa direction pour voir sa silhouette dénudée, c'était atrocement gênant !

« Y-Yeonu-hyung ? appela-t-il en serrant compulsivement les poings sous l'effet de la nervosité.

— Oui, Jun ? lança l'autre depuis la cuisine. Tout va bien ?

— J-Je suis désolé mais... est-ce que tu pourrais m'amener des habits pour dormir ?

— Ouais ouais, laisse la porte ouverte, je... »

Le jeune garçon, occupé avec son micro-ondes, comprit alors ce qui causait sans doute ces bégaiements à son cadet. Un rictus prit place sur ses lèvres et il se reprit rapidement :

« Je vais te chercher ça tout de suite, je fais vite ! »

— Te presse pas, répondit aussitôt Jungyu, je peux attendre. »

Mais déjà il entendait Yeonu traverser le petit couloir pour aller à la chambre. Quelques instants plus tard, on toqua à la porte de la salle de bains. Jungyu ouvrit et sourit timidement à son hôte.

« M-Merci beaucoup.

— C'est normal. Tu trouveras une serviette propre dans le placard juste ici, ajouta Yeonu d'un geste du menton, tiroir du bas. Et y a une nouvelle brosse à dents dans un paquet sous le lavabo. Prends ton temps, je vais dîner.

— Bon appétit. »

L'aîné lui rendit son sourire avenant et retourna à ses affaires pendant que Jungyu se déshabillait pour se doucher ensuite. C'était étrange d'être là, chez Yeonu, dans sa salle de bains. Tout s'était enchaîné trop rapidement pour que l'étudiant comprenne réellement ce qui lui arrivait.

Il se lava au plus vite, embarrassé. Il ne réussissait pas à se sentir à l'aise. Une fois sorti, il ouvrit le tiroir indiqué un peu plus tôt et en tira une serviette de toilette qu'il enroula autour de ses épaules pour se réchauffer. Il s'essuya sans tarder puis jeta un coup d'œil à la pile de vêtements prêtés pour la nuit. Un jogging, un caleçon et un t-shirt, rien de plus simple. Jungyu se pressa d'enfiler le tout et, enfin prêt, il se brossa les dents puis quitta la pièce et alla retrouver Yeonu. Son hôte se trouvait installé au petit bar qui permettait de délimiter la cuisine et le salon. Il adressa son plus adorable sourire à son cadet lorsque celui-ci arriva et lui demanda si les habits lui convenaient.

« Oh oui, bien sûr, répondit aussitôt Jungyu, c'est parfait, merci encore !

« — C'est naturel, voyons. T'as besoin de quelque chose d'autre ou tu veux aller te coucher tout de suite ?

— Je suis assez fatigué, admit Jungyu, je pense que je vais aller me coucher.

— Je te laisse le lit, je dormirai sur le canapé.

— Non, non, c'est pas nécessaire, c'est moi qui vais le prendre.

— T'es sûr ?

— Oui, je te promets, ça me va parfaitement.

— Comme tu veux, je t'apporterai des couvertures dans un instant. »

Jungyu opina et s'assit sur le canapé. Il avait déjà fait bien pire : il avait reposé à même le sol la première fois que Sangchan l'avait invité chez lui. Il n'aurait à l'époque jamais pu dormir avec lui et puisque son aîné ne possédait pas encore de matelas en plus ni de sofa, Jungyu avait simplement couché par terre, installé sur plusieurs couettes qui formaient un petit yo qu'il avait quand même réussi à estimer confortable.

Il s'allongea donc sur le canapé au tissu agréable. Il n'aurait aucun mal à passer une bonne nuit, il en était convaincu. Il ne pouvait pas s'imaginer demander à son ami – et supérieur – de dormir sur le divan. C'était ridicule, c'était lui l'employé, et même si Yeonu mettait tout en œuvre pour qu'il ne le ressente pas de cette façon, Jungyu n'arrivait toujours pas à se dire qu'il se trouvait face à un banal collègue.

C'était étrange d'ailleurs, puisqu'avec Wonseok, ça ne lui posait aucun problème...

L'étudiant tourna la tête en entendant le bruit de la vaisselle dans l'évier. Yeonu traversa ensuite la pièce et la quitta quelques instants avant de revenir avec un oreiller plus confortable que les simples coussins du canapé ainsi que plusieurs couvertures – les nuits étaient après tout encore fraîches.

Il tendit l'oreiller au jeune homme qui le remercia timidement et, alors que Jungyu l'installait correctement, son aîné étendit sur lui les draps. Il releva les yeux vers son hôte en se sentant rougir et lui adressa un léger sourire puis baissa le visage en murmurant un discret « merci, hyung ». Yeonu hésita avant de s'asseoir en tailleur sur le sol près du sofa, s'attirant aussitôt un regard curieux de son cadet.

« Jungyu, je peux compter sur toi pour me parler si quelque chose ne va pas, n'est-ce pas ? s'enquit-il d'un ton à la fois sérieux et inquiet.

— Bien sûr, pourquoi ?

— Je vais être honnête : depuis quelque temps, Minwoo et Wonseok ont remarqué un nouveau client. Un jeune garçon d'environ notre âge. Il ne vient que quand t'es de service, et Minwoo l'a vu te surveiller du coin de l'œil à plusieurs reprises. Tant que je sais pas si ce garçon est juste un admirateur ou s'il présente une menace, je ne peux pas agir. Mais s'il te plaît, fais attention à toi.

— C'est ce garçon qui m'a abordé ?

— Non, c'en était un autre. Alors si t'as l'impression que quelqu'un te suit, hésite pas à m'en parler tout de suite, attends pas. Ce gars tout à l'heure attendait simplement en bas du café, mais un vrai détraqué aurait à la place très bien pu te suivre en voiture et faire largement pire. À plusieurs, on risque pas grand-chose, mais je veux m'assurer que tu seras prudent à l'avenir, surtout quand t'iras à ton arrêt de bus.

— Je te le promets, t'as pas à t'inquiéter. »

Yeonu acquiesça et allait se relever quand Jungyu se racla la gorge, la mine embarrassée.

« Et ce gars qui vient au café quand je suis là… c'est celui qui mange toujours seul à une table ?

— Tu l'avais remarqué ? s'étonna Yeonu en reportant son attention sur son employé.

— Bien sûr, hyung, je suis pas si naïf, sourit Jungyu avec une moue amusée. Il a pas l'air méchant. Chaque fois ou presque, il prend le même café, j'ai l'impression de voir un habitué. Même s'il est pas très bavard je l'aime bien, il est plutôt gentil.

— Il était jamais venu avant, il ne passe que depuis que t'as été engagé. Alors même s'il a l'air inoffensif, garde à l'esprit que les apparences sont parfois trompeuses. Mais je suis heureux de voir que tu te plais au travail.

— Merci encore, d'ailleurs… merci de m'avoir encouragé à faire ce qui me plaît, souffla le cadet sans oser croiser son regard. Merci d'avoir été patient avec moi. Je te jure que je ferai toujours tout mon possible pour m'améliorer et être à la hauteur de tes attentes. »

Yeonu lui sourit et acquiesça sans répliquer avant de se redresser. Jungyu, étonné de cette absence de réponse, risqua un œil vers lui.

« T'en as déjà comblé beaucoup, affirma-t-il simplement après ce court silence. Tes performances s'améliorent de jour en jour, tu fais un énorme travail sur toi-même pour gagner en confiance en toi et tu t'intègres parfaitement dans l'équipe. Aujourd'hui t'es un très bon employé. Très bientôt, tu seras un employé exceptionnel. T'as aucune raison de douter de toi-même. Continue comme ça sans te mettre la pression. Si j'ai accepté ta candidature, c'est parce que je savais que tu pouvais développer ce potentiel. »

Les yeux brillants de bonheur, Jungyu serra un peu plus la couverture entre ses doigts – geste que Yeonu remarqua et qui fit naître un discret rictus sur ses lèvres.

« Dors bien, Jungyu.

— Merci beaucoup, toi aussi. »

Ce fut ainsi que la conversation se conclut. Yeonu quitta la pièce tandis que Jungyu s'installait plus confortablement encore sur le canapé, le cœur léger. Avec son peu de confiance en lui, recevoir des compliments était toujours quelque chose qui lui faisait profondément plaisir (même s'il peinait à croire qu'ils étaient sincères, au moins ça le rendait heureux).

Le bruit de la douche le tira de ses pensées qui se tournèrent doucement sur Yeonu. Fatigué cependant, tout sembla s'embrouiller tandis que déjà il s'endormait.

~~~

Jungyu fut réveillé en sursaut et poussa un couinement de douleur : le canapé n'était certes pas large, mais puisqu'il n'avait pas tendance à bouger pendant son sommeil, le jeune garçon n'aurait pas cru en tomber. Il ne lui fallut pas longtemps avant de se rappeler où il était et pour quelle raison il dormait là.

Un regard en direction du décodeur de la télévision lui permit de se rendre compte qu'il n'était que trois heures du matin. Il soupira et remua avec la grâce d'une larve avant de trouver la force de s'asseoir, écartant les couettes de son corps. Il se frotta les yeux et s'étira en grimaçant lorsqu'il se passa la main dans les cheveux : sa chute n'avait pas épargné son crâne.

Il se redressa puis reposa les couvertures sur le sofa. Il se dirigea mollement à la salle de bains, veillant toutefois à demeurer discret de sorte à ne pas réveiller Yeonu. Il repoussa délicatement la porte derrière lui et alluma tout en fermant les paupières afin d'éviter la brutale agression de ses prunelles. Enfin capable d'ouvrir les yeux, il les releva vers le miroir et passa de nouveau la main là où il s'était cogné contre le parquet. D'un regard sur ses doigts, il fut soulagé de constater qu'il n'y apparaissait pas la moindre trace de sang.

Quelques instants plus tard il était de retour au salon. Il hésita brièvement avant de se diriger vers son sac dans l'entrée : il avait oublié de recharger son téléphone. Heureusement qu'il amenait toujours son fil avec lui...

Seulement en veille et parce qu'il ne l'avait pas consulté depuis le début de son service, Jungyu soupira de découvrir que c'était près de deux cents notifications qui l'attendaient. Son sourire pourtant trahissait son bonheur de voir tout le soutien qui lui était apporté. Jugeant que de toute façon, il était trop réveillé pour se rendormir tout de suite, il s'installa en tailleur sur le canapé une fois son portable branché et s'appliqua à vérifier tous les commentaires reçus.

Très vite cependant, son attention fut attirée par le bruit qui provenait du couloir. Il se tourna pour apercevoir Yeonu arriver, une mine fatiguée sur le visage.

« Jun, bâilla-t-il, tu fais quoi debout à cette heure ?

— Oh rien, je me suis réveillé alors j'en profite pour... pour aller sur mon portable.

— Et du coup, le gros « boum » qui m'a réveillé y a dix minutes, c'était toi ? sourit malicieusement le jeune homme tandis qu'il se frottait les yeux.

— Euh… ouais, y a moyen…

— Il s'est passé quoi ?

— J'avais oublié qu'un canapé était moins large qu'un lit, » admit Jungyu en se grattant la nuque avec une mine gênée.

Yeonu ne put pas cacher son amusement qui fut trahi par un ricanement que Jungyu trouva attendrissant.

« Tu veux pas venir dormir dans le lit ? reprit l'aîné sans se départir de son air rieur. C'est moins risqué.

— Oh non, c'est gentil, je t'assure que ça va aller.

— Comme tu veux. Quel dommage, rajouta-t-il d'un ton faussement dépité, moi qui espérais dormir avec mon adorable Junie ! »

CHAPITRE 44

Jungyu leva les yeux au plafond en évitant de justesse de glousser bêtement.

« T'es ridicule, hyung, dit-il.

— Bah tu sais, le soir où c'est Minwoo qui s'est fait harceler, on a dormi ensemble. En plus il était chou, il essayait de se mettre le plus loin possible de moi, il était tout timide mais il voulait pas dormir seul. Une vraie petite boule de tendresse cachée sous une coquille bien dure pour ne rien laisser paraître. »

Jungyu sourit en imaginant les deux garçons dans le même lit avec plus d'un mètre de distance entre eux.

« Tout le contraire de Sangchan qui utilise tout ce qui vient comme peluche, remarqua-t-il alors.

— T'as déjà dormi avec lui ? s'étonna Yeonu.

— Oui, ça m'est arrivé. On se connaît depuis vraiment longtemps.

— Et tu ne veux pas dormir avec moi ? poursuivit le jeune patron d'un ton dramatique. Je me sens mis de côté.

— Ton cœur est brisé ? se moqua Jungyu.

— Oui, complètement détruit. Je souffre le martyre. Junie, j'ai besoin d'un câlin pour le réparer. »

Yeonu fit la moue en regardant à travers ses cils son cadet dont le sourire s'agrandit face à cette comédie. L'étudiant s'étonnait de ne pas être embarrassé, mais son aîné arborait des airs si exagérés que l'amusement avait pris le pas sur la gêne. Yeonu était adorable avec cette bouille de bébé attristé, Jungyu l'avait rarement vu si peu sérieux, ça avait quelque chose de surprenant et de drôle.

« Du coup tu vas aller faire un câlin à ton oreiller ? s'enquit-il donc avec un rictus espiègle.

— J'y avais pas pensé mais si personne se propose, je crois que c'est effectivement comme ça que ça va finir malheureusement.

— Parce que tu veux dire que tu connais quelqu'un qui pourrait se proposer ?

— Tu sais, je préfère quand t'es tout timide plutôt que moqueur. Moi qui croyais que t'étais un gentil garçon adorable, râla-t-il en s'installant sur le canapé près de son ami. Une nouvelle fois mon cœur est brisé, il va en falloir, des câlins, pour réparer ça.

— Si tu veux, j'envoie un message à Wonseok-hyung, il habite juste à côté, non ?

— J'ai compris, j'ai pas le droit de te prendre dans mes bras, souffla Yeonu avec un ton excessivement défaitiste. Je vais m'en retourner dans ma chambre, seul face à l'obscurité grandissante de la nuit, perdu dans les limbes ténébreux et inquiétants de mon esprit aux pensées sombres.

— D'accord, dors bien, hyung. »

Yeonu tourna une moue dépitée sur le jeune homme qui avait quant à lui son attention rivée sur son téléphone.

« Hwang Jungyu.

— Hum ?

— Lève cette bouille de lapin et regarde-moi. »

Au ton autoritaire de son aîné, l'étudiant obéit, croisant aussitôt les yeux pétillants de malice de ce dernier.

« Je te trouve insolent une fois hors du cadre professionnel.

— Je ne suis insolent qu'avec les gens que je connais assez bien pour affirmer qu'ils ne le prendront pas mal.

— Alors ça veut dire que tu m'aimes bien, c'est ça ? »

Pour la première fois depuis le début de la conversation, Yeonu surprit son invité à rougir alors que tout à coup il n'était plus en mesure de soutenir son regard. Jungyu haussa les épaules dans un « bah ouais, ça paraît évident, non ? » à peine marmonné.

« Moi aussi je t'aime bien, déclara Yeonu avec un large sourire, que tu sois insolent ou timide. Dans tous les cas t'es cute !

— Hyung, c'est gênant, je suis pas cute ! nia aussitôt son cadet dont les joues enflammées ne passaient pas inaperçues puisque l'écran de son smartphone les éclairait directement.

— Quand tu dis ça, ça te rend encore plus cute, » se moqua Yeonu en éclatant d'un rire attendrissant dont lui seul avait le secret.

Jungyu le trouva mignon à placer la main devant sa bouche pour cacher le bas de son visage. C'était dommage, il devait être adorable quand il riait.

« Bon, conclut l'hôte, puisque tout va bien pour toi et que malgré mon insistance peu discrète, j'aurai pas le droit à la moindre étreinte, je vais retourner me coucher. Passe une bonne nuit, Jun, tarde pas à te recoucher.

— Oui, hyung. »

Il lui adressa un sourire que son aîné lui rendit et ce dernier se releva. Il eut cependant à peine esquissé un pas qu'il sembla déstabilisé et manqua de tomber. Par réflexe, il se raccrocha à la première chose qui lui passa sous la main, le dossier du canapé juste à côté de lui. Jungyu lâcha aussitôt son téléphone et lui posa instinctivement la main sur l'épaule afin de lui éviter la moindre chute.

« Ça va ? s'inquiéta-t-il en remarquant la grimace de douleur qui se dessina sur le visage du jeune garçon.

— Oui, oui, c'est rien, t'en fais pas. »

La mâchoire serrée et les sourcils froncés de Yeonu le trahirent. Jungyu se redressa et chercha son regard malgré l'obscurité, tout à coup soucieux.

« Eh, Yeonu, qu'est-ce qui se passe ? Tu t'es fait mal ?

— Non, c'est rien, souffla-t-il en tentant d'adopter une attitude décontractée, je me suis relevé trop vite.

— Euh... t'es sûr ? s'enquit-il avec une moue dubitative. T'es pas très convaincant, tu sais...

— Accompagne-moi à la salle de bains, s'il te plaît. »

Malgré son ton qui se voulait détaché, Jungyu comprit le sérieux de Yeonu qui lui demandait de l'aide, une aide qui ne pouvait pas être refusée. Lui qui avait posé une main sur l'épaule de son aîné, il permit à Yeonu de passer le bras autour de lui afin de prendre appui sur lui. Ce dernier lui témoigna sa reconnaissance d'un « merci » qu'il prononça d'une voix faible.

Jungyu ne s'inquiétait plus le moins du monde de sa proximité physique avec son supérieur, tout ce qu'il voyait, c'était que Yeonu semblait souffrant. Lentement, les deux garçons se rendirent à la petite salle de bains. Yeonu faisait peser le poids de son corps sur son ami qui le soutenait sans faillir. Jungyu poussa la porte de la salle de bains puis prévint qu'il allait allumer. L'autre ferma les paupières et ne les rouvrit qu'un instant plus tard en les clignant doucement.

La main qui n'était pas autour de son cadet, Yeonu s'en servit pour s'appuyer sur le lavabo auquel il s'adossa ensuite.

« Merci beaucoup, déclara-t-il, c'est bon, tu peux retourner te coucher.

— Quoi ? Non, non, est-ce que je peux faire quelque chose ? Qu'est-ce qui se passe ?

— J'ai performé toute la soirée hier, je suis fatigué, c'est simplement quelques vertiges.

— Mais…

— Écoute, Jun, je te promets que c'est absolument pas grave. C'est la raison pour laquelle je performe peu, j'ai du mal à tenir, mais c'est rien.

— Mais hyung, enfin… je… T'es sûr ? »

Cette fois-ci, lorsqu'il croisa le regard de Yeonu, Jungyu put y lire de la tendresse et de la sincérité. Le jeune homme, ses cheveux noirs en bataille et ses yeux sombres légèrement cernés, hocha doucement la tête.

« Je t'assure que c'est rien, tu peux me faire confiance. Va te recoucher, ça va aller.

— Si c'est la fatigue, pourquoi t'avais l'air d'avoir mal ? » répliqua Jungyu d'un ton qui prouvait son inquiétude.

C'était vrai, ça, Yeonu n'avait pas pu cacher sa douleur et Jungyu avait cru le voir boiter. Il n'osait pas l'affirmer, il préférait que son ami le lui avoue de lui-même si quelque chose ne tournait pas rond. Pour autant, il ne voulait pas qu'il lui mente, surtout si ça pouvait affecter sa santé. Jungyu ne l'avait toujours pas relâché, ce fut Yeonu qui s'écarta de lui pour poser l'autre main sur le rebord de céramique.

« Tu devrais aller dormir, dit-il simplement de sa voix caressante. Je sais bien qu'on est dimanche, mais c'est pas une raison pour rester debout à cette heure, tu penses pas ?

— Hyung…

— Merci encore, Jungyu.

— Je… je t'en prie, de rien. »

Malgré son air préoccupé, l'étudiant n'ajouta rien et obéit. Même si son supérieur lui mentait, Jungyu savait qu'il s'était montré sincère quant à une chose : ce n'était pas grave et ce n'était pas quelque chose dont il fallait s'inquiéter.

Cela rassura un peu le jeune garçon qui se rendait compte seulement maintenant que son cœur avait violemment accéléré dans sa poitrine face à l'anxiété qu'il avait ressentie quand Yeonu avait manqué de s'effondrer de cette manière. Son aîné lui apparaissait comme quelqu'un de charismatique et de courageux – sentiment renforcé par son intervention pour défendre Jungyu. Alors le voir faiblir ainsi… c'était étrange.

Une fois son portable éteint, il rabattit la couverture sur lui, de nouveau allongé sur le canapé, et tendit l'oreille afin de saisir le moindre bruit suspect venant de la salle de bains : même si Yeonu lui avait demandé de se rendormir, il ne s'en sentait pas capable, il craignait que quelque chose n'arrive à celui qu'il commençait peu à peu à considérer comme un ami.

Le seul son qu'il entendit fut celui, quelques minutes plus tard, de l'interrupteur de la salle de bains, suivi de la porte qu'on refermait et des pas traînants de l'aîné tandis qu'il retournait à sa chambre se coucher. Jungyu resta silencieux, de longues secondes passèrent ; quelques minutes aussi, sans doute.

Finalement, il se redressa et se dirigea sur la pointe des pieds vers le couloir. Il marqua une hésitation, la main tendue vers la poignée de la chambre de son hôte, et se gifla mentalement : Yeonu était soit sur le point de s'endormir soit déjà endormi, mieux valait ne pas le déranger. D'un autre côté... Jungyu ne serait pas serein tant qu'il ne saurait pas comment il allait. Ainsi, maudissant sa curiosité trop grande pour que sa timidité ne puisse prendre le dessus, il abaissa la poignée et poussa le plus discrètement possible la porte – si Yeonu dormait, il pourrait lui-même retourner se coucher en toute quiétude.

Or, tandis qu'il jetait un regard pour trouver dans la pièce sombre le lit de son ami, Yeonu ouvrit les yeux et tourna la tête vers lui. L'éclat de la lune mettait en valeur sa peau déjà pâle et illumina ses prunelles qui exprimaient aussi bien la fatigue qu'une légère forme d'amusement.

« Hey, Jun, t'as besoin de quelque chose ? demanda-t-il à voix basse comme s'il ne souhaitait pas déranger la nuit silencieuse.

— Je voulais juste... désolé de te réveiller, balbutia Jungyu en se frottant la nuque.

— Je dormais pas, t'inquiète pas.

— Tu vas mieux ?

— Ouais. Rassuré ? »

Jungyu acquiesça doucement, remerciant une fois de plus l'obscurité de dissimuler ses rougeurs.

« Trop mignon, souffla Yeonu qui le toisait avec une moue attendrie. T'as pas à t'en faire pour moi. Retourne dormir, tu risques d'être fatigué.

— Hyung, je ne suis plus un enfant...

— Va dormir quand même. »

Jungyu jeta par réflexe un regard derrière lui, en direction du salon qu'il avait quitté quelques instants plus tôt. Il se mordit la lèvre et, finalement, il acquiesça à l'ordre reçu.

Yeonu cependant parut étonné lorsque, au lieu de partir en refermant la porte, Jungyu entra dans la pièce et fit quelques pas timides jusqu'à se retrouver près du lit. Mort de honte mais prenant son courage à deux mains, le cadet releva les yeux du sol pour les planter dans ceux de Yeonu qui cherchait son regard sans comprendre.

« T-T'as pas précisé où j-je devais aller dormir, bégaya Jungyu d'une voix à peine audible. Alors... est-ce que j-je peux... enfin... »

Un souffle amusé le coupa et Yeonu se redressa légèrement pour se pencher et soulever la couette du côté où son ami se trouvait. Ce dernier sentit le pourpre de ses joues s'accentuer à ce geste et adressa un sourire embarrassé à son aîné lorsque celui-ci continua :

« Bien sûr, viens dormir avec moi. »

Sa voix rendue plus rauque par la fatigue, son ton ensorcelant... Jungyu ne chercha pas à résister et opina en le remerciant tout bas avant de se glisser sous la couverture. Tourné face à Yeonu malgré la distance qui les séparait, ils échangèrent un regard qui s'éternisa. Le plus vieux ferma les paupières sans s'inquiéter des mèches brunes qui y retombaient du fait de sa position.

Jungyu, en dépit de son cœur qui faisait une nouvelle fois des siennes, se força à fermer les yeux à son tour – même s'il n'aurait pas été contre le fait d'observer le visage angélique de son supérieur plus longtemps. C'était son odeur ténue pourtant envoûtante que portaient les draps. Jungyu éprouva la sensation d'entrer dans un cocon de douceur... c'était une sensation similaire à celle de Yeonu le prenant tout contre lui lors du cours qu'il lui avait donné lundi.

C'était plutôt agréable.

~~~

L'étudiant fut réveillé par un appétissant fumet. Ses paupières papillonnèrent doucement et il s'accoutuma vite à la faible clarté de la pièce. Il était sans doute sept ou huit heures du matin…

Il s'étira un bref instant dans un bâillement et remarqua que Yeonu avait quitté le lit. Conscient que ce jour-là était un dimanche et que de surcroît, il n'avait rien de particulier de prévu, Jungyu referma finalement les yeux dans un soupir, attrapant le premier oreiller à sa portée pour le serrer dans ses bras. Le coussin était encore chaud et l'odeur était indéniablement celle du shampooing de Yeonu – Jungyu d'ailleurs ne chercha pas à comprendre pourquoi il connaissait l'odeur du shampooing de son aîné, il y avait des questions qu'il préférait éviter. C'était plaisant.

D'une certaine manière en effet ça le rassurait quant à l'état de Yeonu dont il s'était inquiété cette nuit. Il s'était senti réconforté de pouvoir rester auprès de lui.

Un soupir d'aise lui échappa tandis qu'il s'allongeait sur le ventre, profitant de cette matinée paisible. Il n'avait pas le courage de se lever, et ce ne fut qu'après de longues minutes qu'il se décida enfin à aller voir ce qui sentait si bon. Parfaitement réveillé, il quitta la chambre et arriva au salon ouvert sur la cuisine. Yeonu s'y trouvait, occupé à concocter un savoureux petit déjeuner. Son cadet ne fut pas en mesure de distinguer correctement ce qu'il préparait et, lorsqu'il s'approcha, il se fit entendre de l'autre qui, parce que jusque-là il se tenait de dos, se retourna avant de lui adresser un sourire chaleureux.

« Bonjour Jungyu, bien dormi ?

— Très bien, affirma le jeune garçon, et toi ?

— Moi aussi, merci.

— Tu prépares quoi ? s'enquit-il en s'accoudant au bar pour l'observer.

— D'habitude, au petit déjeuner je mange les restes de la veille avec du riz, mais bon, avec un invité ça le fait pas trop. Je voulais faire un truc sympa, alors j'ai pu trouver dans mes placards de quoi faire des pancakes.

— Ça sent vraiment bon, approuva Jungyu. Merci beaucoup !

— Installe-toi sur un tabouret, j'ai mis du lait à chauffer pour les chocolats chauds. J'espère que t'as faim. »

Jungyu lui rendit son sourire avenant en opinant. Il avait songé à partir dès son réveil pour ne pas déranger Yeonu, mais... c'était une décision qu'il avait à présent complètement oubliée.

CHAPITRE 45

Jungyu éprouvait la sensation que Yeonu s'occupait de lui comme Sangchan. Pas étonnant que ces deux-là soient les meilleurs amis du monde, ils débordaient de la même gentillesse. Assis au comptoir qui divisait la pièce entre salon et cuisine, le benjamin observait son hôte s'activer face à sa poêle et la casserole de lait. L'odeur du pancake en train de cuire le faisait saliver, et Yeonu ne relâcha son attention des plaques chauffantes que pour sortir un peu de cacao en poudre ainsi que divers accompagnements.

« T'étais tout mignon pendant que tu dormais, sourit Yeonu pour entretenir la conversation alors qu'il se tenait dos à son invité. Je suis sûr qu'une photo de toi assoupi rendrait nos abonnés complètement dingues. Tu devrais y songer.

— Ah donc on parle boulot dès le matin ? se moqua Jungyu d'un ton amusé.

— Y a pas d'heure pour parler boulot, sache-le. D'ailleurs je voulais te l'annoncer en douceur, mais comme visiblement t'es bien réveillé, je vais y aller franchement : j'ai pris quelques photos, j'attendais que tu te réveilles pour savoir si je pouvais en poster une que je trouve particulièrement adorable.

— Hyung ! gémit piteusement Jungyu en rougissant tout à coup. Comment t'as pu faire ça ? Je dois être ridicule sur ces photos !

— Si tu veux pas que je la publie, je la publierai pas, et dans tous les cas sache d'emblée que j'ai supprimé toutes ces photos sauf celle que je voudrais poster. Je pensais la mettre en ligne moi-même pour que ce soit encore plus chou. Ça te gêne vraiment ? »

Jungyu réfléchit un instant avant de hausser les épaules, l'air malgré tout embarrassé.

« Je sais pas trop, ça dépend de la photo...

— Je te la montrerai quand on mangera. »

L'autre acquiesça doucement et Yeonu se retourna, conscient du malaise que ressentait désormais Jungyu. Le jeune garçon fixait le comptoir, les yeux baissés, et les légers tressautements de son corps indiquaient qu'il secouait les jambes sous l'effet de l'inconfort. Son aîné eut un regard attendri.

« On est tout timide d'un coup, Junie ?

— Même pas, rétorqua-t-il avec une désinvolture fort mal jouée.

— Heureusement que j'ai un pancake à retourner, parce que sinon, je t'aurais prouvé que j'avais raison. »

Jungyu préféra ne même pas demander comment il aurait bien pu s'y prendre pour faire ça... Il se contenta d'observer Yeonu se concentrer sur sa poêle et faire sauter son pancake avec habileté – il voulait simplement fanfaronner devant Jungyu. L'effet fut des plus réussis : l'étudiant ouvrit de grands yeux admiratifs, un large sourire s'épanouit sur ses lèvres.

« Ouah, hyung, t'en fais souvent ? Tu gères carrément ! »

Yeonu s'esclaffa et fit volte-face pour adresser un signe de tête à son ami.

« Viens, dit-il, je vais te montrer comment on fait.

— Sérieux ? »

Yeonu acquiesça et l'autre, malgré la gêne qu'il ressentait encore quelques instants plus tôt, fila se placer à côté de lui pour observer ses gestes.

« Celui-là, j'aurai pas besoin de le retourner une fois de plus, indiqua l'aîné lorsqu'ils furent côte à côte, dans quelques minutes il sera cuit. Le prochain, tu le retourneras.

— Mais je vais le faire tomber…

— Mais non, t'as le meilleur prof du monde avec toi, aucun risque de rater ! Tu vas voir, c'est super simple.

— En tout cas ça sent vraiment bon. T'as mis de la cannelle ?

— Ouaip, un petit peu, juste histoire de parfumer légèrement. Même si t'aimes pas la cannelle, ça se sent à peine. »

Quelques minutes plus tard, le premier pancake prêt, Yeonu sortit une seconde poêle sur laquelle il déposa un peu de beurre.

« Pour toi, dit-il en la tendant à Jungyu. On va faire nos pancakes en même temps, comme ça je te montrerai quoi faire. »

L'autre fut ravi et, une fois la pâte versée dans sa propre poêle, Yeonu attendit quelques instants avant d'en mettre dans celle de Jungyu – de cette façon, il ferait sauter son pancake le premier et pourrait décrire à son élève comment procéder. Les étincelles de bonheur qui brillaient dans le regard de Jungyu lui donnaient l'air d'un enfant émerveillé alors même qu'il ne s'agissait que de petites crêpes.

Il en fallait peu pour lui redonner le sourire, c'était mignon.

Yeonu fut donc bel et bien le premier à devoir retourner son pancake. Il détailla à son cadet chaque mouvement, et rapidement ce fut au tour du jeune garçon d'essayer. Jungyu, que son sourire n'avait pas quitté, attrapa la poêle et n'eut qu'un geste à esquisser pour constater que la pâte ne collait pas.

Yeonu l'encouragea une dernière fois avant que Jungyu ne se décide.

Un peu plus tard, une fois le sol propre et la crise de fou rire de l'aîné terminée, les deux garçons décidèrent que le maknae retournerait les pancakes à l'aide d'une spatule.

« J'avais encore jamais vu ça, pouffait toujours Yeonu en lui tendant la fameuse spatule, tu l'as pas fait sauter ton pancake, tu l'as fait voler !

— C'est bon, j'ai compris, ça fait cinq minutes que tu le répètes, » râla Jungyu malgré un gloussement qu'il ne put pas cacher.

Le pancake en effet, des suites d'un mouvement trop brutal, avait décollé de la poêle, était passé par-dessus le comptoir de la pièce et s'était écrasé sur sa face non cuite en plein milieu du salon, sur le parquet. Yeonu avait alors éclaté d'un tel fou rire qu'à côté de ça, une séance d'abdos lui aurait semblé moins douloureuse. Jungyu quant à lui, ce n'était pas d'amusement mais de honte qu'il s'était senti mourir. Par chance, le rire de son aîné s'était avéré à ce point contagieux qu'il avait fini par s'esclaffer à son tour, riant de voir des larmes aux coins des yeux de Yeonu.

Jungyu se montra plus habile avec une spatule, les crêpes s'entassèrent rapidement lorsque les deux amis se remirent à la tâche. Une fois le bol de pâte vide et les derniers pancakes terminés, les deux jeunes gens purent s'installer et se servir d'un peu de lait chaud qui tiédissait sur le plan de travail en attendant d'être utilisé.

Ils venaient à peine d'entamer leur petit déjeuner que Yeonu sortit son téléphone pour le tendre à Jungyu. Celui-ci, occupé à mastiquer tranquillement sa bouchée, manqua de s'étouffer devant la photo dont ils avaient parlé un peu plus tôt mais qu'il avait déjà oubliée : une photo de lui assoupi dans le lit de Yeonu.

« Elle est belle, hein ? Avec le soleil qui se levait, ça faisait un éclairage magnifique, j'étais obligé ! s'enthousiasma Yeonu dans l'espoir que ça aiderait son cadet à se détendre. T'es super beau là-dessus, t'es vraiment naturel, on voit bien qu'il y a pas d'artifice genre maquillage ou quoi que ce soit, et cette petite mèche folle qui te retombe sur le front, elle est beaucoup trop chou !

— Ça me met franchement pas en valeur, souffla Jungyu avec une moue embarrassée. Regarde ma joue tout écrasée, c'est ridicule... »

Yeonu fronça les sourcils, retourna son portable pour observer de nouveau la photo, regarda Jungyu, puis la photo, puis Jungyu, puis il fronça les sourcils encore plus et jeta un dernier coup d'œil à la photo.

« Jun, t'es sûr que t'as pas besoin de lunettes ?

— Mais quoi ? se plaignit son cadet après une gorgée de chocolat chaud. C'est vrai, non ?

— Non, c'est ultra adorable, et puis t'es super beau ça change rien, ça accentue simplement ton aspect cute.

— Tu tiens vraiment à la publier en fait, c'est ça ?

— Je m'en fous de la publier, c'est pas pour ça que j'insiste : je veux simplement pas que tu refuses sous prétexte que tu te vois pas tel que t'es. Jungyu, t'es un mec magnifique, brillant et doué de mille autres qualités que je me fatiguerai pas à énumérer. Si moi en trois semaines j'ai pu m'en rendre compte, comment toi, après vingt ans, tu peux toujours l'ignorer ? Tu manques cruellement de confiance en toi, c'est de là que vient ton extrême timidité, j'en ai bien conscience. Mais j'aimerais tellement que tu sois capable d'être un peu plus objectif. Jun, t'es un mec tellement bienveillant, pourquoi la seule personne avec qui t'arrives pas à l'être, c'est toi-même ? »

Sa tirade sembla dérouter Jungyu sur le visage de qui la surprise avait remplacé l'embarras. Les deux se faisaient face sans un mot et, quand Yeonu s'aperçut que le regard de son cadet était en train de s'humidifier, il reprit :

« Je suis désolé, je vais supprimer la photo, j'aurais pas dû la prendre sans ton accord de toute façon, c'était pas...

— J'ai pas toujours été comme ça, le coupa l'autre d'une voix si faible qu'elle était à peine audible. Je... C-C'était...

— Du calme, Jungyu. »

Yeonu, pour le réconforter, tendit instinctivement la main pour envelopper la sienne de sa paume. Son invité baissa doucement les yeux sur leurs deux mains et ferma les paupières quelques instants en inspirant profondément.

« Si tu veux parler je t'écouterai, si tu veux pas on continuera de manger, affirma Yeonu avec douceur. Et quoi que tu décides, tu sais bien que je te jugerais jamais.

— Je sais bien, oui, susurra Jungyu qui ne se sentait pas capable de parler plus fort. Merci...

— Tout ce que je t'ai dit je le pensais, je suis sincère.

— Ça aussi je le sais.

— T'es grave beau.

— Hyung, ricana Jungyu, arrête.

— T'étais supposé dire « ça aussi je le sais », sourit à son tour Yeonu en retirant sa main de la sienne. Au moins j'aurai essayé.

— C'est tout à ton honneur. »

Jungyu avait retrouvé un semblant de gaité qui rassura Yeonu. Ce dernier croqua dans son pancake et, lorsque Jungyu l'imita en évitant son regard, il comprit la signification de ce geste : l'étudiant ne voulait pas parler, il préférait continuer de manger. Conformément à ce qu'il avait promis, Yeonu ne posa pas la moindre question malgré celles qui tournaient désormais dans son esprit. Il se contenta de faire la conversation au sujet de la façon dont Minwoo lui avait appris à cuisiner des pancakes.

D'ailleurs, son premier essai à lui aussi s'était mal fini… quant au pancake, c'était sur le t-shirt de Minwoo qu'il avait fini – Yeonu ignorait encore comment il avait bien pu se débrouiller.

La légèreté de la discussion détendit rapidement Jungyu qui ne se priva pas de rire de son ami comme ce dernier avait ri de lui un peu plus tôt. Une fois parfaitement à l'aise et après avoir terminé de manger, l'étudiant se rappela ce à quoi il avait réfléchi la veille et ses yeux se posèrent sur le copieux petit déjeuner qui lui avait été accordé et dont il ne restait que des miettes.

« Je t'offrirai un repas un jour, promit-il alors, merci encore d'avoir préparé tout ça, c'était pas nécessaire.

— Jun, t'es mon invité, j'ai insisté pour que tu passes la nuit ici et je suis heureux d'avoir pu passer du temps avec toi ce matin. Tu me dois rien, je… »

Yeonu s'interrompit lorsqu'une étincelle malicieuse illumina son regard, signe qu'il venait d'avoir une idée.

« Après, si vraiment tu tiens à me rembourser et que ça te dérange pas, reprit-il, tu peux toujours m'autoriser à poster ta photo sur nos réseaux. Ça va générer des vues, des j'aime et des réactions, donc de la visibilité pour le café et des revenus supplémentaires. C'est comme tu veux, je te laisse choisir. »

Vaincu, Jungyu poussa un soupir malgré son sourire et acquiesça.

« Allez, vas-y, approuva-t-il, poste-la si t'y tiens tellement.

— Je peux, c'est vrai ? se réjouit aussitôt Yeonu.

— Oui, c'est juste une photo, c'est bon. Si tu l'aimes bien alors… alors je veux bien que tu la postes.

— Je l'adore, même ! Je poste ça dans deux minutes ! »

L'hôte attrapa son portable et fila sur les réseaux sous le regard désespéré mais bienveillant de Jungyu. Que Yeonu éprouve tant de joie à la seule idée de publier ce cliché, ça lui redonnait un peu confiance – et puis il aimait faire plaisir, le sourire de son ami était si beau, il désirait le voir le plus possible.

« Fait ! s'exclama Yeonu après quelques instants. Je suis sûr que tout le monde va adorer !

— T'as mis quoi comme légende ?

— « Notre Junie est trop mignon quand il dort », lut le jeune homme. Tout simplement. T'en dis quoi ?

— C'est… bah je sais pas. Mignon ?

— Objectif atteint dans ce cas, se réjouit Yeonu. Si même toi tu l'admets, alors je suis convaincu que nos abonnés ne résisteront pas à ton charme ! »

Jungyu allait répliquer quand son téléphone, qu'il avait débranché et rangé dans sa poche, vibra contre sa cuisse. Il l'ignora, mais l'appareil se manifesta plusieurs fois d'affilée, si bien qu'il l'en retira pour ensuite esquisser un rictus. Il n'était même pas étonné de recevoir ça…

Sangchan – Hwang Junie, que faisais-tu chez Yeonu !

Sangchan – Me mens pas ! Je reconnaitrais ce lit entre mille, je le connais par cœur !

Sangchan – Oula, mon précédent message pourrait être mal interprété…

Sangchan – Bref ! Pourquoi as-tu passé la nuit chez lui ! Dis tout à ton Chanie préféré !

Sangchan – Dis, je pourrai venir la prochaine fois moi aussi ? Comme ça on se fera une soirée film et chocolat ensemble ! ^^

Jungyu – C'est une longue histoire, j'ai pas pu rentrer chez moi hier soir, du coup hyung m'a invité à rester, je t'expliquerai.

Sangchan – T'as eu des problèmes ? Ton appartement s'est effondré ? Tu vas bien ?

Jungyu – Oui tout va bien, je t'assure. X)

Sangchan – Alors t'étais simplement en train de draguer mon Yeonie ? :3

Jungyu – Bien sûr, on a flirté toute la soirée, on a même failli prendre notre douche ensemble. -_-

Sangchan – Je voudrais réellement que ça se passe comme ça. XD

Jungyu releva le visage sur son aîné lorsque ce dernier rapporta à la cuisine la vaisselle. Étrangement, à cause de sa conversation avec Sangchan, Jungyu posa sur son hôte un regard différent de celui qu'il avait habituellement. Il percevait Yeonu comme son patron, un mentor charismatique et, plus récemment, comme un ami en qui il pouvait avoir confiance et qui cherchait à le soutenir en toute circonstance.

Cette fois en revanche, il détourna rapidement les yeux en prenant conscience d'une chose : l'idée de draguer Yeonu ne lui avait pas paru si aberrante. Bien que toujours secrètement amoureux de Sangchan, Jungyu ne put pas s'empêcher de songer que Yeonu était un jeune homme aux innombrables qualités – dont sa beauté, qui heurtait dès le premier regard.

D'ailleurs... pas une fois au cours de ce petit déjeuner Jungyu n'avait pensé à Sangchan. Il s'était senti déconnecté du monde, comme s'il n'avait existé, l'espace de quelques dizaines de minutes, que cette cuisine, Yeonu et lui.

CHAPITRE 46

Lorsque Jungyu arriva au café en ce lundi après-midi paisible, il trouva l'établissement plus rempli que d'habitude. D'abord étonné, il mit cependant ça de côté quand, dans la salle de repos, il croisa Minwoo qui venait lui aussi d'arriver et se changeait.

« Hey, Jungyu, lança-t-il, comment tu vas ?

— Très bien, et toi ?

— De même. T'as pu rentrer chez toi sans problème hier matin ?

— Oui, Yeonu m'a accompagné à mon arrêt de bus.

— Et d'après ce que j'ai pu voir sur nos comptes cette petite frayeur que t'as eue samedi soir ne t'a pas empêché de bien dormir.

— Hyung !

— Bah quoi, c'est vrai, non ? le taquina Minwoo.

— C'est bon, c'est un type qui m'a fait flipper, déjà dix minutes après l'incident je n'en avais plus grand-chose à faire. Ça risquait pas de m'empêcher de dormir.

— Encore moins dans le lit de Yeonu, d'ailleurs.

— Sérieux, pourquoi j'ai l'impression que tout le monde sait exactement à quoi ressemble son lit ? râla Jungyu.

— Parce que c'est le cas. »

Jungyu roula des yeux en refermant son casier. Désormais prêt à entamer son service, il se rendit en salle, suivi par Minwoo, et les deux garçons allèrent aider leurs collègues.

Ce fut seulement à sa pause que l'étudiant eut le temps de souffler un peu et apprit par le biais de Wonseok que la raison pour laquelle la clientèle abondait aujourd'hui, c'était parce que Yeonu avait annoncé que les premiers tomes d'un nouveau yaoi avaient été acquis par le magasin et se trouvaient dès à présent au coin lecture. Il s'agissait d'un manga extrêmement populaire qui, sorti récemment, avait immédiatement fait parler de lui – autrement dit, c'était un incontournable pour le café.

« Et vous les lisez, vous aussi, ces mangas ? lui demanda Jungyu avec curiosité.

— Moi ça dépend. Yeonu, en revanche, les lit toujours avant de les mettre dans la bibliothèque. On n'a pas une place infinie sur les étagères alors il ne met que ceux qu'il juge les meilleurs, et régulièrement il remplace une série par une autre, il remet ceux qu'il avait enlevés quelques mois plus tôt, etc : le but, c'est que même si tu viens régulièrement, t'aies toujours des nouvelles choses à voir.

— C'est assez subjectif comme façon de choisir les mangas, non ?

— Non, il attache beaucoup d'importance à l'originalité de l'histoire et la profondeur des personnages. Bien sûr, on a des yaois qui représentent vraiment la base du genre, des histoires d'amour assez banales, ça plaît toujours. On essaie en revanche de proposer de la diversité, pas seulement des romances basiques. Ce serait lassant, sinon. »

Jungyu acquiesça avant qu'une nouvelle question ne lui vienne à l'esprit :

« Mais du coup, les livres qui sont pas dans les bibliothèques en salle, ils sont où ?

— En bas on a une remise. Outre quelques meubles, on y a aussi entreposé tous les mangas et romans en trop. Mais toi, dis-moi, ça te plaît ce genre de livres ? »

Jungyu haussa les épaules d'un air détaché, tentant de garder le contrôle sur les battements de son cœur et donc sur la couleur de ses joues : bien sûr que ce genre de livres l'intéressait, lui-même en écrivait anonymement sur internet et en lisait dans son bus ou entre deux cours. Il y était littéralement accro, qu'il s'agisse de romans ou de fanfictions sur des groupes de musique ou des acteurs qu'il connaissait vaguement. Les romances lui permettaient de s'évader de son quotidien qu'il avait toujours trouvé monotone. Il avait conscience de vivre par procuration, mais ça le rendait heureux, alors pourquoi s'en priver ? Ça compensait toutes ces petites frustrations qu'il ressentait si souvent.

Donc oui. Ce genre de livres, c'était exactement ce qu'il adorait : des histoires ancrées dans un monde proche du sien, des personnages qui lui ressemblaient et des intrigues amoureuses qui, bien que loin d'être réalistes, avaient au moins le mérite de ne pas s'avérer trop fantasques. Cette réalité remplaçait, le temps de la lecture, celle dans laquelle il était emprisonné.

« Je te passerai la clé si tu veux, sourit Wonseok en comprenant malgré son haussement d'épaules le véritable avis de Jungyu au sujet de ces livres. Tu pourras en emprunter quand tu voudras, faudra juste que tu les ramènes en bon état, on demande rien de plus.

— M-Merci, rougit timidement Jungyu en se redressant. Je vais retourner bosser.

— Je vais y aller aussi, approuva l'aîné qui se dirigea pour sa part à son casier, j'ai un rendez-vous avec des publicitaires qui voudraient apparaître sur les petites affiches à l'entrée du café. Ils préféraient discuter autour d'un dîner plutôt que par mail – ça va plus vite d'après eux, moi je pense surtout qu'ils cherchent une bonne occasion de boire. Il est temps d'aller discuter marketing.

— C'est pas Yeonu qui gère ça, habituellement ?

— On s'en sort aussi bien tous les deux. Je peux me montrer très convaincant, tu sais, Yeonu m'a appris tout ce qu'il savait.

— Je vois, sourit Jungyu en lui faisant signe, dans ce cas, on se voit ce soir.

— Ce soir ? répéta son ami en fronçant les sourcils.

— Le cours est annulé ?

— Non, mais je croyais que tu préférais être aidé par Yeonu, c'est pour ça que c'est moi qui vais à ce dîner d'affaires.

— C-Comment ça ? »

Cette fois-ci, impossible pour Jungyu de ne pas bégayer. D'où Wonseok tenait-il cette idée saugrenue que son collègue aimait mieux s'entraîner avec Yeonu ? Bien sûr, l'étudiant ne s'y opposait pas, mais il préférait largement Wonseok, ce dernier se montrait moins rentre-dedans. De fait, même si Jungyu avait conscience qu'au moins, Yeonu parvenait à le pousser dans ses retranchements, il fallait bien admettre qu'il appréciait davantage la méthode plus douce employée par le plus âgé des deux gérants.

« C'est pas le cas ? demanda à son tour Wonseok.

— Non, enfin je sais pas, j'ai pas vraiment de préférence, même si je trouve que t'es un peu moins... brusque que Yeonu.

— Oh... »

Wonseok fit la moue un instant avant qu'un rictus ne vienne relever le coin de ses lèvres pour faire apparaître une expression malicieuse sur son visage.

« Dans ce cas, t'iras dire à Sangchan d'arrêter de se mêler de tes affaires.

— Sangchan ? répéta Jungyu qui songea aussitôt qu'il aurait dû s'en douter dès le début – il n'y avait après tout que lui pour lui faire un coup pareil.

— Oui, c'est lui qui m'a dit que t'avais préféré la façon de faire de Yeonu mais que t'étais trop timide pour l'admettre. »

Jungyu souhaita se frapper la tête contre un mur... ou bien y frapper celle de son meilleur ami un peu trop intrusif. Il aurait dû savoir Sangchan parfaitement capable d'agir ainsi, pourtant il ne l'avait pas vu venir. C'était aussi pour ce côté imprévisible qu'il l'aimait : Sangchan possédait ce petit grain de folie qui faisait tout son charme et l'avait toujours rendu unique.

Cette fois-ci en revanche, ça n'arrangeait pas beaucoup Jungyu qui le maudissait déjà.

~~~

« Pas de nouvelles performances aujourd'hui ? s'enquit Yeonu.

— Non, Wonseok et Minwoo en ont fait une, mais pas moi.

— De ce que Wonseok m'a dit tu t'es beaucoup rapproché de Minwoo ces dernières semaines, pas vrai ? »

Assis dans le bureau de son aîné après avoir fini de ranger seul la salle vide pendant que Yeonu finalisait un dossier, Jungyu s'empourpra à l'évocation d'un quelconque rapprochement entre Minwoo et lui. Qu'est-ce que Yeonu voulait dire ? Que devait-il lui répondre ? Oui, il se sentait proche de Minwoo, très proche même, mais ils parlaient simplement d'amitié, n'est-ce pas ? De complicité au travail ?

Yeonu releva les yeux et se rendit compte du malaise ressenti par Jungyu lorsque ce dernier marmonna :

« O-Oui, on s'entend bien, enfin…

— Du calme, sourit Yeonu, je voulais juste dire que t'as moins de mal à être dans ses bras à lui plutôt que dans ceux de Wonseok, Doyeong ou moi. Et puis vous discutez souvent ensemble.

— Oh… euh, oui, c'est pas faux, on s'est vite bien entendus lui et moi. Du moins moi je l'aime bien, je sais pas si lui il…

— Jun, le coupa encore son aîné, respire. Lui aussi il t'apprécie beaucoup, t'en fais pas.

— T-Tant mieux.

— Pour dire vrai, je me doutais dès le début que ce serait vers lui que t'irais en premier. Vous vous ressemblez tellement, c'est pas étonnant que vous soyez à l'aise l'un avec l'autre. »

Jungyu haussa les épaules, ignorant quoi répliquer. Oui, Minwoo et lui avaient beaucoup en commun, qu'il s'agisse de leur caractère ou de leur passion pour les livres. Ils s'étaient bien trouvés, finalement…

« Dis-moi, Jungyu, t'as l'impression d'avoir progressé ? reprit Yeonu une fois son ordinateur éteint, lorsqu'il put concentrer son attention sur son employé. Tu te sens plus à l'aise parmi nous depuis la semaine dernière ?

— Depuis la semaine dernière je sais pas trop, admit le jeune garçon avec honnêteté. Mais depuis mon arrivée, c'est certain. »

Yeonu acquiesça et appuya les coudes sur son bureau avant de placer son menton sur le dos de ses mains jointes. Il arborait tout à coup un air sérieux dans cette position, malgré son visage profondément doux.

« Ça, je m'en étais aperçu, dit-il. Est-ce qu'il y a quelque chose de particulier que tu voudrais faire pour cette séance ? T'as une idée de ce que tu pourrais faire pour t'améliorer ?

— Euh… non, je sais pas trop…

— T'avais pensé que Wonseok te ferait faire quoi aujourd'hui ?

— Sûrement… qu'on s'entraînerait à des performances ?

— On peut, si tu penses que ça peut t'être utile.

— Tu penses qu'il pourrait y avoir mieux ?

— Ça dépend de ce dont t'as besoin.

— C'est-à-dire ?

— Pour être un bon performeur, il y a, d'après mon point de vue bien sûr, trois fondamentaux. Tout d'abord la capacité d'improvisation, c'est ça que tu améliores quand tu répètes encore et encore des scènes, tu t'entraînes à improviser et à jouer. Ensuite, il y a la confiance en ton partenaire, l'aisance que t'as avec lui, c'est sur ça qu'on a travaillé la semaine dernière. Et enfin, il y a la confiance en toi, parce que sans ça, tu pourras pas être un performeur convaincant, tu seras trop craintif et mal à l'aise face à ton public.

« On travaillera ensemble sur ces trois fondamentaux, je sais que tu peux t'améliorer rapidement, tu me l'as prouvé ces dernières semaines. Je veux que ça continue dans ce sens et j'ai confiance en toi. À toi de voir ce dont tu estimes avoir le plus besoin ; je suis pas souvent en salle et je peux pas réellement savoir ce qui te fait le plus défaut. Alors à toi de me le dire : sur quoi on devrait travailler aujourd'hui ? »

Jungyu resta muet, visiblement en train de réfléchir à la réponse qu'il allait bien pouvoir donner – du moins sa lèvre qu'il mordillait avec un air pensif le laissait croire. Yeonu quant à lui attendit bien sagement la proposition qu'il allait lui soumettre, car il ne s'était pas montré totalement honnête avec son employé : qu'il s'agisse de Minwoo, Wonseok ou bien Sangchan, les trois lui avaient affirmé la même chose, à savoir que Jungyu manquait bien trop de confiance en lui. C'était également quelque chose dont le jeune gérant s'était rendu compte. Ce qu'il espérait en revanche, c'était que Jungyu lui-même l'admette et lui demande de l'aider.

Car s'il ne voulait pas voir ni affronter ce manque de confiance en lui, il ne pourrait pas s'améliorer, et ça ne servirait à rien de l'y forcer.

« Je… »

Yeonu l'encouragea d'un regard que Jungyu s'empressa de fuir, reportant le sien sur ses doigts entremêlés.

« C'est la confiance en moi, hein ? demanda-t-il timidement. C'est ça qu'il faudrait que j'améliore en premier, c'est bien ce que t'as dit hier ?

— Effectivement tu manques de confiance en toi. Tu penses que c'est ce qu'on devrait travailler en priorité ?

— Euh… oui, je pense, hésita quand même Jungyu.

— Tu penses ? »

Jungyu acquiesça avec un peu plus d'aplomb – geste qui rassura Yeonu.

« Pour t'aider à propos de ce problème, j'ai besoin que tu saches d'où il vient, expliqua-t-il donc. Pourquoi est-ce que t'arrives pas à simplement faire barrage aux regards extérieurs ? Pourquoi est-ce que tu te sous-estimes constamment ? Pourquoi t'es si facilement gêné face à quelqu'un ? »

Jungyu sembla tout à coup plus mal à l'aise encore qu'avant. À plusieurs reprises, il entrouvrit la bouche comme s'il allait parler, pourtant il demeurait muet et sa lèvre inférieure tremblait doucement, preuve qu'il ne se sentait pas bien.

« Jungyu, je veux pas nécessairement que tu me le dises, le rassura immédiatement Yeonu. J'ai pas à connaître ta vie privée, si tu veux garder ça pour toi, alors il en sera ainsi. Je veux juste que tu réfléchisses à ça, que tu remettes tout ça en question : quelle que soit la cause de ton manque de confiance en toi, demande-toi pourquoi et comment elle a réussi à te la faire perdre. Demande-toi si cette cause a une raison de te tourmenter encore aujourd'hui, demande-toi pourquoi elle te tourmente encore aujourd'hui.

« Et plus que tout, Jungyu, demande-toi si tu veux qu'elle te tourmente encore aujourd'hui. C'est toi qui décides de ta confiance en toi, ça devrait pas être les autres ou leurs actions. J'ignore presque tout de toi, mais… mais hier matin… t'as insinué que t'avais pas toujours eu ce problème, alors j'imagine que c'est une cause extérieure qui t'a affecté. Tu dois surmonter ça, pas seulement pour être un bon performeur, mais avant tout pour être épanoui et heureux. Je sais que c'est pas évident de surmonter quelque chose qui nous affecte profondément, je suis pas stupide. Je comprends que tu veuilles pas te confier à moi, après tout on se connaît peu, mais tu devrais en parler, ça pourrait t'aider à t'en libérer ou au moins à en alléger le poids.

« T'es pas seul, Jungyu, Sangchan sera toujours là si t'as besoin d'une oreille familière et attentive. Mais sache aussi que n'importe lequel des employés du café sera tout aussi à ton écoute et prêt à t'aider. On n'a pas besoin de se connaître depuis des lustres pour éprouver de la compassion pour quelqu'un, l'écouter et le soutenir. Il suffit d'être humain. C'est pour cette raison que je veux pas de cette hiérarchie avec « mes employés ». On est tous amis, on est collègues, on est au même niveau et on doit pouvoir compter les uns sur les autres. Même quand tu ne travailleras plus ici, ça changera pas, et c'est pas parce que t'es le seul à avoir un temps partiel que ça change quoi que ce soit. Tu fais partie de la famille maintenant, c'est compris ? T'es pas seul. »

CHAPITRE 47

Jungyu hocha doucement la tête sans savoir s'il avait le cœur léger ou lourd après la tirade de Yeonu. Il était touché et en même temps il s'agissait pour lui d'un sujet dont il ne voulait pas parler – dont il ne se sentait pas prêt à parler.

« Je te promets de penser à tout ça, affirma-t-il tout bas.

— Il faut que ce soit avant tout pour toi que tu le fasses, déclara Yeonu, sinon ça pourra pas fonctionner.

— Je comprends.

— À la fin de la semaine, ça fera un mois que t'es avec nous, est-ce que ça te dirait de faire une vidéo pour l'occasion ?

— C-Comment ça ? tiqua aussitôt Jungyu en plantant son regard inquiet dans celui de son aîné.

— Les photos c'est bien joli, mais faut changer un peu. On poste des vidéos de temps en temps. C'est jamais des trucs très longs, juste quelques secondes, parfois une à deux minutes. Quand tu seras un peu plus expérimenté, ça pourra être des vidéos de tes performances, mais pour le moment j'aimerais que tu tournes une vidéo qui te plaise.

— C'est-à-dire ?

— Je sais pas trop : s'il y a un sport que t'aimes par exemple, tu pourrais en parler un peu et te filmer en train de t'entraîner. Il y a un sport que tu pratiques ?

— Euh… pas vraiment, je vais courir et je fais un peu de musculation quand j'ai le temps… donc seulement pendant les vacances.

« — Ouais, donc c'est pas ouf quoi.

— Ouais, pas vraiment…

— Tu dessines ? Tu peins ? Un truc du genre ?

— Pas ces cinq dernières années, répondit Jungyu avec un léger sourire face au désarroi de son patron.

— Tu sais chanter ?

— Seulement quand y a l'eau de la douche pour me servir de chœur. »

Yeonu esquissa à son tour un rictus amusé avant de hausser les épaules.

« Il y a parfois des gens à la voix d'or qui chantent sous leur douche. De même, c'est pas parce que t'as pas dessiné ces dernières années que t'as pas de talent. Tu pourrais essayer de chanter ou dessiner, là, pour que j'aie une idée de ce dont t'es capable ?

— J-Je… je sais pas, enfin c-c'est gênant quand même, je te jure que je sais pas.

— Tu stresses super vite pour pas grand-chose, Jungyu, je te jure que c'est pas moi qui vais te juger. Tu me connais quand même, hein ? C'est pas mon genre. Est-ce que tu pourrais commencer par te détendre et admettre que je suis pas un con qui va forcément rire si tu te plantes ?

— On en reparle du pancake ? »

La moue dépitée de Jungyu combinée à ce souvenir hilarant fit pouffer Yeonu. Le jeune gérant se renfonça un peu dans son fauteuil en tentant de retrouver son sérieux tandis que Jungyu grommelait un « j'en étais sûr ».

« C'est pas pareil, rétorqua Yeonu avec ce large sourire que Jungyu trouvait magnifique. C'était pas un rire moqueur, c'était juste que ça m'a surpris de voir ton pancake prendre son envol à travers la pièce. Je me moquerais jamais de toi, Jun, je te jure. »

Son cadet se contenta de hausser les épaules en fuyant son regard pourtant bienveillant. Yeonu soupira et s'apprêtait à changer de sujet lorsque la voix timide de son employé l'en dissuada :

« Je... je peux peut-être chanter. Ma famille... i-ils ont toujours trouvé que je chantais bien.

— C'est vrai ? se réjouit aussitôt l'autre. Super ! Tu pourrais faire ça, je suis sûr que t'as une voix magnifique, ça serait top que tu fasses un cover.

— Je sais pas trop...

— Est-ce que tu pourrais déjà me faire écouter ta voix ? Je voudrais bien pouvoir m'en faire une idée si ça te gêne pas. »

Bien sûr qu'il savait que si, ça le gênait, mais Yeonu attendait que Jungyu lui montre qu'il était capable de faire un effort, de prouver qu'il souhaitait gagner en confiance en lui. Il espérait qu'il essaie, tout simplement. Quitte à ce que sa voix tremble. Quitte à ce qu'il n'ose pas le regarder dans les yeux. Quitte à ce qu'il exécute quelques fausses notes. Ce qui comptait, c'était qu'il se lance en dépit de la présence de quelqu'un qui l'écoutait.

« Je sais pas trop, répondit encore Jungyu qui semblait se ratatiner de plus en plus sur sa chaise à mesure que les secondes s'égrainaient.

— Je suis en train de te demander de chanter sans t'échauffer la voix et a capella, je te jugerai absolument pas si tu te plantes, voyons, tenta de le rassurer Yeonu. Je voudrais juste entendre ta voix, montre-moi que t'as un minimum confiance en toi... et en moi. »

Jungyu se mordit la lèvre, mais cela ne l'empêcha pas d'acquiescer doucement. Il voulait y arriver, il voulait prouver à son ami qu'il pouvait y arriver... pour autant, ça demeurait quelque chose de terrifiant pour lui : devant Sangchan lui-même il n'avait jamais chanté, alors oser faire écouter sa voix à Yeonu, c'était si stressant !

Il ne s'en sentait pas capable, pourtant il désirait témoigner de sa bonne volonté. D'une certaine manière, même, il en avait envie : il souhaitait prendre son courage à deux mains. De plus, le discours de Yeonu lui restait en tête : Jungyu comptait se prouver à lui-même qu'il pouvait réussir. Son aîné s'avérait à ce point rassurant qu'il éprouvait la sensation qu'il lui serait plus facile de se dévoiler à lui.

Car si Jungyu avait trouvé son supérieur d'abord particulièrement charismatique et intimidant, au fil des jours il avait fini par le trouver surtout particulièrement bienveillant.

« On peut essayer, approuva-t-il finalement. Je veux bien.

— Dans ce cas vas-y, je t'écoute, l'encouragea Yeonu. Prends ton temps et lance-toi. »

Jungyu poussa un soupir et ferma les paupières. Il déglutit, se rappela le conseil de Sangchan et compta lentement jusqu'à trois, le cœur battant. Alors ses lèvres s'entrouvrirent et d'elles s'échappèrent les premières notes d'une chanson qu'il aimait beaucoup en ce moment.

Trop inquiet de la réaction de Yeonu, il gardait les yeux clos. Il ne fut en mesure de chanter qu'une quinzaine de secondes – déjà un exploit pour lui – et lorsqu'il finit par ouvrir les paupières, ce fut pour verrouiller son regard sur ses doigts entremêlés, l'air horriblement gêné.

« V-Voilà, murmura-t-il. C'est... enfin voilà, quoi... »

Un bref silence s'installa, rapidement brisé par Yeonu.

« Jungyu, s'il te plaît, relève la tête.

— J-Je… désolé, balbutia son employé.

— Ne t'excuse pas. Je voudrais simplement que tu relèves la tête, parce que tu devrais être fier d'avoir une aussi belle voix. »

Jungyu réagit aussitôt, plantant son regard peu assuré dans celui de son mentor qui souriait et de qui les prunelles débordaient de sincérité. Immédiatement le cadet crut qu'un poids gigantesque lui avait été retiré des épaules. Il poussa un profond soupir, expirant dans un souffle toute la pression qu'il avait accumulée pendant cet instant qui, bien que court, lui avait semblé atrocement long et tendu.

« Merci beaucoup, dit-il simplement en sentant le rouge lui monter aux joues sous l'effet du plaisir.

— C'est normal de complimenter ce qui doit l'être. T'as une voix douce, éthérée, vraiment apaisante. Il faut absolument que tu fasses un petit cover pour en faire profiter nos abonnés, ils seront dingues de toi !

— J'ai un peu peur…

— Je sais, raison de plus pour que tu le fasses. Affronte ça, Jungyu. Je sais que t'en es capable, je t'aiderai s'il le faut. Je te l'ai dit : pense pas que t'es seul pour faire face à tes craintes. Ce cover va être top et ta popularité va exploser, fais-moi confiance. Junie va devenir le nouveau chouchou du Boy's love Café. Crois-moi, je sais sentir ces choses-là, le marketing c'est mon domaine, je m'en sors très bien là-dedans. On va faire de ton personnage une véritable mascotte.

— J'ai… J-Je veux pas trop être mis en avant, c'est pas mon genre…

— Je sais bien, t'en fais pas. Mais chaque fois qu'on a un nouveau performeur je fais tout pour le valoriser les premières semaines, il faut que le client te veuille, Jungyu. C'est désolant à admettre, mais dis-toi que nos personnages sont comme des gâteaux : il y a Wonseok, Minwoo et moi, les plus anciennes marques, celles en qui t'as totalement confiance parce qu'elles sont les premières. Puis Doyeong est arrivé, une nouveauté dont on attend qu'elle fasse ses preuves. Le consommateur veut pas investir s'il a des doutes. Le but donc, c'est de trouver ce qui va faire de la marque « Junie » une marque capable de concurrencer les plus anciennes. Parce que le consommateur, il a beau craindre ce qui est nouveau, il est curieux. Il veut découvrir Junie, et si tu fais tes preuves, tu réussiras. C'est pareil partout.

« Toi en revanche, t'as aussi cette chance de pas simplement être un « produit » comme les autres : t'es en temps partiel, tu comptes pas travailler ici longtemps et tu te mets peu en avant. D'emblée, t'es plutôt comme une « édition limitée », tu comprends. Alors il faut prouver le plus rapidement possible que ça vaut le coup de t'avoir vu en pleine performance. On doit créer l'envie chez le consommateur – chez le client, donc.

— Alors nos personnages…

— Ne sont rien de plus que des arguments marketing, mais ça tu le savais déjà, même un aveugle s'en serait rendu compte. On s'amuse, on y prend du plaisir, mais à la base, c'est surtout pour faire parler du café. L'objectif de Junie, c'est de me ramener des clients. Dit comme ça, c'est pas très glamour, hein ? ricana Yeonu en se passant la main dans les cheveux. Mais c'est comme ça. Notre différence avec les autres professionnels du divertissement, c'est qu'ici on est quand même beaucoup plus naturels : ni scénarios ni mises en scène dignes du cinéma. On fonctionne bien aussi parce qu'on s'entend tous très bien et que ça se voit. Le marketing n'empêche en rien le plaisir et une certaine part de sincérité. »

C'était quelque chose dont Jungyu avait conscience, bien sûr, toutefois l'entendre avait quelque chose d'un peu… embarrassant. Mais pas seulement. Ça avait une saveur amère qu'il n'aimait pas beaucoup. Pour la première fois depuis le début de cet entretien, il lui semblait réellement « parler boulot » avec Yeonu, alors même que jusqu'à présent il avait plutôt éprouvé l'impression d'un moment sympa avec un ami qui essayait de l'aider à prendre confiance en lui.

« C'est d'accord, approuva-t-il sans oser croiser le regard de son aîné, je le ferai, ce cover. »

Yeonu fronça les sourcils et hocha la tête de droite à gauche :

« Eh, Jungyu, si tu veux pas le faire, rien t'y oblige. Certes, on a une image qui sert essentiellement de pub, de produit commercial, mais tu me connais : j'ai toujours principalement insisté sur la bienveillance dont on doit faire preuve les uns envers les autres. Je voulais pas que tu te sentes obligé de poster cette vidéo, rassure-toi, ça dérangera personne si tu postes rien de ce genre, mais je pense réellement que ça pourrait être bénéfique pour ta confiance en toi… et pour mes chiffres, mais ça, c'est pas la priorité.

« Je voudrais juste… je sais pas, soupira Yeonu qui parut pour la première fois hésiter quant à ce qu'il allait dire, je voudrais juste que les gens puissent te voir, Jungyu, qu'ils puissent voir à quel point t'es talentueux et incroyable. Merde, t'es incapable de te mettre en valeur, incapable de voir à quel point t'es un gars génial. C'est pas juste. T'es pas simplement un beau mec, faut que tu montres aux autres que t'es plus – bien plus – que ça.

— Je suis désolé… j-j'ai juste peur… »

Jungyu se mordit la lèvre en sentant sa gorge se serrer : Yeonu était un ange avec lui, malgré tout il ne parvenait pas à passer outre ses craintes.

« Jungyu… est-ce que tu peux mettre des mots sur ce sentiment ? Qu'est-ce qui te fait peur, exactement ?

— Plus ils en sauront sur moi… plus ils pourront me juger. S'ils me critiquent alors qu'ils ne connaissent que mon apparence, je m'en moque, je sais parfaitement qu'ils ont aucune légitimité et qu'ils sont simplement stupides… mais si je me dévoile, s'ils savent qui je suis, ce que j'aime, ce que j'aime pas, s'ils me connaissent… je… je suis pas parfait. Et s'ils me critiquent en sachant tout ça… hyung… »

La détresse grandissante dans le cœur du jeune garçon créait des trémolos dans sa voix. Yeonu fronça imperceptiblement les sourcils et recula doucement sa chaise avant de se relever. Jungyu n'osa pas décrocher son regard de ses cuisses sur lesquelles ses doigts semblaient se battre les uns avec les autres tant il jouait avec. Son cœur cogna sévèrement contre son thorax lorsque son aîné attrapa les accoudoirs de la chaise et la tourna pour qu'il lui fasse face. Jungyu par réflexe leva aussitôt les yeux pour croiser ceux, sombres et sérieux, de Yeonu. Ce dernier s'accroupit devant lui, les mains sur les genoux du jeune étudiant pour garder l'équilibre. Jungyu sentit d'ailleurs ses joues s'empourprer de voir son patron s'installer ainsi. Yeonu avait beau être plus bas, il dégageait quelque chose de profondément supérieur, une autorité à laquelle on ne pouvait que se soumettre.

Jungyu aurait souhaité baisser la tête, mais avec son ami placé de cette façon, il rencontrerait quand même ses yeux. Pour fuir, tout ce qu'il trouva à faire, ce fut de tourner son regard sur le côté, en direction de la porte qu'il rêvait de prendre tandis que déjà ses mains se faisaient moites et que son corps se réchauffait sous l'effet de l'adrénaline – ça en plus de ses genoux qui, parce que Yeonu y avait appuyé les mains, lui paraissaient brûlants malgré son jean qui séparait leurs deux peaux.

Yeonu cependant ne le laissa pas faire. Il tendit une main vers le visage enfantin du jeune garçon et posa sa paume rassurante bien qu'autoritaire sur sa joue afin de l'inciter délicatement à regarder dans sa direction. Après quelques instants, l'étudiant eut le courage de croiser timidement ses prunelles qui n'avaient rien perdu de leur sérieux. Jungyu sentit son estomac se serrer plus encore que sa gorge : Yeonu n'avait jamais semblé si déterminé.

« Jungyu, déclara-t-il d'un ton grave, je ne te poserai cette question qu'une fois. Libre à toi d'y répondre maintenant ou plus tard, mais il faut que je te la pose, je ne veux plus que cette situation dure. Dis-le-moi : qui t'a harcelé ? ».

NOTE

C'est donc ici que se clôt ce premier tome de *Boy's love Café*. J'espère sortir les quatre suivants au plus vite, je m'excuse une fois de plus de ne pas pouvoir publier ce livre en un seul roman.

Je vous remercie sincèrement pour toute l'attention que ce livre a générée sur Wattpad, vous n'imaginez même pas à quel point ça me ravissait de découvrir chaque jour les vues s'accumuler, jusqu'à plus de huit cents en à peine vingt-quatre heures pour un nouveau chapitre. Jamais je n'aurais osé imaginer un tel chiffre, et communiquer avec vous dans les commentaires était – et est toujours actuellement – un bonheur.

Je suis régulièrement mentionnée sur Wattpad et Twitter pour ce roman, et je suis profondément honorée que vous recommandiez mon livre à d'autres. J'ai pris un immense plaisir à l'écrire, et un plaisir tout aussi grand à vous voir le découvrir, à vous voir suivre jour après jour les aventures de tous ces personnages. C'était mon petit exutoire, mon moyen de créer une réalité cotonneuse et rassurante, et j'ai toujours été émue de constater que vous aussi appréciiez la douceur qui émanait de cette histoire.

Alors si *Boy's love Café* vous a plu, vous a touché, vous a réchauffé le cœur… sachez que je suis l'auteur la plus fière qui puisse exister. ♥